Jon Krakauer
In die Wildnis

SERIE PIPER

Zu diesem Buch

Eine kleine Pistole und ein Fünf-Kilo-Sack Reis – das war die einzige Ausstattung des jungen Chris McCandless, mit der er sich in die Wildnis Alaskas begab. Seine gesamten Ersparnisse von fünfundzwanzigtausend Dollar hatte er gespendet und das restliche Bargeld verbrannt – er wollte ein neues, ganz anderes Leben beginnen. Vier Monate später wurde seine Leiche in der Wildnis von Alaska von einem Elchjäger gefunden. Jon Krakauer, für seine spektakulären Reportagen bereits mehrfach preisgekrönt, hat die abenteuerliche Wanderung des Chris McCandless anhand von Tagebucheintragungen, Postkarten und Interviews rekonstruiert. War Chris ein hoffnungsloser Romantiker oder einfach nur ein Spinner? Oder wurde er von einer Sehnsucht getrieben, die nur zu typisch ist für unsere Zeit? Eine packende Reportage vom Autor des Bestsellers »In eisige Höhen«.

Jon Krakauer, geboren 1954, arbeitet als Wissenschaftsjournalist für amerikanische Zeitschriften. Für seine Reportagen wurde er mit zahlreichen Preisen ausgezeichnet. Er lebt mit seiner Frau in Colorado. Auf deutsch erschienen von ihm »In die Wildnis«, der Millionenbestseller »In eisige Höhen«, »Auf den Gipfeln der Welt« und »Mord im Auftrag Gottes«.

Jon Krakauer

In die Wildnis

Allein nach Alaska

Aus dem Amerikanischen
von Stephan Steeger

Ein MALIK Buch

Piper München Zürich

Mehr über unsere Autoren und Bücher:
www.piper.de

Von Jon Krakauer liegen bei Piper im Taschenbuch vor:
Auf den Gipfeln der Welt
In die Wildnis
In eisige Höhen
Mord im Auftrag Gottes

Ungekürzte Taschenbuchausgabe
1. Auflage Oktober 2007
6. Auflage März 2008

Titel der amerikanischen Originalausgabe:
»Into the Wild«, Villard, New York 1996

erschienen im Verlagsprogramm Malik
Umschlagkonzept: Büro Hamburg
Umschlaggestaltung: Birgit Kohlhaas
Foto Umschlagvorderseite: TOBIS Film GmbH & Co. KG
Autorenfoto: Linda M. Moore/Villard
Satz: Ebner, Ulm
Papier: Munken Print von Arctic Paper Munkedals AB, Schweden
Druck und Bindung: CPI – Clausen & Bosse, Leck
Printed in Germany ISBN 978-3-492-25067-2

Für Linda

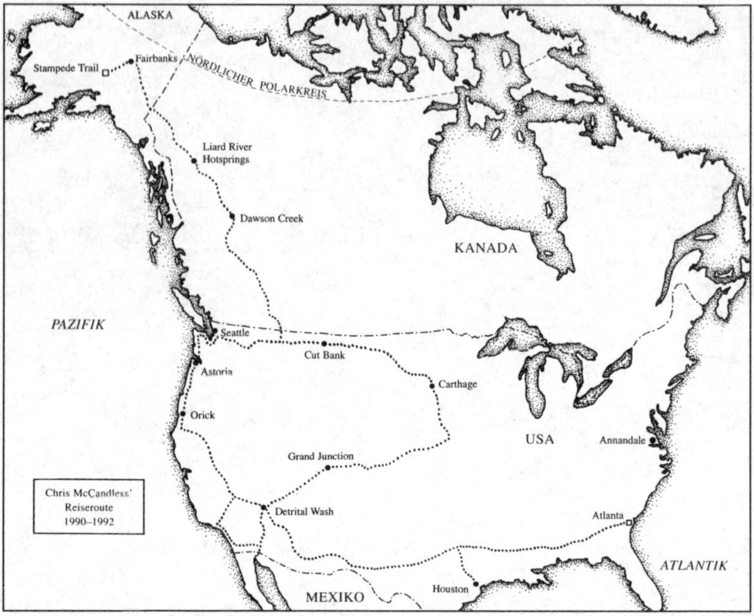
ALASKA
Stampede Trail
Fairbanks
NÖRDLICHER POLARKREIS
Liard River
Hotsprings
Dawson Creek
KANADA
PAZIFIK
Seattle
Cut Bank
Astoria
Carthage
Orick
USA
Annandale
Grand Junction
Chris McCandless'
Reiseroute
1990–1992
Detrital Wash
Atlanta
ATLANTIK
Houston
MEXIKO

VORBEMERKUNG

Im April 1992 trampte ein junger Mann, der aus einer wohlhabenden Familie von der Ostküste stammte, nach Alaska und zog allein in die Wildnis nördlich des Mount McKinley. Vier Monate später stieß eine Gruppe von Elchjägern auf seinen stark verwesten Leichnam.

Kurz nach dem Leichenfund wurde ich vom Chefredakteur der Zeitschrift *Outside* gebeten, über die rätselhaften Umstände zu berichten, die zu dem Tod des Jungen geführt hatten. Es stellte sich heraus, daß er Christopher Johnson McCandless hieß und in einem reichen Vorort von Washington, D.C., aufgewachsen war. An der Schule ein Überflieger, war er auch im Sport einer der Besten seines Jahrgangs.

Unmittelbar nachdem er im Sommer 1990 mit Auszeichnung von der Emory University abgegangen war, verschwand McCandless. Er nahm einen anderen Namen an und spendete seine gesamten Ersparnisse – vierundzwanzigtausend Dollar – der Wohlfahrt. Er ließ seinen Wagen und den größten Teil seiner Habe zurück und verbrannte auch noch sein letztes Reisegeld. Und dann machte er sich daran, das Leben für sich neu zu erfinden. Er mischte sich unter die Randexistenzen der Gesellschaft, wanderte quer durch Nordamerika, auf der Suche nach ungefilterten Erfahrungen. Seine Familie hatte keine Ahnung, wo er war, was aus ihm geworden war – bis zu dem Tag, als man seine sterblichen Überreste in Alaska fand.

Unter großem Termindruck schrieb ich einen etwa fünfseitigen Artikel, der in der Ausgabe vom Januar 1993 von *Outside* erschien. McCandless' Schicksal hielt mich jedoch weiter in seinem Bann, auch nachdem die Ausgabe an den Kiosken schon längst durch das journalistische Tagesgeschäft ersetzt worden war. Der Junge war verhungert, und die Einzelheiten seines Todes ließen mich nicht mehr los, zumal ich zwischen den Ereignissen seines und meines eigenen Lebens beunruhigende entfernte Parallelen entdeckte. Ich konnte und wollte die Sache nicht so einfach ad acta legen, und über mehr als ein Jahr hinweg verfolgte ich die verschlungene Spur, die zu seinem Tod in der Taiga Alaskas führte. Ich recherchierte die Details seiner Wanderschaft mit einer Neugierde, die fast an Besessenheit grenzte. Indem ich versuchte, McCandless zu begreifen, stieß ich unwillkürlich in andere, tiefergehende Themenbereiche vor: der Mythos der Wildnis, der nach wie vor die Phantasie der Amerikaner gefesselt hält, der Reiz der Gefahr, der immer mehr junge Männer zu hochriskanten Freizeitunternehmungen verführt, das komplexe, spannungsgeladene Verhältnis zwischen Vätern und Söhnen. Das vorliegende Buch ist das Ergebnis meiner auf Wegen und Nebenwegen wandelnden Recherche.

Ich kann nicht für mich in Anspruch nehmen, ein unvoreingenommener Beobachter zu sein. McCandless' Geschichte berührte mich zutiefst, daher war mir eine leidenschaftslose Darstellung der Tragödie nicht möglich. Größtenteils habe ich mich – hoffentlich erfolgreich – bemüht, mich als Autor möglichst rauszuhalten. Aber der Leser sei gewarnt: Ich unterbreche McCandless' Geschichte mit der Erzählung von Vorfällen und Ereignissen aus meiner eigenen Jugend. Ich tue dies in der Hoffnung, daß meine Erfahrungen das Rätsel Chris McCandless etwas erhellen werden.

Er war ein unter ständiger Hochspannung stehender junger Mann, besessen von einem sturen Idealismus, der mit den Ansprüchen der heutigen Zeit nicht leicht zu vereinbaren war. Lange Zeit fesselten ihn die Werke des großen russischen Romanciers Leo Tolstoi, den er vor allem dafür bewunderte, die Annehmlichkeiten eines Lebens in Reichtum und privilegierter Bequemlichkeit aufgegeben zu haben, um sich unter die Armen und Entrechteten der Gesellschaft zu mischen. Auf dem College begann McCandless, Tolstois Asketentum und ethische Unbeugsamkeit nachzuahmen, und zwar in einem Maße, das seine nahe Umgebung zuerst verblüffte und dann alarmierte. Als der Junge in die Wildnis Alaskas zog, gab er sich keineswegs der Illusion hin, in ein Paradies einzukehren, in dem er unbeschwert umhertrecken konnte; vielmehr sehnte er sich nach Gefahren, Widrigkeiten und nach tolstoianischer Enthaltsamkeit – und genau dies sollte er auch zur Genüge vorfinden.

Trotz aller Schwierigkeiten schlug sich McCandless den größten Teil seiner sechzehnwöchigen Prüfung mit Bravour durch. Hätte er sich nicht ein, zwei scheinbar belanglose Schnitzer geleistet, wäre er im August 1992 ebenso anonym aus den Wäldern gewandert, wie er hineingewandert war. Statt dessen stellten sich seine in aller Unschuld begangenen Fehltritte als fatal und unumkehrbar heraus. Sein Name kam in die Schlagzeilen, und seine bestürzten Angehörigen sahen sich dem Scherbenhaufen einer grimmigen und schmerzhaften Liebe gegenüber.

Eine erstaunlich große Anzahl von Menschen fühlte sich von der Geschichte von Chris McCandless' Leben und Sterben zutiefst betroffen. Der *Outside*-Artikel verursachte in den Wochen und Monaten nach der Veröffentlichung eine Flut von Leserbriefen, mehr als irgendein anderer Artikel in der Geschichte der Zeitschrift. Diese Briefe spiegeln, wie nicht anders zu erwarten war, höchst kontroverse Ansichten wider: Einige Leser brachten dem Jungen für seinen Mut und die hehren Idealen, von denen er sich leiten ließ, all ihre Bewunderung entgegen; andere dagegen wetterten, daß er ein leichtsinniger Idiot gewesen sei, ein Spinner, ein narzißtischer Traumtänzer, der aufgrund seiner Dummheit und Arroganz umkam – und der die große Aufmerksamkeit, die ihm in den Medien zuteil wurde, nicht verdient hatte. Meine eigenen Ansichten werden im Laufe des Buches deutlich zutage treten, doch der Leser möge sich sein eigenes Urteil über Chris McCandless bilden.

JON KRAKAUER
SEATTLE

IN DIE WILDNIS

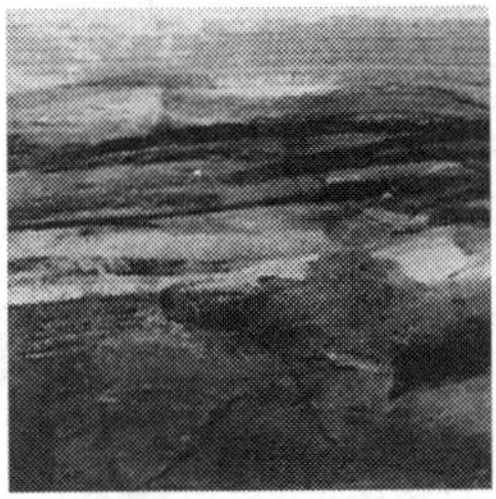

ARKTISCHES MEER
SIBIRIEN
BARROW
BROOKS RANGE
Prudhoe Bay
NOME
ALASKA
BERING MEER
Yukon River
Carl
McCunns
Lager
Coleen R.
FORT YUKON
Porcupine River
FAIRBANKS
HEALY
ALASKA RANGE
Mt.
McKinley
Yukon River
ANCHORAGE
HOMER
VALDEZ
CORDOVA
YUKON
Kodiak I.
GOLF VON ALASKA
COAST RANGE
BRITISH COLUMBIA
JUNEAU
SITKA
PETERSBURG
Devils Thumb
N
0 50 100 150 200 250 MI
M. Davidson

Im Herzen Alaskas

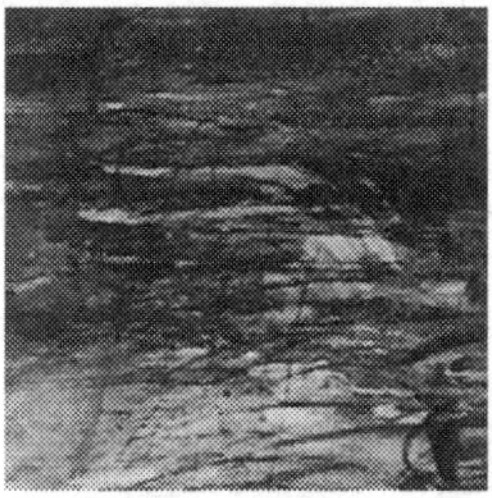

KAPITEL EINS

27. April 1992

Grüße aus Fairbanks! Dies wird meine letzte Nachricht an Dich sein, Wayne. Bin vor zwei Tagen hier angekommen. Das Trampen in der Gegend um den Yukon lief nicht so gut. Aber jetzt bin ich endlich hier.

Schicke bitte all meine Post an den Absender zurück. Es kann noch lange dauern, bis ich wieder im Süden bin. Dieses Abenteuer geht vielleicht tödlich aus, und es kann sein, daß Du nie wieder von mir hören wirst. Ich möchte aber, daß Du weißt, wie sehr ich Dich bewundere. Ich breche nun in die Wildnis auf. Alex.

POSTKARTE AN WAYNE WESTERBERG,
CARTHAGE, SOUTH DAKOTA

❖

Vier Meilen hinter Fairbanks sah Jim Gallien den Tramper. Er stand schlotternd im Schnee am Straßenrand, den Daumen in das fahle Morgengrauen Alaskas gereckt. Er schien noch recht jung zu sein: achtzehn, höchstens neunzehn. Aus seinem Rucksack ragte ein Gewehr, aber er machte einen ganz freundlichen Eindruck. Im neunundvierzigsten Staat ist ein Tramper mit einer halbautomatischen Remington kein ungewöhnlicher Anblick. Gallien hielt an und bedeutete dem Jungen, einzusteigen.

Der Tramper warf seinen Rucksack auf die Ladefläche des Fords und sagte, daß er Alex hieß. »Alex?« erwiderte Gallien, der gerne auch den Nachnamen gewußt hätte.

»Einfach Alex«, blockte der Junge ab. Er war etwa einssiebzig groß und von drahtiger Gestalt. Wie sich herausstellte, war er vierundzwanzig Jahre alt und stammte aus South Dakota. Er wollte bis zum Denali-Nationalpark mitfahren. Von dort aus, sagte er, wolle er in die Wälder wandern und »ein paar Monate lang von dem, was das Land so hergibt, leben«.

Gallien, ein Elektriker, war auf dem George Parks Highway unterwegs nach Anchorage, zweihundertvierzig Meilen über Denali hinaus. Er sagte Alex, er könne so weit mitfahren, wie er wolle. Der Rucksack des Jungen sah aus, als würde er gerade einmal zehn, fünfzehn Kilo wiegen. Dies erschien Gallien – einem erfahrenen Jäger und Waldarbeiter – für einen mehrmonatigen Aufenthalt in einem fast menschenleeren Gebiet als viel zu dürftig, vor allem da der Frühling gerade erst angebrochen war. »Der Junge hatte für solch eine Tour nicht annähernd genug Verpflegung und Ausrüstung dabei«, erinnert sich Gallien.

Die Sonne ging auf. Als sie die bewaldeten Hügel oberhalb des Tanana River hinabrollten, starrte Alex über das windgepeitschte, sich endlos nach Süden erstreckende

Tundramoor hinweg. Gallien fragte sich, ob er womöglich an einen dieser durchgeknallten Spinner aus dem Süden geraten war, die es immer wieder in den Norden zieht, um ihre naiven Jack London-Phantasien auszuleben. Alaska übte schon seit langem eine geradezu magnetische Anziehungskraft auf Träumer und Aussteiger aus: Typen, die sich einbildeten, daß eine Reise in die unberührte, endlose Weite des *Last Frontier* ihr zerrissenes Leben flikken würde. Die Wildnis ist jedoch unerbittlich und schert sich nicht um Wünsche und Sehnsüchte.

»Die Leute von außerhalb«, erzählt Gallien in seiner tiefen, melodischen Stimme, »sehen eine Ausgabe von *Alaska,* blättern drin rum, und dann denken sie, ›Mann, da fahr ich jetzt hin, ernähr mich von Mutter Natur und leb 'n schönes, heiles Leben‹. Aber wenn sie dann hier sind und die Wildnis hautnah erleben – tja, so, wie das in den Zeitschriften ausgemalt wird, is' es nun mal nicht. Die Flüsse hier sind riesengroß und können ganz schön tückisch sein. Die Moskitos fressen einen bei lebendigem Leibe. In den meisten Gegenden gibt es einfach nicht viel zu jagen. In der Wildnis zu leben ist was anderes als 'n Weekend auf dem Land.«

Die Fahrt von Fairbanks bis an die ersten Ausläufer des Denali-Parks dauerte zwei Stunden. Sie unterhielten sich und lernten sich ein wenig kennen. Der Junge schien nun doch nicht so durchgeknallt zu sein, wie Gallien anfangs befürchtet hatte. Er war sympathisch und machte einen gebildeten Eindruck. Er durchlöcherte Gallien mit detaillierten Fragen über die verschiedenen Arten von Niederwild, welche Beeren man essen könne – »und all solche Sachen«.

Und dennoch war Gallien beunruhigt. Alex mußte zugeben, daß seine Verpflegung nur aus einem Fünf-Kilo-Sack Reis bestand. An Kleidung und Ausrüstung hatte er nicht einmal das in Anbetracht des rauhen Klimas Allernotwendigste dabei. Es war April und das Landesinnere lag immer noch unter einer dichten Schneeschicht begraben. Alex' billige Wanderstiefel waren weder wasserdicht noch ausreichend gefüttert. Die .22 Remington war ein Kaliber zu klein; man konnte sich nicht darauf verlassen, wenn man auch größeres Wild wie Elche und Karibus erledigen wollte. Und darauf wäre er angewiesen, wenn er tatsächlich länger bleiben wollte. Er hatte weder Axt noch Insektenkiller, weder Schneeschuhe noch Kompaß. Seine einzige Orientierungshilfe war eine zerfledderte Straßenkarte von Alaska, die er an einer Tankstelle geschnorrt hatte.

Einhundert Meilen hinter Fairbanks steigt der Highway in die unteren Ausläufer der Bergkette der Alaska Range hoch. Als der Pick-up über eine Brücke des Nenana River ruckelte, blickte Alex in die reißende Strömung hinab. Er fürchte sich vor Wasser, gestand er Gallien. »Vor einem Jahr bin ich unten in Mexiko mit einem Kanu aufs Meer hinausgepaddelt. Dann ist ein Sturm aufgezogen, und ich wäre beinahe ertrunken.«

Ein wenig später nahm Alex seine Straßenkarte heraus und zeigte auf eine gestrichelte rote Linie, die den Highway in der Nähe von Healy, einer kleinen Kohlebergbaustadt, durchschnitt. Es handelte sich um den Stampede Trail, eine unbefestigte, kaum benutzte Straße, die auf den meisten Karten Alaskas nicht einmal eingezeichnet ist. Auf Alex' Karte jedoch schlängelte sich die Linie vom Parks Highway etwa vierzig Meilen weit nach Westen, um sich schließlich inmitten der unwegsamen Wildnis nördlich des Mount McKinley zu verlieren. Dort, verkündete Alex, wolle er hin.

Gallien hielt die Pläne des Trampers für zu waghalsig und versuchte immer wieder, ihn davon abzubringen.

»Ich hab ihm gesagt, daß es dort, wo er hin will, nicht so leicht ist, was zu jagen, daß er vielleicht tagelang nichts erlegen wird. Als das nicht wirkte, hab ich versucht, ihm mit Bären-Storys Angst einzujagen. Ich hab ihm gesagt, daß er einem Grizzly mit 'nem Zweiundzwanziger nichts anhaben kann, daß er ihn damit wahrscheinlich nur noch wütender macht. Hat den Jungen aber alles nicht sonderlich beeindruckt. ›Dann klettere ich eben auf einen Baum‹, hat er nur gemeint. Also hab ich ihn darüber aufgeklärt, daß die Bäume in der Gegend nicht besonders groß werden und daß so ein Bär eine von diesen dürren, kleinen Schwarzfichten mit einem Schlag umhaut. Aber der Knabe hat sich einfach nichts sagen lassen. Auf alles hatte er eine Antwort.«

Gallien bot Alex an, ihn bis nach Anchorage mitzunehmen, ihm eine anständige Ausrüstung zu kaufen und ihn wieder zurückzufahren.

»Nein, aber vielen Dank fürs Angebot«, antwortete Alex. »Ich werd mit dem, was ich hab, schon zurechtkommen.«

Gallien fragte, ob er eine Jagdlizenz habe.

»Nee, natürlich nicht«, sagte Alex spöttisch. »Wie ich mich ernähre, geht die Regierung einen Dreck an. Die können mich mal mit ihren blöden Regeln.«

Als Gallien fragte, ob seine Eltern oder ein Freund von seinem Vorhaben wüßten – ob es da irgend jemanden gibt, der Alarm schlägt, falls er in Schwierigkeiten gerät oder sich längere Zeit nicht meldet –, antwortete Alex seelenruhig, nein, daß niemand von seinen Plänen weiß, daß er ehrlich gesagt seit beinahe zwei Jahren mit seiner Familie kein Wort mehr gewechselt hat. »Wenn's Schwierigkeiten gibt, werd ich damit schon allein fertig, hundertpro«, versicherte er Gallien.

»Es hatte überhaupt keinen Sinn, dem Jungen was ausreden zu wollen«, erinnert sich Gallien. »Er war felsenfest entschlossen. Durch nichts mehr zu bremsen. Richtig aufgeregt, wenn ich heute so drüber nachdenke. Er konnte es kaum erwarten, loszulegen und in die Wälder abzutauchen.«

Drei Stunden hinter Fairbanks bog Gallien vom Highway ab und lenkte seine klapprige Allradkiste in eine tiefverschneite Nebenstraße. Die ersten paar Meilen war der Stampede Trail noch ganz passabel. Er führte an Blockhütten vorbei, die zwischen kümmerlichen Fichten und Espen verstreut standen. Als sie jedoch die letzte der Hütten hinter sich gelassen hatten, wurde es immer schlimmer. Der Trail war von Erlen überwuchert und verwandelte sich immer mehr in einen ruckeligen Pfad, der offensichtlich nicht instand gehalten wurde.

Im Sommer wäre der Trail zwar auch nicht viel besser, aber zumindest befahrbar. Jetzt, unter dem fünfzig Zentimeter hohen, matschigen Frühlingsschnee, war er praktisch unpassierbar. Als sie nach zehn Meilen eine leichte Anhöhe erreichten, hielt Gallien seinen Pick-up an. Er hatte Angst, steckenzubleiben. Die eisigen Gipfel des höchsten Bergmassivs Nordamerikas schimmerten am südwestlichen Horizont.

Alex bestand darauf, Gallien seine Uhr, seinen Kamm und etwas Kleingeld zu geben, das, wie er betonte, sein ganzes Vermögen darstellte: fünfundachtzig Cents. »Ich will dein Geld nicht«, protestierte Gallien, »und eine Uhr hab ich selber.«

»Wenn Sie's nicht nehmen, werfe ich's weg«, erwiderte Alex fröhlich. »Ich will nicht wissen, wie spät es ist. Ich will nicht wissen, welchen Tag wir haben oder wo ich bin. All das ist unwichtig.«

Bevor Alex ausstieg, langte Gallien hinter den Sitz, holte ein paar alte, robuste Gummistiefel hervor und überredete den Jungen, sie zu nehmen. »Sie waren ihm zu groß«, erinnert sich Gallien. »Aber ich sagte: ›Zieh dir zwei paar Socken über, dann müßten die Füße halbwegs warm und trocken bleiben.‹«

»Wieviel schulde ich Ihnen dafür?«

»Ist schon gut«, antwortete Gallien. Dann gab er dem Jungen einen kleinen Zettel mit seiner Telefonnummer, den Alex sorgfältig in einer kleinen Brieftasche aus Nylon verstaute.

»Ruf mich an, falls du hier lebend wieder rauskommst. Dann sag ich dir, wie du mir die Stiefel wieder zurückgeben kannst.«

Galliens Frau hatte ihm zwei gegrillte Sandwiches mit Käse und Thunfisch und eine Packung Maischips eingepackt. Er überredete den jungen Tramper, auch das Essen anzunehmen. Alex holte eine Kamera aus seinem Rucksack und bat Gallien, noch schnell ein Foto von ihm zu machen. Er schulterte das Gewehr und stellte sich vor dem Trail auf. Schließlich verschwand er mit breitem Lächeln den verschneiten Pfad hinunter. Es war Dienstag, der 28. April 1992.

Gallien wendete den Pick-up, fuhr zum Parks Highway zurück und setzte seinen Weg nach Anchorage fort. Nach ein paar Meilen kam er an Healy vorbei, wo die Alaska State Troopers einen Posten unterhalten. Gallien spielte kurz mit dem Gedanken, anzuhalten und die Leute dort von Alex zu unterrichten, ließ es dann aber bleiben. »Ich dachte, es wird schon irgendwie gutgehen«, erklärte er. »Ich dachte, wahrscheinlich wird er ziemlich schnell hungrig werden und einfach zum Highway zurückgehen. So wie jeder normale Mensch.«

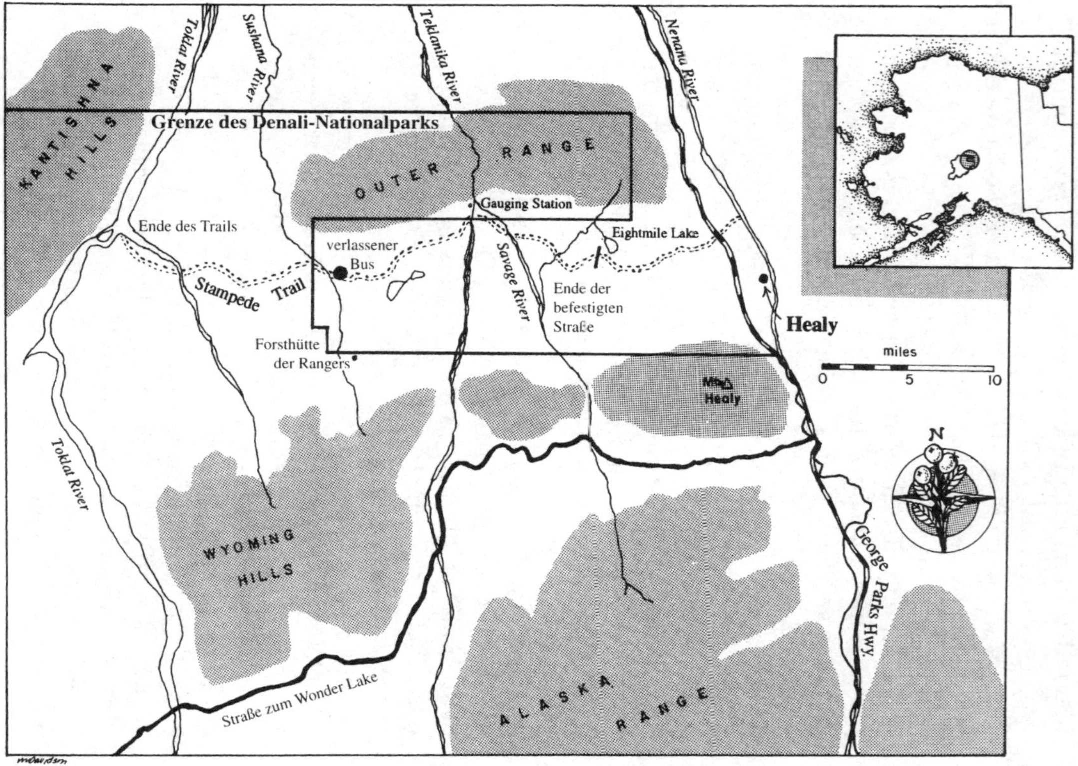

Toklat River
Sushana River
Teklanika River
Nenana River
Grenze des Denali-Nationalparks
KANTISHNA HILLS
OUTER RANGE
Gauging Station
Ende des Trails
verlassener Bus
Eightmile Lake
Savage River
Stampede Trail
Ende der befestigten Straße
Healy
miles
0
5
10
Forsthütte der Rangers
Mt. Healy
N
Toklat River
WYOMING HILLS
George Parks Hwy.
ALASKA RANGE
Straße zum Wonder Lake

Der Stampede Trail

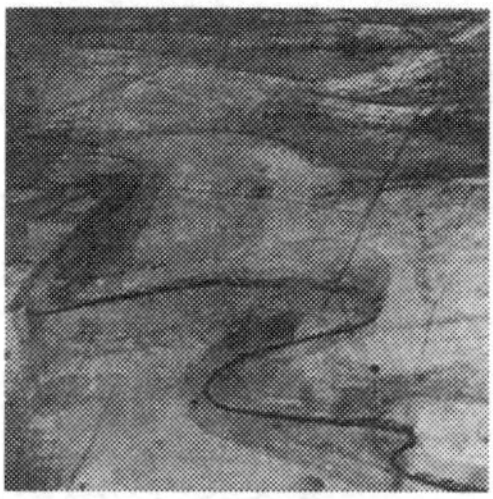

KAPITEL ZWEI

Jack London is King
Alexander Supertramp
Mai 1992

Inschrift
auf einem Stück Holz,
entdeckt an dem Ort, an dem
Chris McCandless starb.

Dunkler Tannenwald dräute finster zu beiden Seiten des Wasserlaufs. Der Wind hatte kürzlich die weiße Schneedecke von den Bäumen gestreift, so daß sie aussahen, als drängten sie sich unheimlich finster in dem schwindenden Tageslicht aneinander. Tiefes Schweigen lag über dem Lande, das eine Wildnis war, ohne Leben, ohne Bewegung, so einsam, so kalt, daß die Stimmung darin nicht einmal traurig zu sein schien. Vielmehr lag ein Lachen darüber, ein Lachen schrecklicher als jede Traurigkeit, freudlos wie das Lächeln der Sphinx, kalt wie der Frost und grimmig wie die Notwendigkeit. Die unerbittliche, unerforschliche Weisheit des Lebens und seiner Anstrengungen. Es war die echte Wildnis, die ungezähmte, kaltherzige Wildnis des Nordens.

JACK LONDON, »WOLFSBLUT«

❖

Am Nordrand der Alaska Range, kurz bevor die mächtgen Felswände des Mount McKinley und seiner Ableger sich der Kantishna-Ebene ergeben, liegt die sogenannte Outer Range, eine kleinere Bergkette, die von fern an die zerwühlte Decke eines ungemachten Betts erinnert. Zwischen den steinernen Gipfeln ihrer beiden äußersten Steilhänge verläuft von Osten nach Westen ein schmaler, etwa fünf Meilen langer Streifen sumpfiges Schwemmland. Durch dieses hügelige, von Erlenbüschen und lichten Fichtenreihen bestandene Gebiet schlängelt sich der Stampede Trail, den Chris McCandless auf seinem Weg in die Wildnis nahm.

Der Pfad war in den dreißiger Jahren von Earl Pilgrim, einem sagenumwobenen Bergarbeiter, erkundet und markiert worden. Pilgrim hatte am Stampede Creek, etwas oberhalb der Stelle, an der sich der Toklat River gabelt, eine Reihe von Antimongruben abgesteckt. 1961 wurde eine Firma aus Fairbanks, die Yutan Construction Company, beim Bundesstaat von Alaska vorstellig (dem Land war erst zwei Jahre zuvor volle Souveränität verliehen worden) und erwarb das Recht, den Trail auszubauen. Der Pfad mußte gerodet und für Lastwagen befahrbar gemacht werden. Nur so konnte das Mineralgemenge abtransportiert und die Grube ganzjährig bewirtschaftet werden. Zur Unterbringung der Bauarbeiter legte sich die Yutan drei ausrangierte Omnibusse zu, stattete sie mit Kojen und einfachen Heizöfen aus und karrte sie mit einer D-9-Planierraupe in die Wildnis hinaus.

1963 wurde das Projekt fallengelassen. Inzwischen waren etwa fünfzig Meilen Straße fertiggestellt worden, allerdings ohne die erforderlichen Brücken – das Gebiet war von zahllosen Flüssen durchschnitten. Auftauendes Erdreich und jahreszeitlich bedingte Überschwemmungen machten den Trail schon wenig später unpassierbar. Die Yutan schleppte zwei der Busse wieder zum Highway zurück. Der dritte wurde etwa auf halber Höhe des Trails stehengelassen und sollte schon bald zu einem Zufluchtsort für Jäger und Trapper werden. In den folgenden drei Jahrzehnten wurde das Straßenbett durch die immer wiederkehrenden Überschwemmungen weiter ausgehöhlt. Der Trail wurde von Büschen und Sträuchern überwuchert, Biberteiche taten ihr übriges. Der Omnibus jedoch blieb.

Der aus den Vierzigern stammende International Harvester hat mittlerweile fast Museumswert. Er steht gleich hinter der Grenze zum Denali-Nationalpark, etwa fünfundzwanzig Meilen Luftlinie westlich von Healy. Zwischen halbhohen Berufkrautsträuchern am Straßenrand rostet er, seltsam deplaciert, vor sich hin. Der Motor ist nicht mehr vorhanden. Fensterscheiben sind zersprungen oder fehlen gänzlich, und das Businnere ist mit den Scherben zerschlagener Whiskeyflaschen übersät. Die grünweiße Lackierung ist stark oxydiert. Eine verwitterte Beschriftung verweist noch auf den alten Besitzer: Fairbanks City Transit System, Bus 142. Heutzutage können gut und gerne sechs, sieben Monate vergehen, bevor irgendein einsamer Waldbesucher sich zu der Stelle mit dem alten Gefährt verirrt. An einem Nachmittag Anfang September 1992 fanden sich dort jedoch gleich sechs Personen dreier verschiedener Gruppen ein.

Der Denali-Nationalpark war 1980 um die Kantishna Hills und einen Gebirgszug am Nordrand der Outer Range erweitert worden. Inmitten des neuen Parkareals liegen jedoch auch die sogenannten Wolf Townships, die von der Neuordnung unberührt blieben. Es handelt sich dabei um eine langgezogene Niederung, durch die die erste Hälfte des Stampede Trail führt. Das sieben mal zwanzig Meilen große Areal wird an drei Seiten von Nationalparkgelände umschlossen und weist daher einen ungewöhnlich hohen Wildbestand auf. Wölfe und Bären, Karibus und Elche, aber auch andere Tierarten haben hier ihr Revier. Unter den Jägern und Trappern der Gegend ist dies ein sorgsam gehütetes Geheimnis. Sobald also im Herbst die Elchjagd beginnt, schauen immer ein paar von ihnen an der alten Busruine vorbei, die sich am Sushana River am westlichen Zipfel der Wolf Townships befindet, nur zwei Meilen von der Parkgrenze entfernt.

Ken Thompson, der Besitzer einer Karosseriewerkstatt in Anchorage, sein Angestellter Gordon Samel und ihr gemeinsamer Freund Ferdie Swanson, ein Bauarbeiter, brechen am 6. September 1992 zur Elchjagd in Richtung Bus auf. Dorthin zu gelangen ist allerdings leichter gesagt als getan. Etwa zehn Meilen nach dem befestigten Teil der Straße kreuzt der Stampede Trail den Teklanika River, einen reißenden, eiskalten Fluß, der weißlichen Glazialschutt mit sich führt. Gleich stromabwärts von der Stelle, an der der Trail auf das Flußufer stößt, liegt eine enge Schlucht, durch die der weiß brodelnde Teklanika geschossen kommt. Die Aussicht, diese milchfarbene Wasserflut überqueren zu müssen, schreckt die meisten Leute davon ab, weiterzuwandern.

Bei Thompson, Samel und Swanson handelt es sich jedoch um drei halsstarrige Alaskaner, die eine besondere Vorliebe dafür haben, mit ihren Autos genau die Stellen zu durchqueren, die als unpassierbar gelten. Kaum waren sie am Teklanika angekommen, entdeckten sie bereits eine breite, gewundene Furt, an der die Wasserflut sich in kleine, relativ seichte Flüßchen teilt. Und schon lenkten sie ihre Autos geradewegs in die Fluten.

»Ich bin vorangefahren«, sagt Thompson. »Der Fluß war an der Stelle an die fünfundzwanzig Meter breit, und die Strömung war richtig wild. Ich fahr 'nen getunten '82er Dodge Pick-up. Die Reifen sind fast 'nen Meter hoch, und das Wasser ist immer noch leicht bis an die Motorhaube gekommen. Dann kam der Moment, als ich gedacht hab, ich schaff's nicht. Gordon hat an seiner Kiste vorne 'ne Viertausend-Kilo-Hebe. Hab ihn gleich hinter mir fahren lassen, falls was schiefgeht und ich absaufe.«

Die drei gelangten ohne Zwischenfall ans andere Ufer. Zwei der Pick-ups hatten Geländefahrzeuge geladen: ein dreirädriges und ein vierrädriges. Sie fuhren ihre bulligen Allradbrummer auf eine Kiesbank, holten die Geländefahrzeuge von der Ladefläche und setzten die Fahrt mit den kleineren, wendigeren Maschinen in Richtung Bus fort.

Ein paar hundert Meter weiter versackte der Trail in einer Reihe brusttiefer Biberteiche. Die drei Alaskaner fakkelten jedoch nicht lange und steckten ein paar Stangen Dynamit in die lästigen Holz- und Reisigdämme, sprengten sie in die Luft und legten die Teiche trocken. Sie fuhren weiter, erklommen ein steiniges Flußbett und manövrierten ihre Maschinen durch dichtes Erlengebüsch. Am späten Nachmittag erreichten sie endlich den Bus. Bei ihrer Ankunft stießen sie »auf 'nen Jungen und 'n Mädchen aus Anchorage. Die beiden haben zwanzig Meter vom Bus weg gestanden und sahen so aus, als hätten sie 'n Gespenst gesehen.«

Das junge Paar hatte den Bus zwar nicht betreten, war

aber nahe genug dran herangegangen, um »einen echt üblen Geruch« zu bemerken. Aus dem Heck des Busses, an einen Erlenast geknotet, hing ein roter, gestrickter Wadenwärmer von der Art, wie Tänzer ihn tragen. Das Ganze wirkte wie eine notdürftig improvisierte Signalflagge. An der Tür, die nur angelehnt war, klebte ein Zettel mit einer seltsamen, beunruhigenden Nachricht. Auf einer aus einer Gogol-Erzählung gerissenen Buchseite stand dort in sauberer Blockschrift:

S.O.S. ICH BRAUCHE IHRE HILFE: ICH BIN SCHWER VERLETZT, DEM TODE NAH. ICH BIN ZU SCHWACH, UM HIER WEGZUKOMMEN. ICH BIN GANZ ALLEIN. DIES IST KEIN SCHERZ. IN GOTTES NAMEN, BITTE GEHEN SIE NICHT WEG, BITTE RETTEN SIE MICH. ICH BIN NICHT WEIT, GEHE JETZT BEEREN SAMMELN. BIN GEGEN ABEND WIEDER DA. DANKE, CHRIS McCANDLESS. AUGUST?

Das Paar aus Anchorage war von dem Inhalt der Nachricht und dem penetranten Fäulnisgeruch viel zu verängstigt, um in den Bus zu steigen und nachzusehen. Und so war es Samel, der sich, auf das Schlimmste gefaßt, zu einem der Fenster schlich und hineinspähte. Sein Blick fiel auf eine Remington und eine Plastikdose mit Patronen, dann auf acht oder neun Taschenbücher, eine zerrissene Jeans, Kochgeschirr und schließlich auf einen hochwertigen Rucksack. Auf einer aus billigem Holz zusammengezimmerten Koje im hinteren Teil entdeckte er einen blauen Schlafsack, in dem scheinbar irgend etwas oder irgend jemand lag, obwohl, sagt Samel, »man es nicht genau sehen konnte«.

»Ich hab mich auf einen Baumstumpf gestellt«, fährt Samel fort, »durch eines der Rückfenster gelangt und den Schlafsack ein bißchen geschüttelt. Irgendwas war drin, soviel war sicher, aber es war nichts Schweres. Erst als ich rumgegangen bin zur anderen Seite und den Kopf gesehen hab, der ein Stück rausgeguckt hat, da wußte ich's.« Chris McCandless war bereits zweieinhalb Wochen tot.

Samel, kein Mann großer Umstände, befand, daß die Leiche sofort weggeschafft werden müsse. Aber weder in seinem noch in Thompsons kleinem Geländeflitzer war genügend Platz, und auch das Geländefahrzeug des jungen Paares war zu eng. Bald darauf fand sich eine sechste Person am Schauplatz ein, Butch Killian, ein Jäger aus Healy. Killian fuhr einen Argo – ein schweres, achträdriges Amphibienfahrzeug –, und Samel schlug vor, daß Killian die Leiche bergen solle. Der war jedoch der Ansicht, daß dies eher Sache der Alaska State Troopers sei.

Killian, ein Bergarbeiter, der auch als Notarzthilfe für die Freiwillige Feuerwehr von Healy jobbt, hatte in seinem Argo ein Funkgerät. Von seinem Standort aus schaffte er es jedoch nicht, eine Verbindung herzustellen, und er fuhr ein Stück in Richtung Highway zurück. Nach fünf Meilen, kurz vor Einbruch der Dunkelheit, gelang es ihm endlich, das Kraftwerk von Healy anzufunken. »Dringende Nachricht«, meldete er, »hier spricht Butch. Ruft die Troopers, Leute. In dem Bus drüben am Sushana liegt ein Mann. Sieht aus, als wär er schon 'ne Weile tot.«

Am nächsten Morgen um halb neun dröhnten Rotorblätter über dem Bus, und ein Hubschrauber setzte in einem Wirbelsturm aus Staub und Espenlaub zur Landung an. Die Troopers suchten die Gegend ringsum kurz nach Spuren ab, um ein Verbrechen auszuschließen. Kurz darauf verschwanden sie wieder. Als sie abhoben, hatten sie neben Chris McCandless' Leiche die Kamera des Toten mit fünf Rollen belichteten Films, den SOS-Zettel und ein paar Tagebuchnotizen dabei. Diese waren auf die beiden letzten Seiten eines Handbuchs über eßbare Pflanzen gekritzelt und hielten in einhundertdreizehn dichtgedrängten, kryptischen Einträgen die letzten Wochen im Leben des Jungen fest.

Die Leiche wurde nach Anchorage gebracht, wo im gerichtsmedizinischen Institut eine Autopsie durchgeführt wurde. Die Verwesung war zu weit fortgeschritten, um den genauen Zeitpunkt des Todes zu bestimmen. Es konnten jedoch weder Anzeichen innerer Verletzungen noch irgendwelche Knochenbrüche festgestellt werden. An der Leiche war kaum noch subkutanes Fett. Der Muskelschwund muß in den Tagen und Wochen vor dem Exitus beträchtlich gewesen sein. McCandless' Gebeine wogen zum Zeitpunkt der Autopsie dreiunddreißig Kilo. Man ging davon aus, daß der Tod durch Verhungern eingetreten war.

McCandless hatte seinen Hilferuf zwar unterschrieben, und die Fotos, die man entwickeln ließ, enthielten viele Selbstporträts, da er aber keine Personalien bei sich getragen hatte, wußten die Beamten weder, wer er war, noch woher er kam und was er hier wollte.

Carthage

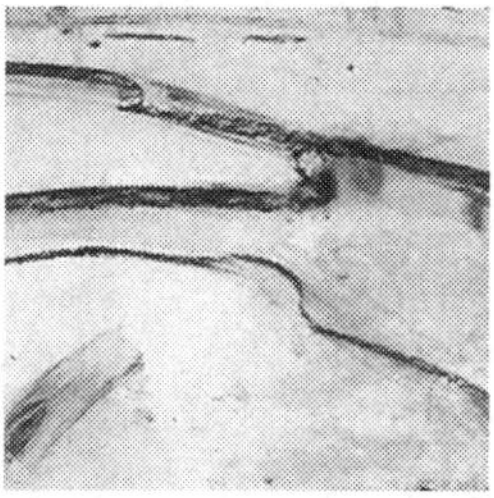

KAPITEL DREI

Was ich wünschte, war Bewegung und nicht ein ruhiges Dahinfließen des Lebens. Es verlangte mich nach Aufregungen und Gefahren, nach Selbstaufopferung um eines Gefühls willen. In mir war ein Überschuß von Kraft, der in unserem stillen Leben keinen Raum zur Bestätigung fand.

LEO N. TOLSTOI,
»FAMILIENGLÜCK«

Von Chris McCandless
angestrichener Passus aus einem der
mit der Leiche geborgenen Bücher.

Es läßt sich wohl kaum abstreiten,… daß die Vorstellung von einem freien, ungebundenen Leben uns seit jeher berauscht und beflügelt hat. In unserer Gedankenwelt verbinden wir damit die Flucht vor der Last der Geschichte, vor Unterdrückung, dem Gesetz und lästigen Verpflichtungen. Wir sehnen uns nach der absoluten Freiheit, und der Weg dorthin führte schon immer gen Westen.

WALLACE STEGNER,
»THE AMERICAN WEST AS LIVING SPACE«

❖

Carthage in South Dakota ist ein kleines, verschlafenes Nest mit 274 Einwohnern. Die Schindelhäuser mit den gepflegten Gärten und die verwitterten Backsteinfronten der Geschäfte ragen in zeitloser Einfachheit aus der unermeßlichen Weite der nördlichen Prärie der USA. Die Schatten von imposanten Pappelspalieren legen sich über ein kleines, numeriertes Straßennetz, durch das kaum je ein Auto fährt. In Carthage gibt es einen Lebensmittelladen, eine Bank, eine einzige Tankstelle und eine einsame Bar – das *Cabaret*, in dem Wayne Westerberg gerade an einem Cocktail nippt, an einer süßen Zigarre kaut und an den seltsamen jungen Mann namens Alex denkt.

Die sperrholzverkleideten Wände des *Cabaret* sind mit Hirschgeweihen geschmückt, die zwischen alten Reklametafeln für Old-Milwaukee-Bier und kitschigen Ölgemälden von davonfliegendem Flugwild hängen. Rauchfäden schlängeln sich aus zusammensitzenden Farmergrüppchen hoch. Die Männer tragen Overalls und staubige Baseballmützen mit Firmenlogos. Ihre müden Gesichter sind so rußig wie die Gesichter von Bergbauarbeitern. Sie sprechen in kurzen, nüchternen Sätzen und beschweren sich über das launische Wetter und die Sonnenblumenfelder, die noch zu feucht zum Mähen sind, während Ross Perots spöttisch grinsende Visage über einen stummgeschalteten Bildschirm hoch über ihren Köpfen flimmert. In acht Tagen wird die

Nation Bill Clinton zum Präsidenten wählen. Der Leichenfund in Alaska ist inzwischen knapp zwei Monate her.

»Alex' Lieblingsgetränk«, sagt Westerberg mit einem Stirnrunzeln und rührt im Eis seines White Russian. »Er hat immer genau dort am Ende der Theke gesessen und uns diese unglaublichen Geschichten von seinen Reisen erzählt. Oft stundenlang. Viele hier im Dorf haben den guten Jungen irgendwann richtig ins Herz geschlossen gehabt. Ganz schön hart, was da mit ihm passiert ist.«

Westerberg, ein breitschultriger Mann mit schwarzem Ziegenbart, der unter gelegentlichen Zuckungen leidet, ist Besitzer zweier Getreidesilos, das eine in Carthage, das zweite ein paar Meilen außerhalb der Stadt. Zu Beginn jeden Sommers trommelt er jedoch eine Erntekolonne zusammen und fährt mit ihr nach Texas hinunter. Von dort aus folgen sie der Ernte mit ihren Mähdreschern bis an die kanadische Grenze hoch. Im Herbst 1990 war er im Norden Montanas und erntete die Hopfenfelder von Coors und Anheuser-Busch ab, der letzte Auftrag der Saison. Am Nachmittag des 10. September, als er gerade Cut Bank verließ, wo er Ersatzteile für einen defekten Mähdrescher gekauft hatte, nahm er einen Tramper mit, einen liebenswürdigen Jungen, der sagte, er heiße Alex McCandless.

McCandless war eher klein von Gestalt und hatte den knochigen, sehnigen Körperbau eines Wanderarbeiters. Er hatte markante Augen. Dunkel und gefühlvoll verwiesen sie auf exotisches Blut in seiner Ahnenreihe – griechisch vielleicht oder chippewa-indianisch. Die Verletzlichkeit in diesen Augen berührte Westerberg, und er beschloß, Alex unter seine Fittiche zu nehmen. Der Junge hatte dieses feinfühlige, sensible Aussehen, um das die Frauen immer so ein Theater machen, dachte Westerberg bei sich. Auffällig waren auch seine Gesichtszüge, die von einer seltsamen Geschmeidigkeit waren: eben noch träge und ausdruckslos, verwandelten sie sich im nächsten Moment in ein breites, entstellendes Grinsen, unter dem ein riesiges Pferdegebiß zum Vorschein kam. Er war kurzsichtig und trug eine Brille mit Metallgestell. Er sah hungrig aus.

Zehn Minuten nachdem er McCandless aufgesammelt hatte, hielt Westerberg in dem kleinen Ethridge, um bei einem Freund ein Paket abzugeben. »Mein Freund hat uns beiden ein Bier angeboten«, erzählt Westerberg, »und dann hat er Alex gefragt, wann er denn das letzte Mal was gegessen hätte. Alex mußte zugeben, daß das schon ein paar Tage her war und daß ihm irgendwie das Geld ausgegangen ist.« Die Frau des Freundes bekam dies zufällig mit und bestand darauf, Alex ein richtiges Abendessen zu kochen, das er dann auch prompt verschlang. Kurz darauf fielen ihm die Augen zu, und er schlief am Tisch ein.

McCandless hatte Westerberg erzählt, daß er nach Saco Hot Springs wolle, zweihundertvierzig Meilen östlich des U.S. Highway 2. Ein paar »Gummi-Tramps« (Travelers, die mit dem Wagen unterwegs sind; im Unterschied zu den »Leder-Tramps«, die nur ihre Schuhsohlen haben und gezwungen sind, per Anhalter zu reisen oder zu Fuß zu gehen) hätten ihm von dem Ort erzählt. Westerberg hatte dem Jungen daraufhin erklärt, daß er ihn nur noch zehn Meilen mitnehmen könne. Dann müsse er die Abbiegung nach Norden nehmen, Richtung Sunburst. Dort, an einem Getreidefeld, das er gerade aberntete, stehe sein Wohnwagen. Als Westerberg schließlich an den Straßenrand fuhr, um McCandless aussteigen zu lassen, war es bereits halb elf. Es hatte fürchterlich zu regnen begonnen. »Mann«, sagte Westerberg, »ich kann dich doch hier unmöglich rauswerfen, bei dem, was da runterkommt.

Du hast doch 'nen Schlafsack – komm doch einfach mit nach Sunburst. Du kannst bei mir im Wohnwagen pennen.«

McCandless blieb drei Tage bei Westerberg, fuhr jeden Morgen mit der Crew aufs Feld hinaus und sah den Jungs dabei zu, wie sie ihre rumpelnden Mähdrescher durch das weite, reife Getreidemeer manövrierten. Als sich dann McCandless' und Westerbergs Wege wieder trennten, sagte Westerberg ihm, daß er jederzeit bei ihm in Carthage vorbeischauen kann, falls er mal einen Job braucht.

»Keine zwei Wochen später tauchte Alex hier auf«, erinnert sich Westerberg. Er gab McCandless einen Job im Getreidesilo und vermietete ihm zum Freundschaftspreis ein Zimmer in einem seiner beiden Häuser.

»Ich hab über die Jahre 'ner Menge Anhalter Jobs gegeben«, sagt Westerberg. »Die meisten waren nicht viel wert, hatten keine richtige Lust zum Arbeiten. Alex war ganz anders. Er konnte richtig schuften, mehr als jeder andere. Egal was anfiel, er hat's gemacht: harte, körperliche Arbeit, verfaultes Getreide und tote Ratten vom Siloboden ausmisten – richtige Schinderjobs, bei denen du so dreckig wirst, daß du am Feierabend in den Spiegel schaust und dich selbst nicht wiedererkennst. Und er hat nie mittendrin aufgegeben. Was er angefangen hat, hat er auch zu Ende geführt. War Ehrensache für ihn. Er war richtiggehend ethisch, wie man so sagt. Hat ganz schön hohe Maßstäbe an sich angelegt.

Man hat gleich gemerkt, daß der Junge richtig was auf dem Kasten hat«, sagt Westerberg nachdenklich und leert seinen dritten Drink. »Er hat viel gelesen und manchmal richtig philosophisch geredet. Ich schätze, das hat ihm am Ende auch das Genick gebrochen, daß er zuviel nachgedacht hat. Er mußte immer nach dem Sinn fragen, hat unbedingt wissen wollen, warum die Welt so ist, wie sie ist, warum die Leute oft so gemein zueinander sind; 'n paar Mal hab ich schon versucht, ihm zu sagen, daß er sich über so was nicht den Kopf zerbrechen soll, daß das ein Fehler ist, daß er sich da in was verrennt, aus dem er nicht mehr rauskommt. Aber so war er halt. Er mußte immer haargenau wissen, ob das richtig ist, was er da gerade macht, sonst hat er gar nicht erst angefangen.«

Irgendwann entdeckte Westerberg anhand eines Steuerformblatts, daß McCandless in Wirklichkeit Chris und nicht Alex hieß. »Er hat mir nie gesagt, warum er den Namen überhaupt geändert hat«, erzählt Westerberg. »Aus dem, was er so erzählt hat, hat man sich aber denken können, daß zwischen ihm und seiner Familie nicht alles zum besten stand. Aber ich misch mich nicht gerne in die Angelegenheiten anderer Leute ein und hab ihn deshalb auch nie danach gefragt.«

Falls McCandless sich von seinen Eltern und Geschwistern tatsächlich entfremdet fühlte, so hatte er in Westerberg und seiner Crew zumindest eine Ersatzfamilie gefunden. Die meisten wohnten in Westerbergs Haus in Carthage, einem einfachen, zweistöckigen viktorianischen Bau im Queen-Anne-Stil mit einer riesigen amerikanischen Pappel im Vorgarten, nur ein paar Straßenzüge von der Ortsmitte entfernt. Es muß dort recht locker und lustig zugegangen sein. Die vier oder fünf Mitbewohner wechselten sich beim Kochen ab, gingen gemeinsam zum Trinken und stiegen, ebenfalls gemeinsam, erfolglos den Frauen nach.

McCandless war von diesem kleinen Städtchen schnell angetan. In dem Ort herrschte ein gewisser Stillstand der Zeit, der ihm zusagte, ebenso wie die schlichten Tugenden und die unkomplizierte Atmosphäre. Der Ort war eine Art Staustufe, an der sich menschliches Strandgut sammelte, das dem Sog des allgemeinen Trends entkommen war, und das war ihm gerade recht. In jenem Herbst entwickelte sich ein bleibendes Band zwischen ihm, Carthage und Wayne Westerberg.

Westerberg, inzwischen Mitte dreißig, war als kleiner Junge durch seine Adoptiveltern nach Carthage gekommen. Wie so viele Menschen im Mittleren Westen ist er eine Art Alleskönner. Er bewirtschaftet eine Farm, ist ein erstklassiger Automechaniker, kennt sich im Immobiliengeschäft aus und verdient sich immer wieder mal ein Zubrot als Maschinenschlosser, Computerprogrammierer oder lizenzierter Flugzeugpilot. Nebenher springt er als Troubleshooter bei Haushaltsgeräten und Reparaturfachmann für Videospiele ein. Kurz bevor er McCandless kennenlernte, hatte ihn jedoch eines seiner vielen Talente in Konflikt mit dem Gesetz gebracht.

Westerberg hatte sich auf einen illegalen Ring eingelassen, der »Black Boxes«, Geräte zur Dekodierung von Satellitenprogrammen, herstellte und verschob, mit denen verschlüsselte Programme empfangen werden konnten, ohne daß man einen Pfennig dafür zahlen mußte. Das FBI bekam Wind davon, schleuste einen verdeckten Ermittler als Käufer ein und nahm Westerberg in Haft. Er zeigte sich geständig, und der Anklagepunkt auf Mitgliedschaft in einer kriminellen Vereinigung wurde fallengelassen. Dennoch mußte er am 10. Oktober 1990, etwa zwei Wochen nachdem McCandless in Carthage angekommen war, eine viermonatige Haftstrafe wegen Betrugs in Sioux Falls antreten. Da Westerberg im Knast saß, gab es für McCandless keine Arbeit in den Silos, und am 23. Oktober – früher, als er es vielleicht unter anderen Umständen getan hätte – verließ der Junge die Stadt und nahm wieder sein Nomadenleben auf.

McCandless' Zuneigung für Carthage war jedoch ungebrochen. Bevor er ging, schenkte er Westerberg eine Ausgabe aus dem Jahr 1942 von Tolstois *Krieg und Frieden*, an der er sehr hing. Auf das Titelblatt schrieb er: »Für Wayne Westerberg von Alexander. Oktober 1990. Höre auf Pierre.« (Letzteres ist eine Anspielung auf Tolstois Helden und Alter Ego, Pierre Bezuhov – uneigennützig, rastlos suchend, unehelich geboren.) Und auch später, als McCandless den Westen durchstreifte, ließ er den Kontakt zu Westerberg nie abreißen, rief ihn an oder schrieb ihm alle ein, zwei Monate. Er ließ seine gesamte Post an Westerbergs Adresse nachsenden und behauptete gegenüber fast allen, die er noch treffen sollte, er stamme aus South Dakota.

In Wahrheit wurde McCandless in den sorgenfreien Gefilden der oberen Mittelschicht in Annandale, Virginia, groß. Sein Vater, Walt, ist ein bedeutender Ingenieur in der Raumfahrtindustrie, der in den sechziger und siebziger Jahren bei der NASA und Hughes Aircraft hochkomplizierte Radarsysteme für die Space Shuttle und andere spitzentechnologische Projekte entwickelte. Walt machte sich 1978 selbständig und gründete eine kleine, nach einiger Zeit jedoch höchst erfolgreiche Beraterfirma, User Systems, Inc.. Chris' Mutter, Billie, fungierte als Teilhaberin und arbeitete in der Firma. Die Familie hatte nun acht Mitglieder: eine jüngere Schwester, Carine, der Chris sehr nahestand, und sechs Halbgeschwister aus Walts erster Ehe.

Im Mai 1990 schloß Chris sein Studium an der Emory University von Atlanta ab. Er hatte Geschichte und Anthropologie als Hauptfächer studiert und stets mit hervorragenden Zensuren geglänzt. Außerdem hatte er sich dort als Kolumnist und Redakteur der Studentenzeitung *The Emory Wheel* hervorgetan. Als ihm in der Phi Beta Kappa, einer studentischen Vereinigung wissenschaftlich hervorragender Akademiker, die Mitgliedschaft angetragen wurde, lehnte er mit der Begründung ab, daß Titel und Ehren bedeutungslos seien.

Die letzten zwei Jahre seines Studiums waren durch ein Vierzigtausend-Dollar-Erbe finanziert worden, das ihm von einem Freund der Familie vermacht worden war. Als er seinen Bachelor schließlich in der Tasche hatte, waren von dem Erbe noch vierundzwanzigtausend Dollar übrig. Geld, von dem seine Eltern annahmen, daß er es für ein weiterführendes Jurastudium verwenden wolle. »Wir hatten die Signale falsch gedeutet«, räumt sein Vater ein. Was Walt, Billie und Carine nicht ahnten, als sie zu Chris' Abschlußfeier nach Atlanta flogen – was niemand ahnte –, war, daß Chris kurz darauf das gesamte Geld OXFAM America spenden würde, einer Hilfsorganisation, die sich dem Kampf gegen den Welthunger verschrieben hat.

Die Abschlußzeremonie fand am 12. Mai statt, einem Samstag. Die Familie hörte sich eine langatmige Ansprache von Arbeitsministerin Elizabeth Dole an, und als der große Augenblick schließlich gekommen war, machte Billie ein paar Fotos von ihrem Chris, wie er mit breitem Lächeln das Podium betrat und sein Diplom entgegennahm.

Der nächste Tag war Muttertag. Chris schenkte Billie Konfekt, Blumen und eine rührende Glückwunschkarte. Sie war überrascht und tiefbewegt: Es war seit über zwei Jahren das erste Geschenk von ihrem Sohn. Damals hatte er seinen Eltern eröffnet, daß er in Zukunft aus Prinzip Geschenke weder annehmen noch verteilen werde. Erst kürzlich hatte Chris seinen Eltern einen Rüffel erteilt, weil sie ihm zum Uni-Abschluß einen neuen Wagen kaufen wollten. Außerdem boten sie ihm an, das Jurastudium zu finanzieren, falls sein Studienfonds nicht ausreichen sollte.

Er habe bereits einen prima Wagen, beharrte er: seinen

heißgeliebten 82er Datsun B120, ein wenig zerbeult zwar, aber ansonsten voll funktionstüchtig, mit 128 000 Meilen auf dem Buckel. »Ich kann einfach nicht fassen, daß sie mir unbedingt einen neuen Wagen aufschwatzen wollen«, beschwerte er sich später in einem Brief an Carine:

... oder daß sie glauben, ich würde mir tatsächlich von ihnen das Jurastudium finanzieren lassen, falls ich es überhaupt anfange... Ich habe ihnen bereits tausendmal gesagt, daß ich den besten Wagen habe, den es überhaupt gibt, einen Wagen, der den ganzen Kontinent durchquert hat, von Miami bis Alaska, einen Wagen, der mich auf diesen Tausenden von Meilen nicht ein einziges Mal im Stich gelassen hat, einen Wagen, den ich für nichts in der Welt hergeben würde, einen Wagen, der mir unglaublich viel bedeutet – und jetzt ignorieren sie einfach, was ich sage und glauben tatsächlich, daß ich mir einen neuen Wagen von ihnen schenken lasse! Ich werde in Zukunft ganz schön aufpassen müssen und überhaupt keine Geschenke mehr von ihnen annehmen, weil sie sonst nämlich glauben, sie hätten damit meinen Respekt erkauft.

Chris hatte den gelben Datsun in seinem letzten Jahr auf der High-School gebraucht gekauft. Die nächsten Jahre hatte er damit während der Semesterferien regelmäßig auf eigene Faust lange Reisen unternommen, und auch an dem Wochenende der Abschlußfeierlichkeiten erwähnte er gegenüber seinen Eltern beiläufig, daß er diesen Sommer wieder unterwegs sein werde. Seine genauen Worte lauteten: »Ich glaub, ich werd mal wieder für 'ne Weile verschwinden.«

Weder sein Vater noch seine Mutter dachten sich damals viel bei dieser Ankündigung, obwohl Walt seinen Sohn vorsichtig mit den Worten ermahnte: »Versuch es so einzurichten, daß du vorher noch auf einen Sprung zu uns kommst, Junge.« Chris lächelte und nickte halbherzig, was Walt und Billie als eine Art Zusage auffaßten, sie noch vor Ende des Sommers in Annandale zu besuchen. Dann verabschiedeten sie sich.

Gegen Ende Juni schickte Chris, der immer noch in Atlanta war, seinen Eltern eine Kopie seines Abschlußzeugnisses: eine Eins in »Apartheid in der südafrikanischen Gesellschaft« sowie in »Die Geschichte der Anthropologie«; Eins minus in »Zeitgenössische afrikanische Politik und die Ernährungskrise in Afrika«. Dem Zeugnis lag eine kurze Notiz bei:

Hier also eine Kopie meines Abschlußzeugnisses. Ich habe einen recht hohen Durchschnitt. Was die Noten angeht, lief es also ganz gut.

Vielen Dank für die Fotos, und auch für das Rasierset und die Postkarte aus Paris. Scheint, als wäre die Reise ein Volltreffer gewesen. Muß echt Spaß gemacht haben.

Ich habe das Bild von Lloyd [Chris' bester Freund auf Emory] bereits an ihn weitergegeben, und er hat sich echt gefreut. Er hatte noch kein Foto von sich, auf dem er das Diplom entgegennimmt.

Sonst ist hier nicht viel los. Nur daß es langsam anfängt, richtig heiß und schwül zu werden. Grüße an alle.

Dies war das letzte Lebenszeichen, das Chris' Familie je von ihm erhalten sollte.

Chris hatte das letzte Jahr in Atlanta außerhalb des Universitätsgeländes in einer Kammer verbracht, die in ihrer kargen Ausstattung an eine Mönchszelle erinnerte: ein Tisch, ein paar Milchkästen und eine Matratze auf dem Boden, das war alles. In der Kammer sah es stets so sauber und ordentlich aus wie in einer Militärbaracke. Er hatte auch kein Telefon; Walt und Billie konnten ihn also nicht anrufen.

Als Chris' Eltern Anfang August 1990 immer noch

nichts von ihrem Sohn gehört hatten, beschlossen sie, nach Atlanta zu fahren und ihn zu besuchen. Dort angekommen, mußten sie feststellen, daß seine Wohnung leer war. Ein Schild mit der Anschrift »Zu vermieten« klebte am Fenster. Von dem Hausmeister erfuhren sie, daß Chris Ende Juni ausgezogen war. Wieder zu Hause angekommen, fanden sie sämtliche Briefe vor, die sie ihrem Sohn im Laufe des Sommers geschrieben hatten. Sie waren in einem Bündel zusammengepackt an sie zurückgeschickt worden. »Chris hatte sein Postamt angewiesen, sie bis zum 1. August aufzubewahren, offenbar, damit wir nichts merken«, sagt Billie. »Wir haben uns die entsetzlichsten Sorgen gemacht.«

Chris selbst war zu diesem Zeitpunkt längst über alle Berge. Fünf Wochen zuvor hatte er seine gesamte Habe in den kleinen Datsun gepackt und sich mit unbekanntem Ziel Richtung Westen aufgemacht. Der Trip sollte eine Odyssee im wahrsten Sinne des Wortes werden, eine epische Reise, die alles von Grund auf ändern würde. In den vergangenen vier Jahren hatte er sich – so empfand er es – einer absurden, nervtötenden Pflicht unterzogen: ein abgeschlossenes Studium hinter sich zu bringen. Nun war er endlich frei, befreit von der erdrückenden Welt seiner Eltern und Kommilitonen, einer unwirklichen Welt der Geborgenheit und des materiellen Überflusses, einer Welt, in der er das pulsierende, nackte Leben, nach dem er sich so sehnte, nie kennenlernen würde.

Als er aus Atlanta aufbrach, wollte er für sich ein vollkommen neues Leben erfinden, ein Leben der ungefilterten Erfahrung. Um dem unwiderruflichen Bruch mit seinem bisherigen Dasein ein sichtbares Zeichen zu geben, nahm er sogar einen neuen Namen an. Er hörte nicht mehr auf Chris McCandless. Er war nun Alexander Supertramp, Herr seines Schicksals.

Detrital Wash

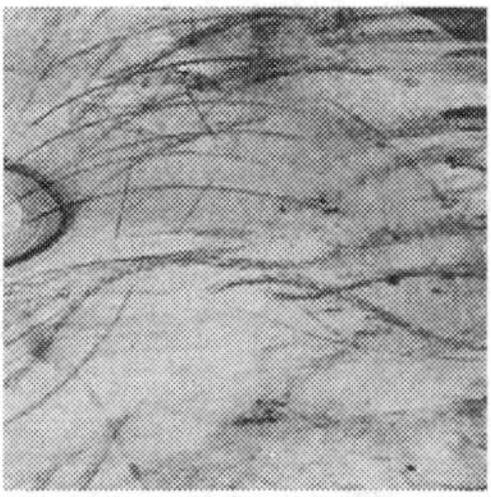

KAPITEL VIER

Die Wüste ist die Landschaft der Offenbarung. Sie ist uns sowohl genetisch als auch physiologisch fremd; sie ist karg, ästhetisch abstrakt und seit jeher feindseliges Gebiet... In Form und Gestalt ist sie kühn und von erregender Wirkung auf die Phantasie. Die Sinne werden von Licht- und Raumeindrücken überwältigt, von dem kinästhetischen Novum der Leblosigkeit, den hohen Temperaturen und dem Wind. Der Wüstenhimmel ist allumfassend, majestätisch und grauenerregend zugleich. In allen anderen Lebensräumen ist der blaue Rand über dem Horizont stets durchbrochen oder verschleiert; hier dagegen zeigt er sich in seiner ganzen unermeßlichen Weite, unendlich viel weiter als in hügeligen Landschaften und bewaldeten Regionen... In einem unverstellten Himmel wirken die Wolken mächtiger, plastischer, so als spiegele sich an ihrer konkaven Unterseite die Rundung des Erdballs selbst. Die kantige Klarheit der Wüste verleiht den Wolken ebenso wie der Landschaft das Antlitz einer monumentalen Architektur...

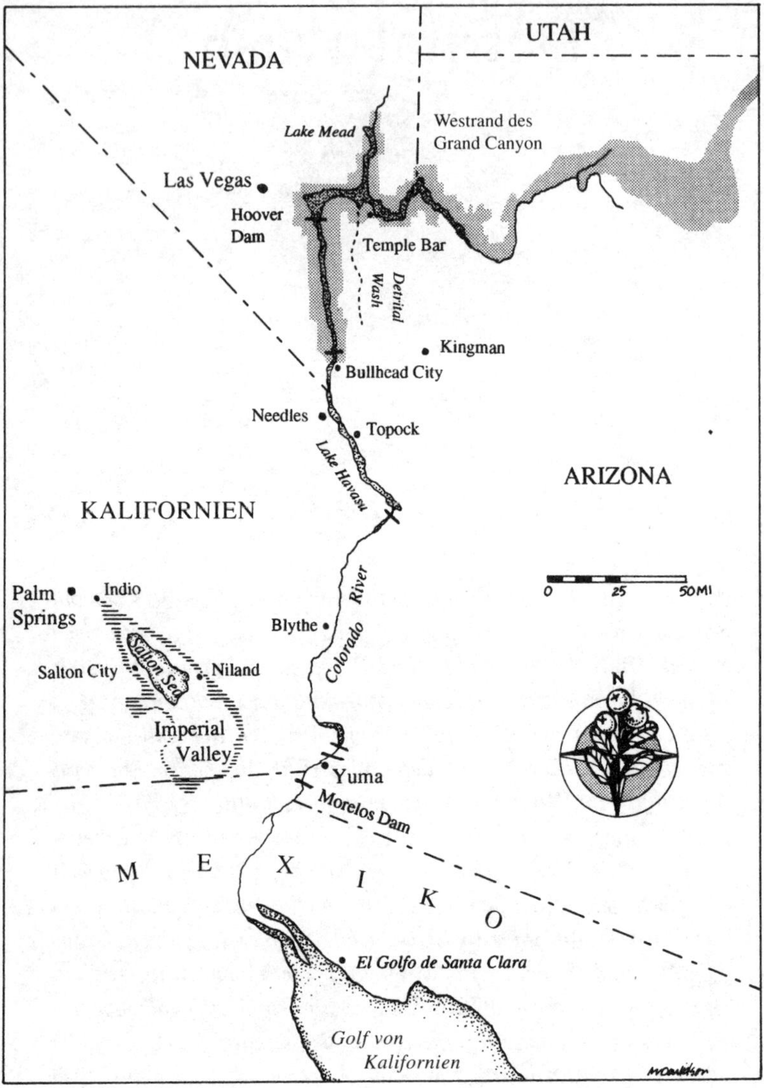

UTAH
NEVADA
Lake Mead
Westrand des Grand Canyon
Las Vegas
Hoover Dam
Temple Bar
Detrital Wash
Kingman
Bullhead City
Needles
Topock
Lake Havasu
ARIZONA
KALIFORNIEN
Colorado River
0
25
50MI
Palm Springs
Indio
Blythe
Salton Sea
Salton City
Niland
N
Imperial Valley
Yuma
Morelos Dam
M E X I K O
El Golfo de Santa Clara
Golf von Kalifornien

Propheten und Eremiten ziehen in die Wüste, Pilger und Verbannte ziehen durch sie. Hier haben die Gründer der großen Religionen ihr therapeutisches und spirituelles Refugium gesucht, nicht als Zuflucht vor der Wirklichkeit, sondern, im Gegenteil, um sie zu finden.

PAUL SHEPARD,
»MAN IN THE LANDSCAPE: A HISTORIC
VIEW OF THE ESTHETICS OF NATURE«

❖

Der Bärentatzenmohn, *arctomecon californica*, ist eine wilde Mohnblumenart, die einzig und allein in einer abgelegenen Ecke der Mohavewüste wächst und nirgendwo sonst auf der Welt zu finden ist. Gegen Ende des Frühlings bringt sie eine zartgoldene, schnellwelkende Blüte hervor. Die meiste Zeit des Jahres kauert sie jedoch schmucklos und unbemerkt im verdörrten Wüstengrund. Die Blume ist von solchem Seltenheitswert, daß sie als aussterbende Art unter Naturschutz gestellt wurde. Im Oktober 1990 – McCandless hatte Atlanta bereits seit über drei Monaten verlassen – wurde Bud Walsh, ein Ranger in Diensten der Forstverwaltung des Nationalparks, in das Hinterland des Erholungsgebietes um Lake Mead ausgeschickt, um Bärentatzenmohnblumen zu zählen. Die zuständige Bundesbehörde wollte in Erfahrung bringen lassen, wie selten diese Blume denn nun wirklich ist.

Die *arctomecon californica* wächst ausschließlich in gipshaltigem Boden, wie es ihn am Südufer des Lake Mead zuhauf gibt. Dorthin führte Walsh also seinen Trupp von Rangers auf ihrer botanischen Expedition. Sie verließen die Temple Bar Road, fuhren zwei Meilen durch das Detrital Wash, ein ausgetrocknetes Flußbett, parkten ihre Geländewagen in der Nähe des Sees und erklommen das

Ostufer des Flußbetts, eine steile Böschung aus brüchigem, weißem Gips. Ein paar Minuten später, kurz bevor sie oben ankamen, legte einer der Ranger kurz eine Atempause ein und blickte zufällig noch einmal ins Flußbett zurück. »Hey! Schaut mal her!« rief er. »Was zum Teufel ist das da?«

In einem Meldegebüsch am Rande des Flußbetts, unweit der Stelle, wo sie geparkt hatten, stand ein großes, unidentifizierbares Etwas, das von einer dunkelfarbenen Persenning bedeckt war. Als die Rangers die Plane herunterzogen, hatten sie einen alten, gelben Datsun ohne Nummernschilder vor sich. Auf einem an dic Windschutzscheibe geklebten Zettel stand: »Hiermit überlasse ich diese Dreckskiste ihrem Schicksal. Sollte es jemand schaffen, sie hier herauszuholen, kann er sie gerne haben.«

Die Türen waren nicht verschlossen. Der Boden war lehmverkrustet, was offensichtlich von den Unwettern herrührte, die kürzlich über das Tal hereingebrochen waren und eine Überschwemmung verursacht hatten. Walsh schaute sich im Wagen um und fand einen Topf mit Geldmünzen im Wert von vier Dollar und dreiundneunzig Cents, ferner einen Football, eine Mülltüte mit schmutziger Wäsche, eine Angelausrüstung, einen neuen elektrischen Rasierer, eine Mundharmonika, zwei Startkabel und fünfundzwanzig Pfund Reis. Im Handschuhfach lag der Zündschlüssel.

Die Rangers suchten das Gebiet rings um den Wagen noch »nach irgendwas Verdächtigem« ab, wie Walsh sich ausdrückte, und zogen wieder ab. Fünf Tage später kehrte einer der Ranger zu dem Datsun zurück, machte ihn mit einem Startkabel wieder flott und fuhr den Wagen nach Temple Bar auf das Gelände der Fahrzeugwartung der Forstverwaltung. »Er hat ihn mit hundert

Sachen die Stunde zurückgefahren«, weiß Walsh noch. »Hat gemeint, die Kiste läuft wie 'ne Eins.« Um den Besitzer des Wagens ausfindig zu machen, schickten die Rangers ein Fernschreiben an sämtliche in Frage kommenden Behörden und fahndeten anhand der Fahrzeugnummer in verschiedenen regionalen Computerdateien nach Anhaltspunkten, die auf einen Zusammenhang mit einem Verbrechen hinweisen könnten. Fehlanzeige.

Nach und nach gelang es den Rangers, die Fahrzeugnummer zur Hertz-Autovermietung, dem ursprünglichen Besitzer des Wagens, zurückzuverfolgen. Bei Hertz sagte man, daß der Wagen vor vielen Jahren aus dem Fuhrpark genommen und verkauft worden sei und daß man nicht daran denke, irgendwelche Ansprüche geltend zu machen. »Jippie! Super!« Walsh weiß heute noch, wie sehr er sich über diese Nachricht freute. »Ein Gratisgeschenk von den Straßengöttern – die Kiste ist ideal für die Undercoverarbeit im Drogengeschäft.« Walsh behielt recht. Die nächsten drei Jahre wurde der Datsun zu Undercover-Kaufaktionen benutzt, die in dem von Verbrechen geplagten Erholungsgebiet zu zahllosen Festnahmen führten. So ging ihnen zum Beispiel ein Großdealer von Methylamphetaminen ins Netz, der von einem Wohnwagenstellplatz in der Nähe von Bullhead City aus operierte.

»Wir holen aus der alten Kiste immer noch jede Menge Meilen raus«, weiß Walsh zu berichten. Mittlerweile sind zweieinhalb Jahre vergangen, seit sie den Wagen gefunden haben. »Ein bißchen Benzin, und das Ding läuft den ganzen Tag. So was ist noch Zuverlässigkeit. Wundert mich eh, warum hier nie jemand aufgetaucht ist und ihn zurückverlangt hat.«

Der Datsun gehörte natürlich Chris McCandless. Nachdem er damit von Atlanta Richtung Westen aufgebrochen war, kam er am 6. Juli in euphorischer Stimmung im Lake-Mead-Erholungsgebiet an, berauscht von der Schönheit der Landschaft. Als er an einem sandigen Flußbett vorbeikam, ignorierte er kurzerhand die Schilder, auf denen Geländefahrten strengstens untersagt waren, und lenkte den Wagen von der asphaltierten Straße. Er folgte dem Flußbett zwei Meilen auf das Südufer des Sees zu. Das Thermometer war an jenem Tag auf fünfzig Grad Celsius geschnellt. Menschenleere, hitzeflimmernde Wüste, so weit das Auge reichte. McCandless schlug sein Zelt im lichten Schatten einer Tamariske auf, umgeben von Feigenkakteen, Klettersalbei und grotesk umherhastenden Krageneidechsen. Er schwelgte förmlich in seiner neugewonnenen Freiheit.

Das Detrital Wash ist weit und breit der einzige Wasserabzug. Etwa fünfzig Meilen lang reicht es von Lake Mead bis in die Berge nördlich von Kingman. Das Flußbett ist meist kreidetrocken. In den Sommermonaten jedoch erhitzt sich die Luft über dem versengten Erdboden so stark, daß sie wie Bläschen vom Grund eines kochenden Wasserkessels in verwirbelten Strömen aufsteigt. Die aufsteigenden Luftmassen ballen sich regelmäßig zu mächtigen Amboßwolken zusammen, die in einer Höhe von bis zu zehn Kilometern über der Mohavewüste thronen. Zwei Tage nachdem McCandless sein Lager am Lake Mead aufgeschlagen hatte, türmte sich eine ungewöhnlich mächtige Front aus Gewitterwolken am Nachmittagshimmel auf. Fast überall im Detrital Valley gingen wolkenbruchartige Regenfälle nieder.

McCandless kampierte am Rand des Flußbetts, etwa einen halben Meter über dem Hauptbett. Als die braunen, von Geröll und Schutt durchmischten Wassermassen aus dem Hochland hinabgestürzt kamen, hatte er also gerade noch Zeit, sein Zelt und seine paar Sachen zu retten. Der

Wagen war jedoch verloren, denn der einzige Fluchtweg hatte sich in einen schäumenden, reißenden Fluß verwandelt. Der Datsun wurde von der Überschwemmung zwar nicht weggespült, nicht einmal demoliert, aber der Motor war unter Wasser gesetzt, und als McCandless kurze Zeit später versuchte, den Wagen zu starten, wollte er nicht mehr anspringen. In seiner Ungeduld entleerte er sogar noch die Batterie.

Damit war auch die letzte Hoffnung dahin, den Datsun in Gang zu bekommen. Um den Wagen doch noch irgendwie auf eine asphaltierte Straße zurückzuhieven, blieb ihm nichts anderes übrig, als sich zu Fuß zur Forstverwaltung aufzumachen und alles zu beichten. Bei den Rangers würde man ihm allerdings eine Menge unangenehmer Fragen stellen: Warum hatte er überhaupt die überall angeschlagenen Vorschriften mißachtet und war mit dem Wagen ins Flußbett hinabgefahren? Ob er sich denn nicht bewußt sei, daß die Fahrzeugzulassung seit zwei Jahren abgelaufen war? Ob ihm klar sei, daß auch sein Führerschein abgelaufen und der Wagen nicht einmal versichert war?

Was hätte er da schon groß antworten können? Natürlich, er hätte die Rangers darüber aufklären können, daß er sich den Gesetzen einer höheren Ordnung verpflichtet fühlte – daß ihm, als spätem Anhänger von Henry David Thoreau, der Essay »Über die Pflicht zum zivilen Ungehorsam« zur Bibel geworden sei und er es folglich als moralisches Gebot erachte, sich über Staatsgesetze hinwegzusetzen. Es war jedoch unwahrscheinlich, daß er damit bei Angestellten der Bundesregierung auf Verständnis stoßen würde. Er würde Unmengen von Formularen ausfüllen müssen und sich Strafgebühren einhandeln. Zweifellos würde man sich mit seinen Eltern in Verbindung setzen. Aber es gab eine Möglichkeit, sich diesen ganzen Ärger zu sparen: den Datsun stehenlassen und die Odyssee zu Fuß fortsetzen. Und genau dies tat er schließlich.

Anstatt sich von dieser kleinen Katastrophe entmutigen zu lassen, war McCandless glücklicher denn je: Für ihn war die Überschwemmung eine willkommene Gelegenheit, unnötigen Ballast abzuwerfen. Er breitete eine braune Persenning über den Wagen aus, um ihn so gut wie möglich zu tarnen, montierte die Nummernschilder aus Virginia ab und versteckte sie. Dann vergrub er das schwere, rotwildtaugliche Winchestergewehr und noch ein paar andere Sachen, die er vielleicht eines Tages noch einmal gebrauchen könnte. Schließlich legte er mit einer Geste, die sowohl Thoreau als auch Tolstoi zur Ehre gereicht hätte, sein gesamtes Papiergeld fein säuberlich in den Sand – ein erbärmliches, kleines Häuflein aus Ein-, Fünf- und Zwanzig-Dollar-Scheinen – und zündete es an. Einhundertdreiundzwanzig Dollar wurden in Sekundenschnelle zu grauer Asche.

Wir wissen all dies, weil McCandless ein kleines Album mit Fotos und tagebuchartigen Notizen angelegt hatte, in dem die Geldverbrennung und auch die meisten der noch folgenden Geschehnisse erwähnt werden. Später, kurz bevor er nach Alaska aufbrach, gab er dieses Album in die Obhut Wayne Westerbergs. Der Tonfall des Tagebuchs – es ist in der dritten Person geschrieben und klingt häufig gespreizt und unbeholfen – driftet zwar oft ins Melodramatische ab, dennoch können wir aufgrund nachprüfbarer Fakten davon ausgehen, daß McCandless sich in seiner Darstellung stets an die Tatsachen hielt. Ehrlichkeit war eine Tugend, an der ihm sehr viel lag.

Nachdem er das wenige, was ihm von seinen Sachen noch geblieben war, in einen Rucksack gestopft hatte, brach er am 10. Juli zu einer Wandertour rund um den

Lake Mead auf. Dies erwies sich, wie er in seinem Tagebuch einräumt, als »großer Fehler ... Mitte Juli treibt einen die Hitze schier zum Wahnsinn.« Er erlitt einen Hitzschlag und schaffte es gerade noch, ein paar vorbeitreibende Bootsfahrer heranzuwinken, die ihn bis Calville Bay mitnahmen, einem Yachthafen am Westufer des Sees. Dort stellte er sich an die Straße und fuhr per Anhalter weiter.

In den folgenden zwei Monaten trampte McCandless im Westen umher, hingerissen von der Weite und Monumentalität der Landschaft. Die kleineren Zusammenstöße mit der Polizei, die es immer wieder mal gab, bereiteten ihm zusätzliches Vergnügen, ebenso wie die vielen Bekanntschaften mit anderen Tramps und Abenteurern, mit denen er sich ab und zu zusammentat. Er ließ sich vom Zufall treiben, trampte zum Lake Tahoe, brach zu Fuß in die Sierra Nevada auf und wanderte eine Woche lang auf dem Pacific Crest Trail Richtung Norden. Dann verließ er die Berge und stellte sich von neuem an die Straße.

Ende Juli stieg er zu einem Mann in den Wagen, der sich Crazy Ernie nannte und ihm auf einer Ranch im Norden Kaliforniens einen Job anbot. Fotos zeigen eine ungestrichene Bretterbude inmitten von Ziegen, Hühnern und riesigen Abfallbergen. Überall steht ausrangiertes Gerät herum: Bettroste, defekte Fernseher und Einkaufswagen. Nachdem er dort zusammen mit sechs anderen Vagabunden elf Tage lang gearbeitet hatte, dämmerte ihm, daß Ernie nicht im entferntesten daran dachte, ihn zu bezahlen. McCandless riß sich daraufhin ein Zehn-Gang-Fahrrad unter den Nagel, das er zwischen dem Gerümpel im Hof entdeckt hatte. Er fuhr damit nach Chico und ließ es dort auf dem Parkplatz eines Einkaufszentrums zurück. Dann nahm er wieder sein rastloses Wanderleben auf, trampte mal nach Norden, mal nach Westen und passierte Städte wie Red Bluff, Weaverville und Willow Creek.

In Arcata, Kalifornien, inmitten der triefenden Redwood-Wälder der Pazifik-Küste, bog McCandless auf den U.S. Highway 101 und trampte die Küste hoch. Sechzig Meilen südlich der Grenze nach Oregon, in der Nähe von Orick, hielten ein paar Rubber-Tramps in einem alten Kleinbus kurz am Straßenrand, um einen Blick auf die Karte zu werfen. Plötzlich fiel ihr Blick auf einen Jungen, der in den Büschen am Straßenrand kauerte. »Er trug lange Shorts und so 'nen bescheuerten Hut«, erzählt Jan Burres, eine einundvierzigjährige Vagabundin, die damals mit ihrem Freund Bob den Westen bereiste und auf Floh- und Tauschmärkten kleineren Schnickschnack verkaufte. »Er hatte ein Pflanzenkundebuch dabei, das er brauchte, um die Beeren zu pflücken. Er hatte sich einen leeren Milchcontainer aufgeschnitten, und dort hat er sie reingetan. Er hat so bemitleidenswert ausgeschaut, also hab ich rübergerufen: ›Hey, kannst mitfahren, willst du irgendwohin?‹ Ich hab gedacht, vielleicht können wir ihm ja auch was zu essen geben oder so.

Wir haben uns dann ein bißchen unterhalten. Er war ein sympathischer Kerl. Hat gemeint, er heißt Alex. Und hungrig war der vielleicht! Hungrig, hungrig, *hungrig*. Aber richtig glücklich. Er hat gemeint, daß er die ganze Zeit von eßbaren Pflanzen gelebt hat, die er aus dem Buch hatte. War gar nicht zu überhören, wie stolz er drauf war. Er trampt gerade durchs Land, hat er gemeint, und daß er sich das große, alte Abenteuer reinzieht. Er hat uns erzählt, wie er seinen Wagen stehengelassen und sein Geld verbrannt hat. Ich hab gesagt: ›Aber warum? Was bringt denn so was?‹ Er hat nur gemeint, er braucht kein Geld. Ich hab einen Sohn, der ungefähr genauso alt ist wie Alex war, und vor ein paar Jahren hat's damit angefangen, daß wir uns nicht mehr verstanden haben. Ich hab also zu Bob gesagt: ›Mann, wir müssen den Jungen mitnehmen. Du mußt ihm unbedingt ein bißchen was beibringen.‹ Alex ist dann mit uns nach Orick Beach gefahren, wo wir damals waren. Er war eine Woche bei uns. Der Junge war schwer in Ordnung. Wir haben echt große Stücke auf ihn gehalten. Als er wieder weg war, hätten wir nie gedacht, daß wir noch mal was von ihm hören, aber er hat sich wirklich Mühe gegeben, mit uns in Verbindung zu bleiben. Zwei Jahre lang hat er uns alle ein, zwei Monate eine Postkarte geschickt.«

McCandless setzte seine Reise von Orick aus in Richtung Norden fort. Er trampte die Küste entlang und kam durch Orte wie Pistol River, Coos Bay, Seal Rock, Manzanita, Astoria, durch Hoquiam, Humptulips, Queets und durch Forks, Port Angeles, Port Townsend und Seattle. »Er war allein«, wie James Joyce über Stephen Dedalus, seinen »Künstler als junger Mann«, schreibt. »Er war allein. Er war unbeobachtet, glücklich und dem wilden Herzen des Lebens nah. Er war allein und jung und mutwillig und wild beherzt, allein inmitten einer Wüste wilder Luft und brackiger Wasser und der Meerlese aus Muscheln und Tang und verschleierten grauen Sonnenlichts …«

Kurz bevor McCandless am 10. August Jan Burres und Bob traf, kassierte er in der Nähe von Willow Creek in dem Goldschürfgebiet östlich von Eureka einen Strafzettel wegen unerlaubten Trampens. Er wurde kurz auf die Wache genommen, und als der Beamte ihn nach seinem Wohnort fragte, unterlief McCandless ein kleines, für ihn untypisches Mißgeschick: Er gab die Adresse seiner Eltern in Annandale an. Der unbezahlte Strafzettel tauchte Ende August in Walts und Billies Briefkasten auf.

Walt und Billie, die in ständiger Sorge über Chris' klammheimliches Verschwinden lebten, hatten sich inzwischen an die Polizei von Annandale gewandt, die ihnen jedoch auch nicht weiterhelfen konnte. Als dann der Strafzettel aus Kalifornien eintrudelte, läuteten bei ihnen sämtliche Alarmglocken. Einer ihrer Nachbarn war ein General der Armee und Chef der U.S. Defense Intelligence Agency. Walt wandte sich an ihn und bat ihn um Rat. Der General vermittelte ihn an einen Privatdetektiv, Peter Kalitka, der für die DIA und CIA Auftragsarbeiten erledigt hatte. Er sei der Beste, versicherte der General Walt. Wenn jemand Chris finden würde, dann Kalitka.

Kalitka fing mit seinen Nachforschungen bei dem Willow-Creek-Strafzettel an und setzte von dort aus eine minutiöse Vermißtensuche in Gang. Er ging sogar Hinweisen nach, die bis nach Europa und Südafrika führten. Dennoch blieben seine Bemühungen ergebnislos – bis zum Dezember, als er bei einer Durchsicht von Steuerlisten herausfand, daß Chris seinen Studienfonds an OXFAM gespendet hatte.

»Da bekamen wir es richtig mit der Angst zu tun«, erzählt Walt. »Wir wußten überhaupt nicht mehr, was mit dem Jungen los war. Schon der Anhalter-Strafzettel hatte uns ratlos gemacht. Er liebte seinen Datsun über alles, es war für mich einfach unfaßbar, daß er ihn stehengelassen hat und zu Fuß weitergereist ist. Obwohl, im nachhinein muß ich sagen, so erstaunlich war es gar nicht mal. Chris gehörte zu den Leuten, denen es widerstrebt, mehr zu besitzen, als sie sich bei einer Flucht auf Leben und Tod unter den Arm klemmen können.«

Während Kalitka sich bemühte, Chris' Fährte in Kalifornien aufzunehmen, war McCandless bereits weit weg und trampte Richtung Osten über die Cascade Range. Er durchquerte das Beifuß-Hochland und die Lavabetten des Columbia-River-Beckens und gelangte schließlich über das Nordende von Idaho nach Montana. Dort, kurz hinter Cut Bank, traf er auf Wayne Westerberg, und gegen

Ende September arbeitete er für ihn in Carthage. Als Westerberg dann seine Gefängnisstrafe antreten mußte, keine Aussicht auf Arbeit bestand und sich bereits der Winter ankündigte, zog es Chris in wärmere Regionen.

Am 28. Oktober fuhr er mit einem Fernlaster nach Needles, Kalifornien. »Haben heute den Columbia River erreicht. Konnte mich vor Freude kaum halten«, schrieb McCandless in sein Tagebuch. Dann verließ er den Highway, folgte dem Flußlauf nach Süden und durchquerte die Wüste. Nach zwölf Meilen kam er in Topock, Arizona, an, einer staubigen Häuseransammlung an der Interstate 40, mehr Rastplatz als Dorf. Der Freeway überquert dort die kalifornische Grenze. Im Ort fiel ihm ein gebrauchtes Aluminium-Kanu auf, und er entschloß sich spontan dazu, es zu kaufen und damit den Colorado River bis zum Golf von Kalifornien hinunterzupaddeln – fast vierhundert Meilen nach Süden und über die Grenze nach Mexiko.

Das untere Flußstück zwischen Hoover-Staudamm und Golf von Kalifornien hat wenig gemein mit dem ungezähmten, reißenden Strom, der zweihundertfünfzig Meilen flußaufwärts von Topock durch den Grand Canyon schießt. Gebändigt von einer Vielzahl von Staudämmen und begradigenden Kanälen schleppt sich der Colorado träge von einem Staubecken zum anderen durch einen der heißesten, verdörrtesten Landstriche des gesamten Kontinents. McCandless war tiefberührt von der schmucklosen Strenge dieser Ödnis, von ihrer salzigen Schönheit. Die Wüste schärfte den süßen Schmerz seiner Sehnsucht, ließ ihn fühlbarer werden und gab ihm mit ihrer verbrannten Geologie und dem klaren, kantigen Licht sichtbare Gestalt.

Von Topock aus paddelte McCandless unter dem fahlen leeren Himmelszelt den Lake Havasu hinunter. Nach einem kurzen Abstecher in den Bill Williams River, einen Nebenfluß des Colorado, paddelte er stromabwärts durch das Colorado-River-Indianerreservat und gelangte über das Cibola-Wildschutzgebiet in das Imperial-Wildschutzgebiet. Er trieb an weiten Kakteen- und Salzkrautebenen vorbei und kampierte unterhalb von Felsvorsprüngen nackter, präkambrischer Gesteinsschichten. In der Ferne trieben spitze, schokoladenbraune Berge auf gespenstischen Trugbildern von Wasserlachen. Als er eine Herde Wildpferde sichtete, verließ er den Fluß und folgte ihnen einen Tag lang. Dabei stieß er auf ein Warnschild der U.S. Army, das ihn darauf aufmerksam machte, daß er sich auf dem Yuma-Übungsgelände befand, einem Sperrgebiet. Unbefugten war der Zutritt strengstens verboten. McCandless wanderte unbeeindruckt weiter.

Ende November paddelte er durch Yuma, wo er eine Zeitlang Station machte. Er frischte seine Vorräte auf und schickte Westerberg eine Karte, c/o Glory House – dem Gefängnis in Sioux Falls, wo Westerberg im freien Vollzug seine Zeit absaß. »Hey Wayne!« heißt es auf der Karte:

Wie geht's, wie steht's? Ich hoffe, daß es bei Dir wieder aufwärts geht, seit wir uns das letzte Mal gesprochen haben. Ich bin nun einen Monat lang in Arizona herumgetrampt. Ein wirklich toller Staat! Die Landschaft ist phantastisch, und das Klima könnte nicht besser sein. Aber ich möchte Dich nicht nur grüßen, sondern mich vor allem wieder für Deine Gastfreundschaft bedanken. So gute, großzügige Menschen wie Dich trifft man nicht alle Tage. Manchmal wünsche ich mir jedoch, ich hätte Dich nie kennengelernt. Das Trampen fällt einem mit einem so prall gefüllten Portemonnaie viel zu leicht. Aufregender war's damals, als ich noch ohne einen Pfennig in der Tasche herumreiste und mir jeden Tag mein Essen organisieren mußte. Ohne Geld wäre ich hier allerdings ganz schön aufgeschmissen, weil es um diese Jahreszeit an Obst und Getreide kaum was zu ernten gibt.

Bitte richte Kevin meinen Dank aus für die vielen Kleider, die er mir geschenkt hat. Ohne sie hätte ich mir ganz schön einen abgefroren. Ich hoffe, daß er Dir irgendwie das Buch übermitteln konnte. Wayne, Du solltest »Krieg und Frieden« unbedingt lesen. Es war nicht nur so dahergesagt, als ich meinte, daß Du einer der edelmütigsten Menschen bist, die mir je begegnet sind. Es ist ein wirklich mitreißendes und sehr symbolisches Buch. Es handelt von Dingen, von denen ich glaube, daß Du sie verstehst. Dinge, die den meisten Menschen gar nicht auffallen. Was mich betrifft, habe ich beschlossen, dieses Leben noch eine ganze Weile so fortzusetzen. Die Freiheit und die schlichte Schönheit daran sind einfach zu verlockend. Eines Tages werden wir uns wiedersehen, Wayne, und ich werde mich, so gut es geht, für die Freundlichkeit, mit der Du mich aufgenommen hast, revanchieren. Ich denke da vielleicht an eine Kiste Jack Daniels. Na, wie wär's? Bis dahin bleibst Du für mich immer ein echter Freund. Gott segne Dich, Alexander

Am 2. Dezember erreichte er den Morelos-Staudamm an der mexikanischen Grenze. Er hatte keine Papiere, und aus Angst, daß ihm die Einreise verwehrt würde, versuchte er, die Grenze heimlich zu überqueren. Er paddelte durch die offenen Schleusentore und schoß die Überlaufrinne hinab. »Alex sieht sich kurz um, ob er sich auf Ärger gefaßt machen muß«, berichtet sein Tagebuch. »Aber seine Einreise nach Mexiko wurde entweder nicht bemerkt oder einfach ignoriert. Ein Triumph. Alexander ist überglücklich!«

Sein Triumph war jedoch nur von kurzer Dauer. Unterhalb des Staudamms verwandelt sich der Fluß in einen Irrgarten aus Bewässerungskanälen, Sümpfen und Sackkanälen, in dem er ständig die Orientierung verlor.

Überall biegen Kanäle ab. Alex ist verwirrt. Trifft auf ein paar Angestellte der Kanalwerke, die etwas Englisch sprechen. Sie weisen ihn darauf hin, daß er sich nicht nach Süden, sondern immer weiter westlich bewegt und auf die Niederkalifornische Halbinsel zusteuert. Alex ist am Boden zerstört. Er fleht sie an, besteht darauf, daß es doch irgendeine Wasserroute geben muß, die in den Golf von Kalifornien mündet. Sie starren ihn entgeistert an, halten ihn für verrückt. Aber dann bricht zwischen ihnen eine leidenschaftliche Diskussion aus. Karten werden ausgebreitet, Bleistifte geschwungen. Nach zehn Minuten treten sie vor Alex und zeigen ihm die Route, die allem Anschein nach ins Meer führt. Er ist überglücklich und sein Herz wieder voller Hoffnung. Er paddelt den Kanal zurück und biegt in den Canal de Independencia ein. Der Karte zufolge kreuzt dieser den Wellteco-Kanal, der sich nach Süden wendet und ins Meer mündet. Aber schon bald sind seine Hoffnungsträume zerplatzt, da dieser Kanal in einer Sackgasse mitten in der Wüste endet. Nach einer Erkundungsfahrt kommt Alex jedoch zu dem Ergebnis, daß er lediglich im Flußbett des inzwischen toten und versiegten Colorado River gelandet ist. Auf der anderen Seite, etwa eine halbe Meile entfernt, entdeckt er einen weiteren Kanal. Er beschließt, in diesen Kanal überzusetzen.

McCandless benötigt beinahe drei Tage, um Kanu und Ausrüstung an den neuen Kanal zu schaffen. In dem Tagebucheintrag vom 5. Dezember heißt es:

Endlich! Alex hat eine Wasserstraße gefunden, von der er annimmt, daß es der Wellteco-Kanal ist. Er paddelt nach Süden weiter. Der Kanal wird immer enger. Ängste und Befürchtungen kehren zurück … Einheimische helfen ihm, das Kanu um ein Hindernis zu tragen … Alex erlebt die Mexikaner als warmherzig und hilfsbereit. Viel gastfreundlicher als die Amerikaner …

6.12. Der Kanal wird von zahllosen kleinen, aber tückischen Wasserfällen unterbrochen.

9.12. Alles Hoffen war vergebens! Der Kanal mündet nicht in den Ozean. Unmerklich versickert er in einer weiten Sumpflandschaft. Alex' Verwirrung ist grenzenlos. Er sagt sich aber, daß der Ozean ganz nah sein muß, und beschließt, sich quer durch das Sumpfgebiet zum Meer durchzuschlagen. Alex hat sich nun völlig verirrt. Muß das Kanu durch Schilf und Schlamm vor sich her schieben. Verzweiflung ohne Ende. Findet bei Sonnenuntergang ein trockenes Fleckchen Erde, wo er übernachten kann. Am nächsten Tag, dem 10.12., nimmt Alex wieder die Suche nach einem Durchfluß zum Meer auf, watet aber im Kreise umher und weiß irgendwann nicht mehr ein noch aus. Am Ende des Tages liegt er völlig entmutigt und frustriert in seinem Kanu und weint. Aber dann hat er unwahrscheinliches Glück und stößt auf mexikanische Entenjagdführer, die Englisch sprechen. Er erzählt ihnen seine Geschichte und von seiner Suche nach dem Meer. Sie sagen, daß es keinen Durchfluß zum Meer gibt. Aber dann willigt einer von ihnen ein, Alex in ihr Basislager abzuschleppen (mit einem kleinen Motorboot) und ihn samt Kanu (hinten auf einem Pick-up) ans Meer zu fahren. Es ist ein Wunder.

Die Entenjäger ließen ihn in El Golfo Santa Clara raus, einem Fischerdorf am Golf von Kalifornien. McCandless stieg wieder ins Kanu und paddelte an der Ostseite des Golfs in Richtung Süden. Jetzt, wo er sein Ziel erreicht hatte, ließ McCandless alles etwas langsamer angehen. Seine Stimmung kehrte ins Besinnliche um, und er fotografierte viel. Er machte Bilder von einer Tarantel, den elegischen Sonnenuntergängen, windverwehten Dünen und dem weit ausholenden Bogen der menschenleeren Bucht. Die Tagebucheinträge werden kürzer und flüchtiger. In den folgenden vier Wochen schrieb er weniger als einhundert Wörter.

Am 14. Dezember, als er das Paddeln allmählich satt hatte, holte er das Kanu an Land, erklomm die steile Sandsteinklippe und schlug sein Lager am Rand eines einsamen Plateaus auf. Er harrte dort zehn Tage aus, bis heftige Windstürme ihn zwangen, in einer Höhle auf mittlerer Höhe der Klippe Zuflucht zu suchen. Dort verbrachte er weitere zehn Tage. Das neue Jahr beging er, indem er sich in den Abend hinaussetzte und beobachtete, wie der Vollmond über dem *Gran Desierto* aufzog – der Großen Wüste: eintausendsiebenhundert Quadratmeilen Wanderdünen, die größte Sandwüste Nordamerikas. Am Tag darauf setzte er sich wieder ins Kanu und paddelte weiter am Ödland der Küste entlang.

Der Tagebucheintrag für den 11. Januar 1991 beginnt mit den Worten: »Ein bedeutender Tag.« McCandless drang weiter nach Süden vor und legte schließlich an einer weit vom Ufer entfernten Sandbank an, um den mächtigen Gezeitenstrom zu beobachten. Nach einer Stunde zogen von der Wüste her heftig brausende Windböen auf. Er geriet in Kabbelwasser und wurde aufs offene Meer hinausgetragen. In kürzester Zeit verwandelte sich das Meer in eine einzige, tosende Gischtwoge. Sein kleines Kanu drohte zu kentern. Der Wind erreichte Orkanstärke, und die Schaumkronen wurden höher und höher, bis sie sich überschlugen. »Mit letzter Verzweiflung«, heißt es im Tagebuch,

... schreit er um sich. Paddel schlägt gegen Kanu. Paddel zerbricht. Alex hat ein Ersatzpaddel. Er sagt sich: jetzt nur die Ruhe bewahren. Wenn zweites Paddel verlorengeht, tot. Schließlich, mit letzter Kraft und unter tausend Verwünschungen, manövriert er Kanu zur Anlegestelle und bricht bei Sonnenuntergang erschöpft im Sand zusammen. Dieser Vorfall hat Alex dazu veranlaßt, Kanu liegenzulassen und in den Norden zurückzukehren.

Am 16. Januar ließ McCandless das kleine, stumpfförmige Boot auf der Kuppe einer grasbewachsenen Düne südöstlich von El Golfo de Santa Clara zurück und wanderte den menschenleeren Strand entlang in Richtung Norden. Seit sechsunddreißig Tagen hatte er keinen Menschen mehr gesehen, geschweige denn ein Wort mit jemandem gewechselt. Er hatte sich von fünf Pfund Reis, Fischen und Meeresfrüchten ernährt – eine Erfahrung, die ihn später in der Überzeugung bestärken würde, er könne in der Wildnis von Alaska mit ähnlich mageren Rationen überleben.

Am 18. Januar erreichte er die Grenze zu den USA. Wieder versuchte er sich heimlich und ohne Ausweis hinüberzustehlen. Diesmal wurde er jedoch vom Grenzschutz erwischt und mußte eine Nacht hinter Gittern verbringen. Er tischte den Grenzern irgendeine Geschichte auf und schaffte es damit tatsächlich, sich aus dem Knast herauszureden. Seinen .38 Colt büßte er allerdings ein, einen »wunderschönen Colt Python, an dem er sehr hing«.

Während der nachfolgenden sechs Wochen bereiste McCandless den Südwesten, er tourte von der pazifischen Küste bis nach Houston, Texas. Er gewöhnte sich an, das wenige, das er an Geld besaß, irgendwo außerhalb der Stadt zu vergraben, um nicht von Banden oder zwielichtigen Gestalten ausgeraubt zu werden, die die Straßen und auch die Freeway-Unterführungen, unter denen er schlief, beherrschen. Wenn er die Stadt wieder verließ, grub er es wieder aus. Am 3. Februar, so sein Tagebuch, fuhr er nach Los Angeles, »um sich einen Ausweis und einen Job zu besorgen. Da er sich mittlerweile in der Zivilisation extrem unwohl fühlt, stellt er sich so schnell wie möglich wieder an die Straße.«

Sechs Tage darauf kampierte er mit Thomas und Karin, einem jungen deutschen Paar, das ihn mitgenommen hatte, am Fuße des Grand Canyon. Er schrieb: »Ist dies immer noch der gleiche Alex, der im Juli 1990 loszog? Unterernährung und das Leben auf der Straße haben seinem Körper arg zugesetzt. Über fünfundzwanzig Pfund weniger. Seine seelische Verfassung könnte jedoch nicht besser sein.«

Am 24. Februar, siebeneinhalb Monate nachdem er den Datsun stehengelassen hatte, kehrte McCandless ins Detrial Wash zurück. Die Parkbehörden hatten das Gefährt längst beschlagnahmt, aber er buddelte seine alten Nummernschilder aus Virginia wieder aus, SJF-421, und noch ein paar andere Sachen, die er dort vergraben hatte. Er trampte nach Las Vegas und nahm einen Job in einem italienischen Restaurant an. »Am 27.2. vergrub Alexander seinen Rucksack in der Wüste und betrat Las Vegas ohne Geld und Papiere«, heißt es im Tagebuch.

Mehrere Wochen lang lebte er unter Pennern, Säufern und sonstigen Vagabunden der Straße. Aber auch Vegas sollte nicht zur letzten Station seiner Odyssee werden. Am 10. Mai befiel ihn erneut das Reisefieber, und Alex schmiß seinen Job, grub seinen Rucksack aus und stellte sich wieder an die Straße. Aber merke: sei niemals so dumm, eine Kamera zu vergraben, denn du wirst nachher keine Freude mehr dran haben. Die Geschichte wird also für die Zeit zwischen dem 10. Mai 1991 und 7. Januar 1992 ohne Bebilderung auskommen müssen. Aber was soll's. Das eigentlich Wichtige sind die Erfahrungen, die man macht, die Erinnerungen und die triumphale, überschäumende Freude, die einen durchströmt, wenn man das Leben in vollen Zügen genießt. Gott, das Leben ist so schön! Vielen, vielen Dank.

Bullhead City

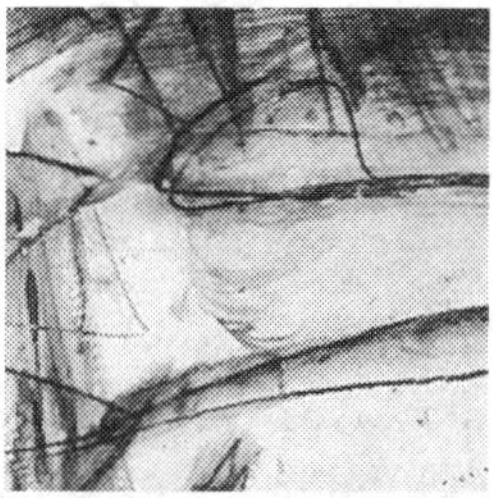

KAPITEL FÜNF

Bei diesem Leben wurde das urzeitliche, reißende Raubtier in Buck immer stärker. Aber nur ganz im geheimen wuchs es. Die Schlauheit und Verschlagenheit, die er sich hier im Norden erworben hatte, halfen ihm, es im Zaum zu halten.

JACK LONDON,
»DER RUF DER WILDNIS«

Es lebe das urzeitliche, reißende Raubtier!
Und Captain Ahab ebenfalls!
Alexander Supertramp
Mai 1992
Wandspruch in dem ausrangierten
Bus am Stampede Trail

❖

McCandless fotografierte also nicht mehr, und auch das Tagebuchschreiben sollte er erst ein Jahr später wiederaufnehmen, als er nach Alaska fuhr. Es ist daher kaum etwas darüber bekannt, wohin seine Reisen ihn führten, nachdem er Vegas im Mai 1991 verlassen hatte.

Aus einem Brief an Jan Burres wissen wir, daß er Juli und August an der Küste Oregons verbrachte, wahrscheinlich in der Nähe von Astoria. Er litt unter ständigem Nebel und Regen, der, wie er schrieb, »oft kaum noch auszuhalten ist«. Im September trampte er den U.S. Highway 101 nach Kalifornien hinunter und machte sich von dort wieder in die Wüste auf. Und Anfang Oktober landete er dann in Bullhead City, Arizona.

Bullhead City ist ein für das ausgehende zwanzigste Jahrhundert typischer Widerspruch in sich: ein Ort ohne Ortskern, eine Gemeinde ohne Gemeinschaftsleben. Die kleine Ortschaft zieht sich über eine Strecke von acht, neun Meilen am Ufer des Colorado hin und besteht aus willkürlich hingewürfelten, lose miteinander verbundenen Häuser- und Einkaufszeilen. Direkt gegenüber am anderen Flußufer ragen die Wolkenkratzerhotel- und Spielkasinobauten von Laughlin, Nevada, empor. Das einzige, was Bullhead als Stadt ausweist, ist der Mojave Valley Highway, eine vierspurige Asphaltpiste, die gesäumt ist von Tankstellen und Fast-Food-Ketten, Chiropraktikerpraxen, Video-Verleihen, Autoersatzteilgeschäften und überteuerten Souvenirläden.

Man würde kaum annehmen, daß Bullhead City eine besondere Anziehungskraft auf einen Thoreau- und Tolstoi-Jünger ausüben würde, auf einen Ideologen, der für die bourgeoisen Fallen des Mainstream-Amerika nichts als kalte Verachtung übrig hat. Und dennoch entwickelte McCandless eine starke Zuneigung für Bullhead. Vielleicht war es seine Schwäche für die Ärmsten der Armen, das Lumpenproletariat, das in den Wohnwagenparks der Gemeinde, auf den Campingplätzen und in den Waschsalons überdurchschnittlich stark vertreten war; oder ihm gefiel einfach nur die nackte, kahle Wüstenlandschaft, von der die Stadt ringsum umgeben ist.

Wie dem auch sei, McCandless blieb zwei Monate – wahrscheinlich der längste Aufenthalt an einem Ort, seit er Atlanta verlassen hatte. Nur in Alaska, in dem Buswrack am Stampede Trail, harrte er länger aus. In einer Karte, die er im Oktober an Westerberg schickte, sagte er über Bullhead: »Die Stadt eignet sich hervorragend als Winterquartier. Könnte sogar sein, daß ich mich hier niederlasse und Schluß mache mit dem Vagabundenleben, und zwar für immer. Mal sehen, wie's im Frühling so ist, weil bei mir dann in der Regel das große Reisefieber ausbricht.«

Damals arbeitete er an besagtem Highway als Vollzeitkraft bei McDonald's. Er fuhr jeden Tag mit dem Fahrrad zur Arbeit und drehte am Bratblech Hamburger um. Nach außen hin führte er eine erstaunlich normale Existenz. Er eröffnete sogar ein Sparkonto bei einer Bank.

Als er sich für den Job bei McDonald's bewarb, stellte er sich eigenartigerweise als Chris McCandless vor, nicht als Alex, und er gab sogar seine richtige Sozialversicherungsnummer an. Es war das erste Mal, daß er seine Tarnexistenz wieder abstreifte. Eigentlich ein für ihn untypisches Verhalten, zumal es seinen Eltern nun möglich gewesen wäre, ihn aufzuspüren – aber seine Unvorsichtigkeit blieb ohne Folgen, da der von Walt und Billie angeheuerte Detektiv nie dahinterkam.

Zwei Jahre nachdem McCandless über dem Hackfleischgrill in Bullhead geschwitzt hatte, wissen seine McDonald's-Kollegen nicht mehr viel über ihn zu berichten. »Er hatte was gegen Socken, das weiß ich noch«, sagt der stellvertretende Geschäftsführer George Dreeszen, ein fleischiger, redseliger Mann. »Er ist immer ohne Socken rumgelaufen – er konnte Socken nicht *ausstehen*. Nun gibt es aber bei McDonald's diese Vorschrift, daß Angestellte eine ordentliche Fußbekleidung tragen müssen. Das heißt Schuhe *und* Socken. Chris hat sich dran gehalten, aber sobald die Schicht um war, zack! – das erste, was er tat, war, die Socken ausziehen. Und ich mein wirklich: das erste. So, als wollte er uns zeigen, daß er nicht unser Eigentum ist, nehm ich mal an. Aber er war 'n netter Junge und ein guter Mitarbeiter. Absolut zuverlässig.«

Lori Zarza, zweite stellvertretende Geschäftsführerin, hat McCandless ein wenig anders in Erinnerung. »Also ehrlich gesagt, ich hab mich gefragt, wieso die den genommen haben«, sagt sie. »Er hat zwar nix falsch gemacht – er hat hinten gekocht –, aber er hat immer in dem gleichen, lahmen Tempo gearbeitet, selbst zu Stoßzeiten mittags, egal wie oft man dem gesagt hat: halt dich ran, Mann. Die Leute stehen in Zehnerreihen Schlange, und der kapiert trotzdem nicht, warum ich Dampf mach. So, als wäre er auf 'nem anderen Planeten.

Aber er war zuverlässig, das muß man ihm lassen, is' jeden Tag pünktlich angetreten, deshalb haben die auch nicht gewagt, ihn rauszuschmeißen. Die zahlen hier nur vierfünfundzwanzig die Stunde, und mit den ganzen Casinos da drüben auf der andern Seite, wo du gleich am ersten Tag sechsfünfundzwanzig kriegst, tja, da isses natürlich schwer, die Leute bei der Stange zu halten.

Ich glaub, er hat sich nicht ein einziges Mal nach der Arbeit mit den anderen Leuten hier getroffen und ist mit denen ausgegangen oder so. Wenn er was gesagt hat, dann hat er immer was von Bäumen und Natur und so'n komisches Zeug erzählt. Wir haben alle gedacht, bei dem sind ein paar Schrauben locker.

Daß Chris den Job schließlich geschmissen hat«, gesteht Zarza, »das war wohl wegen mir. Als er bei uns angefangen hat, hat er noch auf der Straße gelebt und ist immer stinkend zur Arbeit gekommen. McDonald's hat aber nun mal gewisse Ansprüche an seine Mitarbeiter, und so zu stinken ist einfach nicht drin. Dann haben die mir schließlich die Aufgabe übertragen, dem klarzumachen, daß er sich öfters mal waschen soll. Ich sag's ihm also, und seitdem sind wir ständig aneinandergeraten. Und dann die anderen Angestellten – die wollten bloß nett sein -, die haben ihn ein paarmal gefragt, ob er Seife oder so was braucht. Da war er stocksauer – das hat man ihm angemerkt. Aber er hat nie was gesagt. Ungefähr drei Wochen später ist er einfach zur Tür raus und hat den Job geschmissen.«

McCandless hatte versucht, zu verheimlichen, daß er ein Tramp war, der aus dem Rucksack lebte: seinen Kollegen gegenüber behauptete er, er wohne auf der anderen Seite des Flusses, in Laughlin. Wenn sie ihn nach der Arbeit fragten, ob sie ihn ein Stück mitnehmen könnten, hatte er immer irgendwelche Ausreden parat und lehnte dankend ab. Tatsächlich zeltete McCandless während der ersten Wochen am Stadtrand in der Wüste. Dann nistete er sich in einem leerstehenden Wohnwagen ein. Letzteres hatte sich, wie er in einem Brief an Jan Burres schrieb, »folgendermaßen ergeben«:

Eines Morgens rasierte ich mich auf einer Toilette. Ein alter Mann kam herein. Er schaute mir zu und fragte mich, ob ich »draußen schlafe.« Ich sage ja, und wie sich herausstellt, hat er diesen alten Wohnwagen, wo ich umsonst bleiben kann. Einziges Problem ist, daß er ihm nicht wirklich gehört. Irgendwelche Besitzer, die nie da sind, lassen ihn in einem anderen, kleineren Wohnwagen auf ihrem Grundstück hier wohnen. Ich muß also ein bißchen aufpassen und mich möglichst unsichtbar machen, weil er eigentlich niemanden dahaben darf. Trotzdem ist die Sache ein echter Glücksfall, denn innen drin ist es richtig nett. Der Wohnwagen ist ein Hauscaravan, vollmöbliert und mit schön viel Platz. Sogar die Steckdosen funktionieren teilweise. Der einzige Nachteil ist dieser Alte, Charlie ist sein Name, der ein bißchen spinnt und einem manchmal ganz schön auf den Wecker geht.

Charlie ist immer noch unter der gleichen Adresse anzutreffen, in einem rostzerfressenen Wohnanhänger ohne Strom und fließendes Wasser. Das kleine, tränenförmige Blechmobil verschwindet förmlich hinter dem großen, blauweißen Hauscaravan, in dem McCandless untergebracht ist. Im Westen ragen kahle Bergzüge starr über die Dächer aneinandergereihter Doppelfertighäuser. Ein himmelblauer Ford Torino steht aufgebockt in einem verlassen vor sich hin wuchernden Garten. Aus dem Motorraum sprießt das Unkraut. Aus einer Oleanderhecke weht der Gestank von menschlichem Urin herüber, scharf wie Ammoniak.

»Chris? Chris?« bellt Charlie und überfliegt seine lükkenhaften Gedächtnisdateien. »Ach ja, der. Ja, ja, ich erinner mich, klar.« Charlie trägt ein Sweatshirt und eine khakifarbene Arbeitshose. Er ist ein gebrechlicher nervöser Mann mit wäßrigen Augen und weißlich sprießenden Bartstoppeln am Kinn. Seiner Erinnerung zufolge blieb McCandless etwa einen Monat in dem Trailer.

»Netter Junge, ja, ganz netter Junge«, berichtet Charlie. »Hat es nicht leiden können, wenn zu viele Menschen um ihn rum waren. Eigenwillig. Hat's gut gemeint, aber ich glaub, er hatte 'ne Menge Komplexe – verstehen Sie, was ich meine? Las dauernd Bücher von diesem Alaska-Knaben, Jack London. Hat nie viel geredet. Launisch. Hat so seine Tage gehabt, da durfte nix und niemand ihn stören. Schien 'n Junge zu sein, der irgendwas gesucht hat, *irgend*was, nur wußte er bloß nicht, was. Ich war auch mal so, aber dann hab ich gemerkt, was ich die ganze Zeit gesucht hab: Geld! Ha! Heißassa, ach Junge!

Aber, wie gesagt, Alaska – ja, er hat davon geredet, nach Alaska zu gehen. Vielleicht hat er ja gedacht, dort findet er, was er sucht. Netter Junge, jedenfalls kam er mir so vor. Hat aber manchmal richtig Komplexe gehabt. Richtig schlimm. Als er gegangen is', um Weihnachten rum glaub ich, hat er mir fünfzig Dollar und 'ne Packung Zigaretten gegeben, dafür, daß ich ihn hab bleiben lassen. Ich fand das sehr anständig von dem Jungen.«

Ende November schickte McCandless Jan Burres eine Karte an eine Postfachadresse in Niland, einem kleinen Städtchen in Imperial Valley, Kalifornien. »Diese Karte, die wir in Niland von ihm bekommen haben, war seit langem die erste Nachricht von ihm mit Absenderadresse«, erinnert Burres sich. »Ich hab also sofort zurückgeschrieben und gesagt, daß wir ihn nächstes Wochenende in Bullhead besuchen kommen. War schließlich nicht sehr weit von da, wo wir gerade waren.«

McCandless war begeistert, von Jan zu hören. »Ich bin so froh, daß Ihr beide wohlauf seid«, schrieb er voll Freude in seinem Antwortbrief vom 9. Dezember 1991.

Tausend Dank für die Weihnachtskarte. Ihr glaubt gar nicht, wie gut das tut, zu wissen, daß es jemanden gibt, der um diese Jahreszeit an einen denkt ... Ich freue mich riesig, daß Ihr mich besuchen kommt. Ihr seid jederzeit willkommen. Ich kann's gar nicht fassen, daß wir uns nach fast anderthalb Jahren wiedersehen werden.

Er zeichnete eine kleine Karte unter den Brief und beschrieb ihnen genau, wie sie den Weg zu dem Stellplatz des Wohnwagens an der Baseline Road in Bullhead City finden würden.

Jan und ihr Freund Bob begannen also mit den Vorbereitungen für den Besuch. Als Jan jedoch vier Tage später abends in ihr Camp zurückkehrte, sah sie »einen großen Rucksack an unserm Bus stehen. Ich hab gleich gesehen, daß der Alex gehört. Sunni, unser kleiner Hund, hat angefangen, nach ihm zu schnüffeln, und ihn noch vor mir entdeckt. Sunni mochte Alex, aber ich war doch überrascht, als sie ihn gleich so wiedererkannt hat. Als sie ihn gefunden hat, hätten Sie mal sehen sollen, wie sie ausgeflippt is'.« McCandless erzählte Burres, daß er es in Bullhead nicht mehr ausgehalten habe, daß er das Stechuhrleben und die »Plastikmenschen«, mit denen er arbeitete, satt habe und sich gesagt habe, daß er da so schnell wie möglich weg müsse.

Jan und Bob kampierten damals auf einem Grundstück drei Meilen außerhalb von Niland, das die Einheimischen »Slabs« – Betonplatten – nennen. Die Slabs sind ein alter Wüstenluftstützpunkt der Marine, von dem heute, nachdem er geräumt und die Anlagen geschliffen wurden, nur noch Betonfundamente und ein weitläufiges, rechtwinklig angelegtes Straßennetz übrig sind. Anfang November, wenn in den meisten Teilen des Landes der Winter einzieht, finden sich in dieser weltfernen Gegend an die fünftausend Leute ein: Drogenfreaks, Tramps und sonstige Vagabunden machen sich dann mit wenig Geld ein paar schöne Wochen in der Sonne. Die Slabs fungieren als saisonale Hauptstadt einer mehrere zehntausend Menschen umfassenden Travelerkultur – eine tolerante, umherziehende Sinnesgemeinschaft, die den Pensionär ebenso wie den Ausgestoßenen, den Habenichts ebenso wie den Langzeitarbeitslosen einschließt. Alle Altersgruppen sind vertreten, Männer, Frauen und Kinder. Der eine ist vor

Inkassofirmen auf der Flucht, der andere versucht, einer ausgelutschten Beziehung aus dem Weg zu gehen, und wiederum andere fliehen vor einem Haftbefehl, dem Finanzamt, dem Winter in Ohio oder versuchen einfach, dem Trott der Mittelklasse zu entkommen.

Als McCandless in den Slabs ankam, war in der Wüste gerade ein riesiger Floh- und Tauschmarkt im Gange. Burres hatte ein paar Klapptische mit kleineren, größtenteils gebrauchten Sachen aufgebaut, und McCandless bot ihr an, sich um ihren riesigen Bestand an gebrauchten Taschenbüchern zu kümmern.

»Er hat mir sehr geholfen«, gesteht Burres. »Wenn ich mal kurz wegmußte, hat er auf alles aufgepaßt. Er hat alle Bücher durchgesehen und geordnet, und viel verkauft hat er auch. Das Ganze schien ihm richtig Spaß zu machen. Alex kannte sich ganz groß mit Klassikern aus: Dickens, H. G. Wells, Mark Twain, Jack London. London war sein Lieblingsschriftsteller. Jeden Kokser, der vorbeikam, hat er sofort vollgelabert, er müsse unbedingt den ›Ruf der Wildnis‹ lesen.«

McCandless hegte seit seiner Kindheit eine besondere Vorliebe für Jack London. Londons kompromißlose Verdammung der kapitalistischen Gesellschaft, seine Verherrlichung der urzeitlichen Welt, des instinktiv handelnden Menschen, sein Engagement für die Armen und Entrechteten – in all dem spiegelten sich McCandless' Leidenschaften. Er war wie hypnotisiert von Londons bombastischen Schilderungen des Lebens in Alaska und seinen Beschreibungen des Yukon River. Immer wieder las er »Der Ruf der Wildnis«, »Wolfsblut«, »Feuer im Schnee«, »Odyssee des Nordens«, »Der Witz Porportuks«. Die Geschichten hatten ihn so sehr in den Bann gezogen, daß er darüber ganz zu vergessen schien, daß es sich um Dichtung handelte, Konstrukte der Phantasie, die

Londons romantischer Empfindsamkeit entsprungen waren und mit den realen Lebensumständen in der subarktischen Wildnis kaum etwas gemein hatten. McCandless hatte geflissentlich übersehen, daß London nur einen einzigen Winter in Alaska verbracht und sich mit vierzig auf seinem Landgut in Kalifornien das Leben genommen hatte, ein fetter, schwadronierender Alkoholiker, der allenfalls noch Mitleid erregte und dessen seßhafte Lebensweise nur geringe Ähnlichkeit mit den Idealen besaß, für die er in seinen Büchern so heroisch eintrat.

Unter den Bewohnern der Niland Slabs war ein siebzehnjähriges Mädchen names Tracy, die sich während McCandless' einwöchigem Aufenthalt hoffnungslos in ihn verliebte. »Sie war so ein süßes, kleines Ding«, erzählt Burres, »die Tochter von zwei Tramps, die vier Wagen weiter geparkt hatten. Und das arme Mädchen mußte sich natürlich bis über beide Ohren in Alex verknallen. Die ganze Zeit schwirrte sie um ihn herum und hat ihm schöne Augen gemacht, und mich hat sie damit genervt, daß ich ihn überreden soll, doch mal mit ihr spazierenzugehen. Alex war nett zu ihr, nur war sie halt zu jung für ihn. Er konnte sie einfach nicht ganz für voll nehmen. Das arme Ding hat wegen ihm bestimmt 'ne Woche lang Liebeskummer gehabt.«

Auch wenn McCandless Tracys Annäherungsversuche zurückwies, so war er deshalb doch kein Einsiedler, wie Burres klarstellt: »Er hat jede Menge Spaß gehabt, wenn er unter Leuten war, *jede* Menge. Auf dem Tauschmarkt hat er geredet und geredet und geredet, egal, wer gerade vorbeikam. Er muß in Niland an die hundert Leute kennengelernt haben, mit denen er sich gut verstand. Ab und zu wollte er allein sein, klar, aber ein Eremit war er wirklich nicht. War richtig gern unter Leuten. Manchmal denk ich mir, daß er die Leute regelrecht gehamstert hat, weil er ganz genau wußte, da kommen Zeiten, wo er sich einsam fühlen wird.«

McCandless war Burres gegenüber besonders aufmerksam. Bei jeder Gelegenheit hat er mit ihr geflirtet und sie geneckt. »Er hat einen Heidenspaß dran gehabt, mich zu ärgern oder mit irgendwelchen Scherzen aufzuziehen«, erinnert sie sich. »Ich geh hintern Wohnwagen, um die Wäsche aufzuhängen, und er klemmt mir überall Wäscheklammern an. Er war verspielt wie ein kleines Kind. Unser Hund hatte gerade Junge gehabt, und er hat sie ständig unter die Wäschekörbe gesteckt und zugeschaut, wie sie rumgetollt sind und zu jaulen angefangen haben. Erst als ich's nicht mehr ausgehalten hab und ihn angeschrien hab, er soll aufhören, hat er aufgehört. Aber in Wirklichkeit ging er toll mit den Hunden um. Die Kleinen sind ihm auf Schritt und Tritt gefolgt, haben gejault, wenn er wegging, und wollten immer bei ihm schlafen. Alex hatte ein Händchen für Tiere.«

Als McCandless eines Nachmittags wieder einmal den Büchertisch auf dem Tauschmarkt in Niland hütete, gab irgend jemand bei Burres eine elektronische Orgel in Kommission. »Alex hat sie sich sofort geschnappt und den ganzen Tag gespielt und die Leute unterhalten«, erzählt sie. »Er hat eine irre Stimme gehabt. Hat richtig Publikumszulauf bekommen. Vorher hab ich ja gar nicht gewußt, daß er so musikalisch begabt ist.«

McCandless sprach mit den Bewohnern der Slabs oft über seine Alaska-Pläne. Um sich auf die Härten der Tundra vorzubereiten, absolvierte er jeden Morgen ein isometrisches Muskeltraining, und mit Bob, einem selbsternannten Survival-Spezialisten, diskutierte er stundenlang Überlebensstrategien für die Wildnis.

»Ich für meinen Teil«, sagt Burres, »hab jedenfalls gedacht, Alex tickt nicht mehr ganz richtig, als er uns von seiner ›großen Alaska-Odyssee‹, wie er's immer genannt hat, erzählt hat. Aber er hat sich total drauf gefreut. Der Trip war sein Thema.«

Über seine Familie gab McCandless rein gar nichts preis, trotz Burres hartnäckiger Fragen. »Ich hab ihn immer wieder gefragt«, erzählt Burres: »›Hast du deiner Familie gesagt, was du vorhast? Weiß deine Mutter, daß du nach Alaska gehst? Weiß dein Vater davon?‹ Aber er hat nie drauf geantwortet. Hat genervt mit den Augen gerollt, eine säuerliche Miene aufgesetzt und bloß gesagt, daß ich endlich aufhören soll, ihn so zu bemuttern. Und Bob sagt dann auch noch: ›Laß ihn in Ruhe! Er ist erwachsen!‹ Ich hab ihn aber weiter damit genervt, bis er das Thema gewechselt hat – wegen allem was zwischen mir und meinem Sohn passiert ist. Er ist irgendwo da draußen, und ich möchte, daß jemand sich genauso um ihn kümmert, wie ich es bei Alex versucht hab.«

Am Sonntag, bevor McCandless Niland verließ, sah er sich in Burres Wohnwagen ein Ausscheidungsspiel der Footballiga an. Ihr fiel auf, daß er zu den Washington Redskins hielt. »Also hab ich ihn gefragt, ob er aus der Gegend von Washington kommt«, erzählte sie. »Und er hat geantwortet, ›Ja, stimmt sogar.‹ Das war das einzige, was er uns jemals über seine Herkunft verraten hat.«

Am Mittwoch darauf erklärte McCandless, daß es für ihn Zeit werde, weiterzuziehen. Vorher müsse er aber noch zur Post nach Salton City, fünfzig Meilen westlich von Niland. Er hatte den Manager der McDonald's-Filiale in Bullhead gebeten, seinen letzten noch ausstehenden Lohnscheck dorthin zu schicken. Burres meinte, daß sie ihn fahren könne, und er war einverstanden. Als sie aber versuchte, ihm für seine Unterstützung beim Tauschmarkt ein wenig Geld zu geben, »hat er fast beleidigt reagiert. Ich sag ihm: ›Mann, zum Leben braucht man

Geld‹, doch er hat's nicht genommen. Aber wenigstens hab ich ihn dazu überredet, Messer mitzunehmen, ein paar Schweizer Armeemesser und einige Gürtelmesser. Ich hab ihm gesagt, daß er sie in Alaska gut gebrauchen kann, und wenn nicht, dann könnte er sie ja unterwegs verkaufen oder gegen was anderes tauschen, und schließlich hat er mir geglaubt.«

Nach langem Hin und Her konnte Burres McCandless ebenfalls davon überzeugen, ein paar langärmelige Unterhemden, lange Unterhosen und diverse andere Wintersachen anzunehmen, die er ihrer Meinung nach in Alaska gut gebrauchen konnte. »Er hat sie schließlich genommen, damit ich endlich still bin«, erzählt sie lachend, »aber als er weg war, hab ich das meiste davon einen Tag später im Wagen gefunden. Er muß sie irgendwann, als wir grad mal nicht geguckt haben, aus seinem Rucksack gepackt und unterm Sitz versteckt haben. Alex war'n phantastischer Kerl, aber manchmal konnte er einen wirklich zur Verzweiflung bringen.«

Obwohl Burres sich um Alex Sorgen machte, ging sie davon aus, daß er alles heil überstehen werde. »Ich hab gedacht, er wird's schon irgendwie schaffen«, sagt sie nachdenklich. »Klug genug war er ja. Er war mit dem Kanu nach Mexiko gepaddelt, hat sich beigebracht, wie man auf Güterzüge springt, wie man in den Städten überlebt, sich in den Heimen ein Bett besorgt. All das hat er sich selbst beigebracht, und ich war sicher, daß er Alaska auch noch packen würde.«

Anza-Borrego

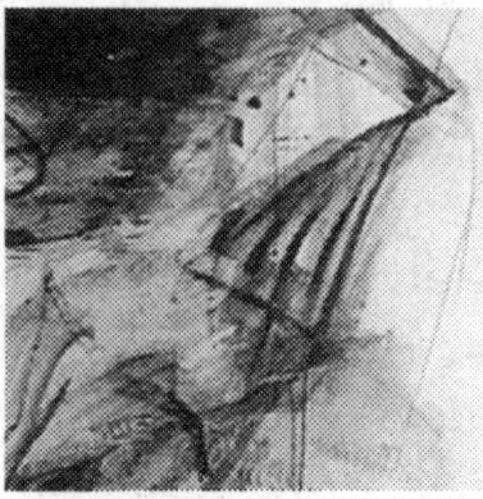

KAPITEL SECHS

Noch niemand ward von seinem Genius in die Irre geführt. Mag das Ergebnis auch körperliche Schwäche sein, so kann doch vielleicht niemand sagen, daß die Folgen zu bedauern seien, denn dieses Leben war höheren Grundsätzen gemäß. Wenn uns Tag und Nacht so erscheinen, daß wir sie mit Freude begrüßen, wenn das Leben einen Duft ausströmt wie Blumen und würzige Kräuter, wenn es spannkräftiger, sternenreicher und mehr unsterblich wird – dann ist dies unser Erfolg. Die ganze Natur beglückwünscht uns, und wir haben Grund, uns einen Augenblick lang selig zu preisen. Die reichsten Gewinste, die höchsten Werte werden am seltensten geschätzt. Wir kommen nur zu leicht dahin, an ihrem Dasein zu zweifeln. Wir vergessen sie bald. Und doch sind sie höchste Wirklichkeit ... Die wahre Ernte meines täglichen Lebens ist etwas so Unfaßbares, Unbeschreibliches wie Himmelsfarben am Morgen und Abend. Ein wenig Sternenstaub, ein Stückchen Regenbogen – das ist alles.

HENRY DAVID THOREAU
»WALDEN. EIN LEBEN IN DEN WÄLDERN«
Von Chris McCandless angestrichener Passus aus einem der mit der Leiche geborgenen Bücher.

Am 4. Januar 1993 erhielt der Verfasser dieses Buches einen merkwürdigen Brief. Die Handschrift war zittrig und altmodisch, was auf einen älteren Absender schließen ließ.

Bitte schicken Sie mir eine Ausgabe Ihrer Zeitschrift mit dem Artikel über den jungen Mann (Alex McCandless), der in Alaska umgekommen ist. Ich möchte demjenigen, der den Vorfall recherchierte, gerne etwas dazu schreiben. Ich habe den Jungen ... im März 1992 ... von Salton City, Kalif., nach Grand Junction, Col., gefahren ... Dort ließ ich ihn raus. Er wollte nach South Dakota weitertrampen. Beim Abschied versprachen wir uns, in Verbindung zu bleiben. Den letzten Brief von ihm bekam ich Anfang April 1992. Während unserer gemeinsamen Fahrt machten wir viele Aufnahmen, ich mit dem Camcorder + Alex mit seinem Fotoapparat.

Falls Sie noch ein Heft jener Ausgabe haben, teilen Sie mir bitte die Kosten dafür mit ...

Wie ich hörte, ist ihm was zugestoßen. Falls dies zutrifft, würde ich gerne wissen, wie es passiert ist, denn er hat in seinem Rucksack immer ausreichend Reis, winterfeste Kleidung + genügend Geld dabeigehabt.

Mit freundlichen Grüßen
Ronald A. Franz

Ich darf Sie bitten, diesen Brief vorläufig vertraulich zu behandeln, bis ich die genaueren Umstände seines Todes kenne, denn er war mehr als nur ein gewöhnlicher Vagabund. Bitte glauben Sie mir.

Die Zeitschrift, um die Franz bat, war die Ausgabe von *Outside* vom Januar 1993, in der eine Titelgeschichte über den Tod von Chris McCandless erschienen war. Sein Brief war an die Geschäftsstelle von *Outside* in Chicago adressiert. Da ich die McCandless-Geschichte geschrieben habe, war er an mich weitergeleitet worden.

McCandless hinterließ im Laufe seiner *Hedschra* bei einer ganzen Reihe von Leuten einen bleibenden Eindruck. Die meisten hatten nur ein paar Tage oder höchstens ein, zwei Wochen mit ihm verbracht, doch keiner war so nachhaltig von der kurzen Begegnung mit dem Jungen beeinflußt wie Ronald Franz, der im Januar 1992, als sich ihre Wege kreuzten, achtzig Jahre alt war.

Nachdem McCandless sich von der Post in Salton City von Jan Burres verabschiedet hatte, zog er zu Fuß in die Wüste weiter und schlug sein Lager in einem Kreosotgebüsch am Rand des Anza-Borrego Desert State Park auf. Ganz in der Nähe davon befindet sich der Saltonsee, ein gut achtzig Meter unter dem Meeresspiegel gelegener Miniaturozean, der 1905 durch einen katastrophalen Planungsfehler entstanden war: Kurz nachdem vom Colorado River ausgehend ein Kanal angelegt worden war, um das fruchtbare Ackerland des Imperial Valley zu bewässern, durchbrach der Fluß während mehrerer großer Überschwemmungen seine Ufer, spülte sich eine neue Stromrinne frei und ergoß sich in den Imperial Valley-Kanal. Über einen Zeitraum von mehr als zwei Jahren strömten so ungehindert die gesamten, ungeheuren Wassermassen des Colorado in die Salton-Bodensenke. Das Wasser brach über die ehemals ausgedörrte Senke ein und überflutete Gehöfte und Siedlungen. Schließlich wurde ein vierhundert Quadratmeilen großes Wüstengebiet überschwemmt, und ein künstlicher See entstand.

Das Westufer des Saltonsees, der nur fünfzig Meilen von den Limousinen, den exklusiven Tennisclubs und den saftig grünen Golfplätzen von Palm Springs entfernt liegt, war einst Schauplatz reger Immobilienspekulationen. Luxuriöse Feriensiedlungen waren in Planung, grandiose Villen bereits entworfen. Aber von der versprochenen Erschließung des Geländes kam wenig zustande. Heute liegen die meisten Grundstücke unbebaut da, und die Wüste erobert Meter um Meter ihr Terrain zurück. Durch die breiten, menschenleeren Boulevards von Salton City weht das Steppenläuferkraut. Verblichene Schilder mit der Aufschrift »For Sale« säumen den Straßenrand, und an den unbewohnten Häusern blättert die Farbe ab. Auf einem Anschlagzettel im Fenster des Salton-Sea-Immobilien- und Planungsbüros steht groß und unmißverständlich: CLOSED/CERRADO. Die gespenstische Stille wird nur vom Röcheln des Windes unterbrochen.

Die Landschaft steigt vom Seeufer aus erst zögernd, dann immer steiler an, um schließlich in die verdörrten, gespenstischen Badlands von Anza-Borrego überzugehen. Die *bajada* unterhalb der Badlands ist eine offene Fläche, die von sogenannten *arroyos* durchschnitten wird, kleinen Bächen und Flußarmen mit steilen, felsigen Ufern. Hier, auf einem kleinen, verdörrten Hügel, der mit Feigenkakteen, Bastard-Indigosträuchern und drei Meter hohen Kerzenstrauchstämmen gesprenkelt ist, schlug Chris McCandless sein Lager auf. Er hängte an dem Ast eines Kreosotbusches eine Plane als Sonnenschutz auf und schlief auf dem Sandboden.

Zum nächsten Dorf waren es nur vier Meilen. Wenn er Proviant brauchte, ging er zu Fuß oder fuhr per Anhalter dorthin, um Reis zu kaufen oder seinen Plastikcontainer mit Wasser aufzufüllen. Das einzige Geschäft am Ort, ein beiges stuckverziertes Gebäude, war Supermarkt, Spirituosenladen und Postamt in einem. Darüber hinaus fungierte es als eine Art Nachrichtenbörse von Salton City und Umgebung. Als er an einem Donnerstag Mitte Januar mit aufgefülltem Container wieder in die *bajada* zurücktrampte, hielt ein älterer Mann namens Ron Franz an und nahm ihn mit.

»Wo haben Sie Ihr Camp?« fragte Franz.

»Draußen hinter Oh-My-God Hot Springs«, erwiderte McCandless.

»Ich bin mittlerweile sechs Jahre in dieser Gegend und hab noch nie von diesem Ort gehört. Sie müssen mir sagen, wie ich da hinkomme.«

Sie fuhren erst den Borrego-Salto Seaway entlang, und nach ein paar Minuten bat McCandless ihn, nach links ins Wüstengebiet abzubiegen, wo sich ein holpriger, nur mit Allradantrieb zu bewältigender Pfad an einem schmalen Trockenbett entlangschlängelte. Nach ungefähr einer Meile erreichten sie einen seltsamen Lagerplatz, an dem gut zweihundert Menschen in ihren fahrbaren Untersätzen überwinterten. Die Kommune lebte jenseits aller gesellschaftlicher Normen, sie war gleichsam eine Vision des postapokalyptischen Amerika. Man traf dort auf Familien, die sich in billigen Zeltanhängern verschanzten, alternde Hippies in bunt bemalten Kleinbussen und Charles-Manson-Doppelgänger in verrosteten Studebakers, die schon seit Eisenhowers Zeiten rumstanden. Viele liefen splitternackt herum. Im Schatten einer Palmengruppe im Zentrum des Lagers war Quellwasser aus einer heißen Thermalquelle in zwei seichte, dampfende, von Steinen umrandete Becken geleitet worden. Dies war Oh-My-God Hot Springs.

McCandless lebte jedoch nicht direkt bei den Quellen: er kampierte etwas abseits, ungefähr eine halbe Meile weiter in der *bajada*. Franz fuhr Alex das restliche Stück dorthin. Sie plauderten noch eine Weile, und schließlich machte sich der alte Mann wieder auf den Weg zurück ins

Dorf. Er lebte allein in einem heruntergekommenen Mietshaus, wo er zur freien Miete als Hausmeister fungierte.

Franz, ein gottesfürchtiger Christ, hatte den größten Teil seines Erwachsenenlebens in der Armee zugebracht und war in Shanghai und auf Okinawa stationiert gewesen. In der Silvesternacht von 1957, die er in Übersee verbrachte, kamen seine Frau und sein einziges Kind bei einem Autounfall ums Leben. Der Unfall war von einem Betrunkenen verursacht worden. Franz' Sohn wäre im Juni des folgenden Jahres mit seinem Medizinstudium fertig gewesen. Franz griff zur Whiskeyflasche und tauchte im Suff ab.

Sechs Monate später riß er sich zusammen, rührte von heute auf morgen keinen Tropfen mehr an, aber es half alles nichts; den Tod seiner beiden liebsten Menschen hat er niemals richtig überwunden. Um gegen die Vereinsamung und Isolation in den Jahren nach dem Unfall anzugehen, begann er am Gesetz vorbei bedürftige einheimische Kinder auf Okinawa zu »adoptieren«. Schließlich hatte er vierzehn Kinder und Jugendliche unter seinen Fittichen. Dem ältesten finanzierte er das Medizinstudium in Philadelphia und einem weiteren ein Medizinstudium in Japan.

Als Franz McCandless traf, wurden seine schlummernden Vaterinstinkte wiedererweckt. Der Junge ging ihm einfach nicht mehr aus dem Kopf. Er hatte gesagt, er heiße Alex – seinen Nachnamen wollte er nicht nennen – und stamme aus West Virginia. Er war höflich, freundlich, gepflegt.

»Er machte einen hochintelligenten Eindruck«, erzählt Franz. Sein exotischer Akzent klingt wie eine Mischung aus Schottisch, Pennsylvania-Dutch und dem typischen, gedehnten Carolina-Drawl. »Ich hab mir gedacht, der

Junge ist viel zu nett, um mit diesen Nackten, Säufern und Kiffern bei den Quellen dort zu leben.« Als er am Sonntag darauf aus der Messe kam, beschloß Franz, mit Alex »ein Wörtchen über seinen Lebenswandel« zu reden. »Irgend jemand mußte ihm klarmachen, daß er eine Ausbildung brauchte, einen Job, daß er was aus seinem Leben machen mußte.«

Als er aber McCandless' Lager erreichte und seinen Sermon über die Lebensgestaltung anstimmte, schnitt ihm McCandless kurzerhand das Wort ab. »Schauen Sie, Mr. Franz«, sagte er mit fester Stimme, »Sie brauchen sich um mich wirklich keine Sorgen zu machen. Ich habe ein abgeschlossenes Studium in der Tasche. Ich bin kein Sozialfall. Ich lebe aus freien Stücken so.« Anfangs reagierte er zwar bissig, aber allmählich erwärmte der Junge sich für den netten alten Herrn, und die beiden unterhielten sich und freundeten sich an. Sie fuhren in Franz' Pick-up nach Palm Springs, aßen in einem netten Restaurant zu Abend und fuhren mit der Trambahn auf den Gipfel des San Jacinto Peak. Am Fuße des Berges suchte McCandless noch eines seiner Verstecke auf und grub einen mexikanischen Umhang und ein paar andere Sachen aus, die er dort vor einem Jahr vergraben hatte.

Während der nächsten Wochen waren McCandless und Franz oft gemeinsam unterwegs. Chris trampte regelmäßig nach Salton City. Er wusch seine Wäsche in Franz' Wohnung, und sie grillten sich Steaks. Er gestand ihm, daß er eigentlich nur noch auf den Frühling warte, um endlich nach Alaska aufzubrechen, wo er das »ultimative Abenteuer« erleben wollte. Er drehte den Spieß um und hielt der großväterlichen Gestalt Vorträge über die Nachteile eines seßhaften Lebenswandels. Er redete auf den Achtzigjährigen ein, forderte ihn auf, Hab und Gut zu verkaufen, aus der Wohnung auszuziehen und sich in das

Abenteuer der Straße zu stürzen. Franz ließ McCandless' leidenschaftliche Reden gelassen über sich ergehen und freute sich einfach an seiner Gesellschaft.

Franz war sehr geschickt in der Herstellung von Lederaccessoires und weihte Alex in die Geheimnisse seiner Kunst ein. McCandless' erstes Stück war ein mit Punzarbeiten verzierter Gürtel, dessen phantasievolle Bilderfolge Erlebnisse aus seinen Wanderungen aufgreift. Am Lochende des Gürtels ist ALEX ins Leder gestanzt. Gleich dahinter umrahmen die Initialen C. J. M. (für Christopher Johnson McCandless) einen Totenkopf. Nach einer zweispurigen Asphaltstraße und einem WENDEN-VERBOTEN-Schild folgen die eigentlichen Stationen und Erlebnisse der Reise: ein Gewitter mit einem von Wasser umspülten Automobil, der Daumen eines Anhalters, ein Adler, die Sierra Nevada, Lachse, die im Pazifischen Ozean herumtollen, der Pacific Coast Highway zwischen Oregon und Washington, die Rocky Mountains, Weizenfelder in Montana, eine Klapperschlange in South Dakota, Westerbergs Haus in Carthage, der Colorado River, ein Orkan im Golf von Kalifornien, ein Strand mit Zelt und Kanu, Las Vegas, die Initialen T. C. D., Morro Bay, Astoria, und am Schnallenende der Buchstabe *N* (vermutlich für *Norden*). Die Kunstfertigkeit und Phantasie in der Ausführung des Gürtels sind bemerkenswert, wie überhaupt alles, was McCandless angefertigt und zurückgelassen hat.

Franz schloß McCandless immer mehr ins Herz. »Mann, der Junge hatte wirklich was auf dem Kasten«, krächzt der alte Mann kaum hörbar. Sein Blick wandert zu einem Fleckchen Sand zwischen seinen Füßen. Er schweigt. Er beugt sich mühsam vor und wischt sich nicht vorhandenen Schmutz vom Hosenbein. Die peinliche Stille wird nur von dem Knacken seiner alten Gelenke durchbrochen.

Das Schweigen dauert über eine Minute. Franz blinzelt

in den Himmel und denkt wieder an die Zeit mit dem Jungen zurück. Wenn sie sich gegenseitig besuchten, erinnert sich Franz, zog Alex immer wieder mit düsterer Miene über seine Eltern her oder über die Politiker und die seuchenhaft um sich greifende Verblödung der amerikanischen Gesellschaft. Um sich seine Freundschaft mit dem Jungen nicht zu verscherzen, schwieg Franz während solcher Ausbrüche meist und ließ ihn schimpfen.

Eines Tages, Anfang Februar, verkündete McCandless, daß er sich nach San Diego absetzen wolle, um zusätzliches Geld für die Alaskareise zu verdienen.

»Du brauchst nicht nach San Diego zu gehen«, wandte Franz ein. »Wenn du Geld brauchst, geb ich's dir.«

»Nein. Du verstehst nicht. Ich *gehe* nach San Diego. Und zwar am Montag.«

»O.k. Ich werd dich hinfahren.«

»Mach dich doch nicht lächerlich«, sagte McCandless spöttisch.

»Ich muß sowieso hin«, log Franz. »Ich brauche noch mehr Leder.«

McCandless gab nach. Er brach sein Lager ab, brachte den größten Teil seiner Habe zu Franz in die Wohnung – er hatte keine Lust, Schlaf- oder Rucksack durch die Stadt zu schleppen – und fuhr mit dem alten Mann über die Berge zur Küste. Als Franz McCandless im Hafenviertel von San Diego aussteigen ließ, regnete es in Strömen. »Der Abschied fiel mir sehr schwer.«

Am 19. Februar rief McCandless Franz an, R-Gespräch, und gratulierte ihm zum einundachtzigsten Geburtstag. McCandless hatte das Datum nicht vergessen, weil sein eigener Geburtstag genau eine Woche früher war: am 12. Februar war er vierundzwanzig Jahre alt geworden. Während des Telefonats gestand er Franz auch, daß er Schwierigkeiten habe, einen Job zu finden.

Am 28. Februar schickte er Jan Burres eine Karte. »Hallo!« heißt es dort,

... schlage mich seit einer Woche in den Straßen von San Diego durch. Als ich ankam, regnete es in Strömen. Die Missionshäuser hier sind das letzte. Die Leute predigen einen zu Tode. Dafür ist die Stadt mit Jobs nicht gerade gesegnet, und morgen werde ich nach Norden weiterziehen.

Ich habe beschlossen, spätestens am 1. Mai Richtung Alaska aufzubrechen, aber vorher muß ich unbedingt noch etwas Geld auftreiben, um mir eine Ausrüstung zu kaufen. Kehre vielleicht nach South Dakota zurück, um dort für einen Freund zu arbeiten, falls er mich brauchen kann. Weiß noch nicht genau, wo ich jetzt hinfahre. Aber ich schreib, sobald ich dort ankomme. Hoffe, Euch geht's gut. Paßt gut auf Euch auf, Alex

Am 5. März schickte McCandless eine weitere Karte an Burres und eine an Franz. Die Burres-Karte lautet:

Grüße aus Seattle! Ich bin jetzt ein echter Landstreicher! Ja, ich springe neuerdings auf Züge auf. Macht richtig Spaß, schade, daß ich erst jetzt draufgekommen bin. Die Schienen haben jedoch ein paar Nachteile. Erstens wird man dabei total dreckig. Zweitens kann es einem passieren, daß man an ein paar ziemlich bescheuerte Wachleute gerät. Ich saß einmal in L. A. in einem Expreßgüterzug, und gegen zehn Uhr spürt mich so ein Bahnhofsbulle mit seiner Taschenlampe auf. »Raus da, oder ich KNALL *dich ab!« schrie der Bulle. Ich bin raus und habe nur gesehen, daß er seinen Revolver gezückt hat. Er verhört mich, die Knarre immer auf mich gerichtet, und zum Schluß knurrt er mich nur an: »Wenn ich dich noch mal in der Nähe dieses Zuges erwisch, knall ich dich ab! Und jetzt verpiß dich!« Ein Wahnsinniger! Zum Schluß hab ich's ihm doch noch gezeigt. Fünf Minuten später bin ich auf denselben Zug aufgesprungen und damit bis nach Oakland gefahren. Ich melde mich,*

Alex

Eine Woche später klingelte Franz' Telefon. »Es war die Vermittlung«, erzählt er, »die wollte wissen, ob ich ein R-Gespräch von einem gewissen Alex annehmen würde. Als ich dann seine Stimme hörte, war das wie ein Sonnenstrahl nach einem Monat Regen.«

»Kannst du kommen und mich abholen?« fragte McCandless.

»Ja. Wo in Seattle bist du?«

»Ron«, lachte McCandless, »Ich bin nicht in Seattle. Ich bin in Kalifornien, in Coachella. Du brauchst nur die Straße rauffahren.« Nachdem er im verregneten Nordwesten keinen Job gefunden hatte, war McCandless kurzentschlossen auf eine Reihe von Güterzügen gesprungen und in die Wüste zurückgefahren. In Colton, Kalifornien, war er von einem weiteren Wachmann erwischt und ins Gefängnis gesteckt worden. Nach seiner Entlassung war er nach Coachella in der Nähe von Palm Springs getrampt, von wo aus er nun anrief. Franz hängte ein und fuhr gleich los.

»Wir haben uns in ein Restaurant gesetzt, wo ich ihn mit Steak und Hummer gefüttert habe«, erinnert sich Franz, »und dann sind wir nach Salton City zurückgefahren.«

Wie sich herausstellte, hatte McCandless nur einen Tag Zeit und war eigentlich nur gekommen, um Wäsche zu waschen und seinen Rucksack zu packen. Wayne Westerberg hatte einen Job für ihn im Getreidesilo in Carthage. Er wollte so schnell wie möglich dorthin. Es war der 11. März, ein Mittwoch. Franz bot McCandless an, ihn nach Grand Junction, Colorado, zu fahren. Er habe am folgenden Montag einen Termin in Salton City und könne ihn daher nicht viel weiter bringen. Zu seiner Überraschung und großen Erleichterung nahm McCandless das Angebot ohne viel Aufhebens an.

Kurz vor der Abfahrt schenkte Franz McCandless ein paar Kleinigkeiten, die ihm bei seinem Alaska-Abenteuer vielleicht von Nutzen wären: unter anderem eine Machete, einen gefütterten Parka und eine zusammenschiebbare Angelrute. Donnerstag früh brachen sie auf und verließen in Franz' Pick-up Salton City. In Bullhead City machten sie Station, lösten McCandless' Konto auf und schauten kurz bei Charlie vorbei, in dessen Trailer McCandless Bücher und andere Sachen wie zum Beispiel das Fotoalbum/Tagebuch der Kanufahrt auf dem Colorado deponiert hatte. Schließlich bestand McCandless darauf, Franz zum Mittagessen ins Golden Nugget Casino in Laughlin am gegenüberliegenden Ufer einzuladen. Eine Kellnerin erkannte McCandless und rief überschwenglich: »Alex! Alex! Du bist wieder da!«

Franz hatte sich vor der Reise eine Videokamera gekauft und hielt unterwegs immer wieder an, um Aufnahmen von den Sehenswürdigkeiten zu machen. McCandless duckte sich meist sofort aus dem Bild, wenn das Objektiv sich auf ihn richtete. Dennoch gibt es ein paar Aufnahmen von ihm, wie er oberhalb des Bryce Canyon ungeduldig im Schnee steht. »O.k. jetzt aber wieder los«, ruft er nach ein paar Augenblicken protestierend in Richtung Kamera. »Wir haben noch viel vor, Ron.« Er trägt Jeans und Wollpullover, ist sonnengebräunt und wirkt kräftig und gesund.

Franz schildert die Reise als sehr angenehm, obwohl sie kaum Rast machten. »Während der Fahrt haben wir manchmal stundenlang schweigend nebeneinander gesessen«, erinnert er sich. »Selbst wenn er schlief, war ich glücklich, einfach weil er da war.« Irgendwann fand Franz den Mut, McCandless um einen besonderen Gefallen zu bitten. »Meine Mutter war ein Einzelkind«, erklärt er. »Mein Vater auch. Und ich bin ihr einziges Kind. Seit mein eigener Sohn tot ist, bin ich der letzte von uns. Wenn es mich nicht mehr gibt, wird meine Familie ausgestorben sein, so als hätte es uns nie gegeben. Also fragte ich Alex, ob ich ihn adoptieren könnte, ob er mein Enkel sein möchte.« McCandless, dem die Bitte peinlich war, reagierte ausweichend. »Laß uns drüber reden, wenn ich aus Alaska zurück bin, Ron.«

Am 14. März ließ Franz McCandless außerhalb von Grand Junction auf dem Seitenstreifen der Interstate 70 aussteigen und kehrte nach Südkalifornien zurück. McCandless war überglücklich, daß es endlich losging, daß er auf dem Weg nach Norden war. Und er war erleichtert – erleichtert darüber, daß es ihm wieder einmal gelungen war, sich der drohenden menschlichen Nähe und Freundschaft zu entziehen und den unüberschaubaren emotionalen Verwirrungen und Belastungen, die so was nach sich zu ziehen pflegt. Er war der klaustrophobischen Enge seiner Familie entkommen. Er hatte es geschafft, Jan Burres und Wayne Westerberg auf Distanz zu halten und sich aus ihrem Leben zu entfernen, bevor irgendwelche Erwartungen an ihn gestellt werden konnten. Und jetzt hatte er sich aus dem Leben von Ron Franz gestohlen, kurz und schmerzlos.

Schmerzlos vor allem für ihn, McCandless – nicht aber für den Einundachtzigjährigen. Man könnte lange darüber spekulieren, warum Franz in diesem kurzen Zeitraum eine so starke Zuneigung zu dem Jungen entwickelt hatte, Tatsache ist jedoch, daß seine Gefühle echt, tief und selbstlos waren.

Ron Franz führte seit vielen Jahren ein Einsiedlerdasein. Er hatte keine Familie und nur wenige Freunde. Diszipliniert und daran gewöhnt, für sich selbst zu sorgen, kam er trotz seiner Einsamkeit und des hohen Alters gut zurecht. Doch sein sorgfältig aufgebauter Schutzschild wurde von dem Jungen, der mit plötzlicher Vehemenz in sein Leben getreten war, angeschlagen. Franz genoß McCandless' Gesellschaft in vollen Zügen, aber durch ihre erblühende Freundschaft wurde ihm erst recht klar, wie einsam er all die Jahre gewesen war. Und je mehr der Junge half, die klaffende Leere in Franz' Leben zu füllen, desto offensichtlicher wurde sie. Als McCandless dann ebenso schnell wieder verschwand, wie er gekommen war, fühlte Franz sich unversehens tief verletzt.

Anfang April war ein langer, in South Dakota abgestempelter Brief in Franz' Postfach angekommen. »Hallo, Ron«, heißt es dort,

... hier ist Alex. Jetzt schufte ich schon seit fast zwei Wochen hier in Carthage, South Dakota. Drei Tage nachdem wir uns in Grand Junction, Colorado, getrennt hatten, kam ich hier an. Ich hoffe, du bist gut nach Salton City zurückgekommen. Die Arbeit hier gefällt mir, und zur Zeit läuft es ganz gut. Das Wetter ist gar nicht mal so übel, und manchmal ist es hier sogar überraschend mild. Ein paar Farmer sind sogar schon draußen auf den Feldern. Bei Euch in Kalifornien wird es jetzt wohl schon langsam ganz schön heiß. Ich frage mich, ob Du vielleicht mal zu den Thermalquellen gefahren bist und mitbekommen hast, wie viele Leute zu dem Regenbogen-Treffen am 20. März gekommen sind. War sicher ganz lustig, obwohl ich das Gefühl habe, daß Du zu solchen Leuten keinen Draht hast.

Ich bleibe nicht mehr lange in South Dakota. Mein Freund Wayne möchte, daß ich noch den Mai über im Getreidesilo arbeite und dann mit ihm den ganzen Sommer mähen gehe, aber mein Gefühl sagt mir, daß ich jetzt nach Alaska muß, und ich hoffe, daß ich spätestens am 15. April dorthin aufbrechen kann. Das heißt also, daß ich hier schon bald die Zelte abbrechen werde. Daher wäre es gut, wenn Du mir möglichst bald meine Post schickst, falls welche angekommen ist. Die Adresse steht unten.

Ron, ich bin Dir wirklich dankbar für all Deine Hilfe und auch für die tolle Zeit, die wir zusammen verbracht haben. Ich hoffe, daß Dich der Abschied nicht allzu traurig gemacht hat. Es kann noch viel Zeit vergehen, bis wir uns wiedersehen. Aber Du hörst von mir, vorausgesetzt, daß ich mein Alaska-Vorhaben auch heil überstehe.

Ich möchte aber gern noch einmal auf meinen Ratschlag zurückkommen; ich finde nämlich, daß Du Dein Leben radikal ändern und ganz mutig Dinge in Angriff nehmen solltest, die Dir früher nie in den Sinn gekommen wären oder vor denen Du im letzten Moment zurückgeschreckt bist. So viele Leute sind unglücklich mit ihrem Leben und schaffen es trotzdem nicht, etwas an ihrer Situation zu ändern, weil sie total fixiert sind auf ein angepaßtes Leben in Sicherheit, in dem möglichst alles gleichbleibt – alles Dinge, die einem scheinbar inneren Frieden garantieren. In Wirklichkeit wird die Abenteuerlust im Menschen jedoch am meisten durch eine gesicherte Zukunft gebremst. Leidenschaftliche Abenteuerlust ist die Quelle, aus der der Mensch die Kraft schöpft, sich dem Leben zu stellen. Freude empfinden wir, wenn wir neue Erfahrungen machen, und von daher gibt es kein größeres Glück als in einen immer wieder wechselnden Horizont blicken zu dürfen, an dem jeder Tag mit einer neuen, ganz anderen Sonne anbricht. Wenn Du mehr aus Deinem Leben machen willst, Ron, dann mußt Du Deine Vorliebe für monotone, gesicherte Verhältnisse ablegen und das Chaos in Dein Leben lassen, auch wenn es Dir am Anfang verrückt erscheinen mag. Aber sobald Du Dich an ein solches Leben einmal gewöhnt hast, wirst Du die volle Bedeutung erkennen, die darin verborgen liegt, und die schier unfaßbare Schönheit. Um es auf den Punkt zu bringen, Ron: Geh fort aus Salton City und fang an zu reisen. Du wirst noch froh darüber sein, das garantiere ich. Ich fürchte jedoch, daß Du meinen Ratschlag ignorieren wirst. Du hältst mich für stur, aber der wahre Dickkopf bist Du. Auf der Rückfahrt hattest Du Gelegenheit, Dir eines der größten Natur-

wunder der Welt anzusehen, den Grand Canyon, etwas, das jeder Amerikaner mindestens einmal in seinem Leben gesehen haben sollte. Aber aus irgendwelchen für mich nicht nachvollziehbaren Gründen wolltest Du nur so schnell wie möglich nach Hause zurück, geradewegs in die gleiche Situation, die Du Tag für Tag für Tag erlebst. Ich fürchte, daß Du dieser Neigung in Dir auch in Zukunft folgen wirst und daher nie die wundervollen Dinge entdecken wirst, die Gott um uns herum erschaffen hat, um sie uns entdecken zu lassen. Sei nicht so träge und bleib nicht einfach immer am selben Platz. Beweg Dich, reise, werde ein Nomade, erschaffe Dir jeden Tag einen neuen Horizont. Du wirst noch so lange leben, Ron, und es wäre eine Schande, wenn Du die Gelegenheit nicht nutzen würdest, Dein Leben von Grund auf zu ändern, um in ein vollkommen neues Reich der Erfahrungen einzutreten.

Es stimmt nicht, wenn Du glaubst, daß Glück einzig und allein zwischenmenschlichen Beziehungen entspringt. Gott hat es überall um uns herum verteilt. Es steckt in jeder kleinen Erfahrung, die wir machen. Wir müssen einfach den Mut haben, uns von unserem gewohnten Lebensstil abzukehren und uns auf ein unkonventionelles Leben einzulassen.

Vor allem möchte ich Dir sagen, daß Du weder mich noch sonstwen brauchst, um dieses neue, hoffnungsfroh schimmernde Licht in Dein Leben zu bringen. Du mußt nur zur Tür hinausgehen und die Hand danach ausstrecken und schon ist es Dein. Du selbst bist Dein einziger Feind, Du und Deine Sturheit, mit der Du Dich weigerst, Dich auf etwas Neues einzulassen.

Ron, ich hoffe wirklich, daß Du so bald wie möglich aus Salton City fortziehst, auf der Ladefläche Deines Pick-up ein kleines Wohnmobil einrichtest und Dir die großartigen Werke ansiehst, die Gott im amerikanischen Westen vollbracht hat. Du wirst staunen, was es alles zu sehen gibt, und Du wirst Leute kennenlernen, von denen man eine Menge lernen kann. Aber mach es ohne viel Geld, keine Motels, und Dein Essen kochst Du Dir selbst. Je weniger Du ausgibst, desto höher ist der Erlebniswert. Ich hoffe, daß Du ein neuer Mensch bist, wenn ich Dich das nächste Mal sehe, ein Mann mit einem großen Schatz an Erfahrungen und Abenteuern. Jetzt heißt es, nicht lange zu zögern, Entschuldigungen zählen nicht mehr. Geh einfach raus und tu's. Geh einfach raus und tu's. Du wirst noch sehr, sehr froh drüber sein.

Paß auf Dich auf, Ron,
Alex

Bitte schreib mir an folgende Adresse:
Alex McCandless
Madison, SD 57042

Erstaunlicherweise nahm der einundachtzigjährige Mann sich die forschen Ratschläge des vierundzwanzigjährigen Vagabunden zu Herzen. Franz räumte Möbel und den größten Teil seiner Habe in einen Container, kaufte sich einen GMC Duravan und stattete ihn mit Kojen und Campinggerät aus. Dann kündigte er seine Wohnung und zog in die *bajada*.

Er legte einen Kreis von Steinen um McCandless' alten Lagerplatz gleich hinter den Thermalquellen aus, fuhr den GMC-Bus drauf und pflanzte noch ein paar Feigenkakteen und Bastard-Indigosträucher um, »weil es so landschaftlich schöner wirkt«. Dann harrte er in der Wüste aus, Tag für Tag für Tag, und erwartete die Rückkehr seines jungen Freundes.

Für einen Mann, der auf die Neunzig zugeht und zwei Herzinfarkte überlebt hat, wirkt Ronald Franz (der Name wurde auf seine Bitte von mir geändert) bemerkenswert rüstig. Er hat kräftige Arme und eine breite, gewölbte Brust, seine einsachtzig lange Gestalt hält er kerzengerade. Er hat auffallend große Ohren, und auch seine knorrigen Hände sind überproportional groß. Als ich seinen Lagerplatz in der Wüste betrete und mich vorstelle, trägt er eine alte Jeans und ein blitzsauberes weißes T-Shirt, dazu einen reichverzierten, selbstgemachten Ledergürtel, weiße Socken und abgewetzte schwarze Mokassins. Sein hohes Alter ist nur an den Falten quer über der Stirn und der stolzen, tief zerfurchten Nase ersichtlich. Ein breites, violettes Venengeflecht zieht sich über sie hinweg wie eine künstlerische Tätowierung. Etwas über ein Jahr nach McCandless' Tod betrachtet er die Welt mit argwöhnischen blauen Augen.

Um Franz' Mißtrauen zu zerstreuen, überreiche ich ihm eine Auswahl von Fotos meiner Alaska-Reise im letzten Sommer. Ich war damals auf den Spuren von Chris McCandless den Stampede Trail hinuntergewandert. Die zuoberst liegenden Bilder sind Landschaften und zeigen den von Bäumen und Büschen überwucherten Trail, die umliegenden Wälder, die Berge am Horizont und den Sushana River. Franz sieht sie sich schweigend an und nickt gelegentlich, wenn ich den Bildern Erklärungen hinzufüge. Er ist offenbar froh, sie sich ansehen zu dürfen.

Als er jedoch bei den Fotos vom Bus, in dem der Junge starb, angelangt ist, erstarrt er plötzlich. Ein paar davon sind im Innern des Busses aufgenommen und zeigen McCandless' Sachen. Als ihm schließlich klar wird, was er da sieht, treten ihm Tränen in die Augen. Er drückt mir den Stapel wieder in die Hand, und während ich eine Entschuldigung murmele, entfernt er sich kurz, um sich wieder zu sammeln.

Franz wohnt nicht mehr auf McCandless' altem Lagerplatz. Nachdem eine Überschwemmung den Pfad dorthin unpassierbar gemacht hatte, ist er zwanzig Meilen weiter gezogen, in Richtung der Borrego Badlands. Dort kampiert er neben einer einsamen Pappelgruppe. Oh-My-God Hot Springs ist ebenfalls verschwunden. Bulldozer haben alles eingeebnet, und die Quellen wurden auf Weisung des Imperial-Valley-Gesundheitsamtes zubetoniert. Den Bezirksbeamten zufolge mußte die Quelle geschlossen werden, da ernsthafte Erkrankungen durch infektiöse Mikroben zu befürchten waren.

»Kann schon sein, klar«, sagt der Angestellte des einzigen Ladens in Salton City, »aber die meisten hier glauben, daß sie die Quellen plattgemacht haben, weil sie die ganzen Hippies und Penner und das ganze Gesocks angezogen haben. Wurde auch Zeit, wenn Sie mich fragen.«

Ron Franz hatte über acht Monate nach seinem Abschied von McCandless an seinem Lagerplatz ausgeharrt. Er hatte geduldig Alex' Rückkehr abgewartet, die Straße hinuntergespäht und nach einem jungen Mann mit großem Rucksack Ausschau gehalten. Ende 1992, am zweiten Weihnachtsfeiertag, nahm er auf der Rückfahrt von Salton City, wo er nach seiner Post geschaut hatte, zwei Tramper mit. »Der eine stammte aus Mississippi, glaub ich. Der andere war Indianer«, erinnert sich Franz. »Auf dem Weg nach Hot Springs hab ich angefangen, ihnen von meinem Freund Alex zu erzählen und dem Abenteuer, für das er nach Alaska gegangen war.«

Plötzlich unterbrach ihn der Indianer mit einer Frage: »Hieß er zufällig Alex McCandless?«

»Ja, genau. Dann habt ihr ihn also getroffen –«

»Tut mir leid, was ich Ihnen jetzt sagen muß, Mister, aber Ihr Freund ist tot. In der Tundra erfroren. Hab darüber gerade erst in *Outside* gelesen, einer Zeitschrift.«

Völlig schockiert hakte Franz nach, stellte dem Tramper alle möglichen Fragen. Die Details stimmten, alles paßte zusammen. Irgend etwas war fürchterlich schiefgelaufen. McCandless würde nie zurückkehren.

»Als Alex nach Alaska aufbrach«, erinnert sich Franz, »habe ich gebetet. Ich habe zu Gott gesagt, hier, dieser Junge, hab immer ein Auge auf ihn. Ich habe ihm gesagt, der Junge ist was ganz Besonderes. Aber er hat Alex sterben lassen. Als ich dann am 26. Dezember erfahren habe, was passiert ist, habe ich mit Gott gebrochen. Ich bin aus der Kirche ausgetreten und Atheist geworden. Ich habe mir einfach gesagt, ich kann nicht an einen Gott glauben, der es zuläßt, daß einem Jungen wie Alex so was Schreckliches zustößt.

Ich hab die Tramper abgesetzt«, fährt Franz fort, »ich bin umgedreht und zum Laden zurückgefahren und hab mir eine Flasche Whiskey gekauft. Und dann bin ich in die Wüste rausgefahren und hab sie getrunken. Ich war den Alkohol nicht mehr gewohnt, und mir ist schlecht geworden. Hab gehofft, daß es mich umbringt, hat's aber nicht. Mir ist einfach nur sehr, sehr schlecht geworden.«

Carthage

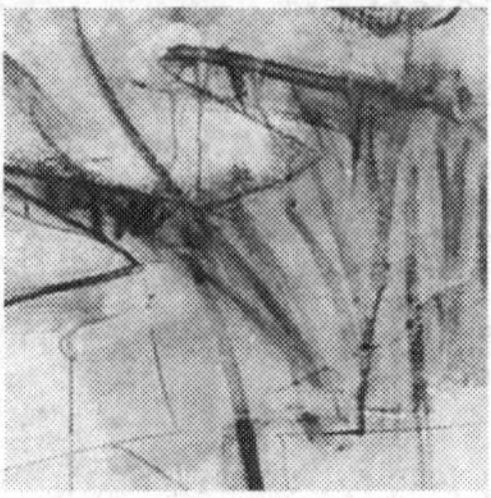

KAPITEL SIEBEN

Da waren ein paar Bücher … Eins war Pilgrims Progress, *über einen Mann, der seine Familie verlassen hat, weshalb, stand nicht drin. Ich hab richtig viel drin gelesen, wenn mir danach war. Was darin so gesagt wurde, war interessant, aber ganz schön hart.*

MARK TWAIN,
»HUCKLEBERRY FINNS ABENTEUER«

Es ist wohl wahr, daß schöpferische Menschen in ihren zwischenmenschlichen Beziehungen oft scheitern, und einige unter ihnen führen ein geradezu isoliertes Dasein. Sicherlich ist auch nicht zu leugnen, daß es genügend Fallbeispiele gibt, in denen ein frühes Trauma – z. B eine im frühen Kindesalter zu bewältigende Trennung oder irgendein schmerzlicher Verlust – einen potenziell gestalterisch-kreativen Geist dazu veranlaßten, verstärkt die Seiten seiner Persönlichkeit auszubauen, die es ihm ermöglichen, auch in relativer Isolation Erfüllung zu finden. Aber dies bedeutet nicht, daß eine einsame, kreative Beschäftigung zwangsläufig auch pathologisch ist …

Vermeidungsverhalten ist eine Reaktion, mit der ein Säugling sich vor drohenden Verhaltensstörungen zu schützen sucht. Im späteren Erwachsenenleben können sich von Vermeidungsverhalten geprägte Säuglinge durchaus ein starkes Bedürfnis entwickeln, Sinn und Ordnung in ein Leben zu bringen, dessen Gelingen nicht *völlig oder hauptsächlich von zwischenmenschlichen Beziehungen abhängt.*

ANTHONY STORR,
»SOLITUDE: A RETURN TO THE SELF«,

❖

Das Hirsefeld ist erst halb abgemäht. Der schwere Mähdrescher – eine John Deere 8020 – hockt im Abendlicht inmitten der einsamen Weite von South Dakota stumm da. Wayne Westerbergs schlammbeschmierte Sneakers ragen aus dem Schlund der Maschine hervor, der ihn wie ein monströses Stahlreptil zu verschlucken scheint. »Gebt mir mal den verdammten Schraubenschlüssel«, ruft eine wütende Stimme aus dem Innern der Maschine. »Oder könnt ihr bloß blöd rumstehen?« Der Mähdrescher war zum dritten Mal in drei Tagen liegengeblieben, und Westerberg werkelte verzweifelt daran herum und versuchte, noch vor Einbruch der Dunkelheit ein schwer erreichbares Zapfenlager zu ersetzen.

Eine Stunde später hat er es doch noch geschafft und taucht öl- und spreuverschmiert wieder auf. »Tut mir leid wegen vorhin. Daß ich so laut geworden bin«, entschuldigt sich Westerberg. »Wir schieben zu viele Achtzehn-Stunden-Tage. Ich schätze, mir geht langsam die Geduld aus, jetzt am Ende der Saison und so, und genug Leute haben wir auch nicht. Wir haben ja voll auf Alex gezählt.«

Es war jetzt anderthalb Monate her, daß McCandless' Leiche am Stampede Trail in Alaska gefunden worden war.

Sieben Monate zuvor, an einem klirrend kalten Nachmittag im März, war McCandless ins Büro der Siloanlagen von Carthage geschlendert und hatte verkündet, daß er wieder zur Verfügung stehe. »Wir sitzen da und machen gerade die Abrechnungen, so wie jeden Morgen«, erinnert sich Westerberg, »und dann kommt Alex mit einem riesigen alten Rucksack reinspaziert.« Er sagte zu Westerberg, daß er bis zum 15. April bleiben wolle, gerade lange genug, um sich das Geld für eine Alaska-Reise zusammenzusparen, für die er noch jede Menge Ausrüstung benötige. McCandless versprach, wieder früh genug nach South Dakota zurückzukehren, um bei der Ernte im Herbst zu helfen. Er wolle es jedoch unbedingt vor Ende April bis Fairbanks schaffen, um dort oben so viel Zeit wie möglich zu verbringen.

Die Arbeit in jenen vier Wochen in Carthage war hart. McCandless übernahm die schmutzigsten und stumpfsinnigsten Tätigkeiten, Jobs, vor denen alle anderen sich drückten: Lagerhäuser ausmisten, Ungeziefer vernichten, anstreichen, Unkraut jäten. Um McCandless auch mal mit einer etwas anspruchsvolleren Arbeit zu belohnen, versuchte Westerberg, ihm das Fahren eines Frontladers beizubringen. »Alex hatte wohl nie viel mit Maschinen zu tun gehabt«, erzählt Westerberg mit einem Kopfschütteln, »und es war schon ziemlich witzig, zuzusehen, wie er versuchte, ein Gefühl für die Kupplung zu kriegen und für all die anderen Hebel. Daß er technisch begabt gewesen wäre, kann man ihm jedenfalls nicht nachsagen.«

Auch sein Sinn fürs Praktische ließ zu wünschen übrig. Viele, die ihn kannten, erlaubten sich zuweilen die Bemerkung, daß er oft den Wald vor lauter Bäumen nicht gesehen habe. »Alex schwebte zwar nicht in einer anderen Welt«, erklärt Westerberg, »verstehen Sie mich nicht falsch. Aber er hatte seine Aussetzer. Ich weiß noch, wie ich einmal zum Haus rüber bin, durch die Küche komm und dann diesen fürchterlichen Gestank bemerke. Es hat richtig fies gestunken. Ich hab die Mikrowelle aufgemacht, und da war unten eine ganz dicke, ranzige Fettschicht. Alex hat die Mikrowelle immer zum Hähnchenbraten hergenommen, und er ist nie auf die Idee gekommen, daß das Fett ja wohl irgendwohin ablaufen muß. Er war nicht etwa zu faul, das Ding zu reinigen – im Gegenteil, Alex hat immer penibel für Ordnung und Sauberkeit gesorgt –, er hat nur einfach das Fett nicht bemerkt.«

Kurz nachdem McCandless in jenem Frühjahr nach Carthage zurückgekehrt war, stellte Westerberg ihn seiner langjährigen Freundin vor, Gail Borah. Die beiden hatten sich über die Jahre etliche Male getrennt und dann wieder zusammengerauft. Sie ist eine zierliche Frau mit feinen Gesichtszügen, traurigen Augen und langen blonden Haaren. McCandless und die fünfunddreißigjährige geschiedene Mutter zweier halbwüchsiger Kinder freundeten sich bald an. »Anfangs war er irgendwie schüchtern«, erzählt Borah. »Man hatte das Gefühl, daß es ihn streßte, mit Leuten zusammen zu sein. Ich hab mir einfach nur gedacht, daß das daher kommt, daß er so viel Zeit allein verbracht hat.

Ich hab Alex so gut wie jeden Abend zum Essen dagehabt«, fährt Borah fort. »Er hatte einen gesunden Appetit. Hat den Teller immer leergegessen. Immer. Er war auch ein guter Koch. Manchmal hat er mich zu Wayne eingeladen und für uns alle Abendessen gemacht. Hat viel mit Reis gemacht. Ein Wunder, daß ihm der Reis nicht irgendwann mal zum Hals raushing. Er hat mal gesagt, daß er einen ganzen Monat lang von zwölf Kilo Reis und nichts anderem leben könnte.

Alex hat viel erzählt, wenn wir zusammen waren«, erinnert sich Borah. »Ging über richtig ernste Dinge, so, als ob er einem seine Seele ausschüttet oder so. Er hat gemeint, daß er mir Sachen erzählen kann, die er den anderen nicht sagen kann. Irgend etwas hat an ihm genagt, das hat man gleich gemerkt. Anscheinend kam er mit seinen Eltern und seiner Familie nicht zu Rande, aber er hat nie viel über sie erzählt, außer über Carine, seine kleine Schwester. Er hat gemeint, daß sie sich sehr nahe sind. Daß sie eine Schönheit ist und daß sich die Jungs auf der Straße nach ihr umdrehen und sich die Augen aus dem Kopf starren.«

Was Westerberg anlangt, so kümmerte er sich weniger um McCandless' Familiengeschichten. »Ich hab nie rausgekriegt, warum er so sauer auf die war, aber ich hab mir gedacht, er wird schon seine Gründe haben. Jetzt, wo er tot ist, bin ich mir da nicht mehr so sicher. Wenn Alex jetzt hier wär, würd ich ihm meine Meinung sagen: Was zum Teufel hast du dir eigentlich dabei gedacht? Dich die ganze Zeit nicht bei deiner Familie zu melden, sie wie'n Stück Dreck zu behandeln! Einer von den Jungs, die hier für mich arbeiten, hat überhaupt keine Eltern, verdammt noch mal, aber ich hab ihn noch nie meckern hören. Ich hab keine Ahnung, was mit den Eltern von Alex los war, aber was auch immer es ist, ich hab auf jeden Fall schon sehr viel Schlimmeres gesehen. So wie ich Alex kenne, ist bestimmt irgendwas zwischen ihm und seinem Vater vorgefallen, und Alex konnte keine Ruhe geben.«

Westerbergs letztere Vermutung war, wie sich herausstellte, eine ziemlich scharfsinnige Analyse des Verhältnisses zwischen Chris und Walt McCandless. Beide, der Vater wie der Sohn, waren reizbare Dickköpfe. Angesichts Walts Sucht, alle und alles kontrollieren zu wollen, und Chris' extrem ausgeprägter Freiheitsliebe war der Streit vorprogrammiert. Während seiner Schul- und Collegezeit fügte Chris sich Walts Autorität noch in erstaunlichem Maße, doch innerlich kochte und gärte es in dem Jungen schon unablässig. Er brütete ausgiebig über vermeintliche moralische Unzulänglichkeiten seines Vaters, den heuchlerischen Lebensstil seiner Eltern und dem Druck ihrer Liebe, die immer an bestimmte Bedingungen geknüpft war. Irgendwann probte Chris den Aufstand – und als er einmal damit angefangen hatte, tat er es mit der ihm eigenen Unerbittlichkeit.

Kurz bevor er verschwand, beschwerte Chris sich bei Carine über seine Eltern. Ihr Verhalten sei »dermaßen selbstherrlich und repressiv, dermaßen dreist und demütigend, daß bei mir die Schmerzgrenze erreicht ist«. Er schreibt weiter:

Da sie sich kategorisch weigern, mich ernst zu nehmen, werde ich sie nach dem College-Abschluß ein paar Monate in dem Glauben lassen, daß sie ja so recht haben mit allem, daß ich »die Dinge jetzt endlich auch mal von ihrer Warte aus sehe« und daß unser Verhältnis sich normalisiert. Und dann, wenn die Zeit gekommen ist, werde ich sie mit einem einzigen, schnellen Schlag total aus meinem Leben katapultieren. Ich werde sozusagen die Scheidung einreichen, mich für immer und ewig von ihnen lossagen und, solange ich lebe, nie mehr ein Wort an diese beiden Idioten richten. Ich werde mit ihnen fertig sein, ein für allemal, für immer und ewig.

Die menschliche Kälte, die Westerberg in dem Verhältnis zwischen Alex und seinen Eltern vermutete, stand in krassem Gegensatz zu der Wärme, die McCandless in Carthage ausstrahlte. Kontaktfreudig und von einnehmendem Wesen, wenn er in der richtigen Laune war, bezauberte er die Leute regelrecht. Wenn er nach South Dakota zurückkam, wartete stets ein ganzer Stapel Post auf ihn – Briefe von Leuten, die er unterwegs kennengelernt hatte, unter anderem auch von einem Mädchen, das, wie Westerberg noch weiß, »total verknallt in ihn war, irgend jemand, den er in so einer Art Timbuktu – so was wie ein Camping-Platz, glaub ich – kennengelernt hat«. McCandless hatte jedoch nie etwas von irgendwelchen Liebschaften erwähnt, weder Westerberg noch Borah gegenüber.

»Ich wüßte nicht, daß Alex jemals was von irgendwelchen Freundinnen erzählt hätte«, sagt Westerberg. »Obwohl, ab und zu hat er davon geredet, daß er eines Tages heiraten und eine Familie gründen will. Alex war niemand, der Beziehungen auf dic leichte Schulter nimmt. Er war nicht der Typ, der rausgeht und irgendein Mädchen abschleppt.«

Auch Borah war klar, daß McCandless nicht viel Zeit damit verbracht hatte, Single-Bars abzuklappern. »Einmal sind wir alle in eine Bar drüben in Madison gegangen«, erzählt sie, »und wir haben ihn kaum auf die Tanzfläche gekriegt. Aber als er einmal drauf war, war er kaum noch runter zu kriegen. Wir haben einen Riesenspaß gehabt. Als Alex tot war, hat Carine mir erzählt, daß ich ihres Wissens eins der wenigen Mädchen war, mit dem Alex jemals tanzen gegangen ist.«

Auf der High School hatte McCandless mit zwei oder drei Angehörigen des anderen Geschlechts ein engeres Verhältnis, und Carine erinnert sich an einen Vorfall, als er in völlig betrunkenem Zustand mitten in der Nacht versucht hatte, ein Mädchen zu sich aufs Schlafzimmer abzuschleppen (als sie die Treppe hochgingen, machten sie einen solchen Krach, daß Billie aufwachte und das Mädchen nach Hause schickte). Aber auch sonst ist nichts darüber bekannt, daß er als Teenager sexuelle Erfahrungen gemacht hätte, und noch weniger deutet daraufhin, daß er nach der High-School mit einer Frau geschlafen hätte. (Auch gibt es keinen Grund anzunehmen, daß er mit einem Mann intim gewesen wäre.) McCandless fühlte sich also allem Anschein nach zu Frauen hingezogen, übte sich aber in mönchischer Enthaltsamkeit.

Keuschheit und moralische Unbeflecktheit waren Werte, über die McCandless oft und ausgiebig sinnierte. Tatsächlich fand man unter den Büchern bei seiner Leiche eine Kurzgeschichtensammlung, die Tolstois »Kreutzersonate« enthielt, in der ein zur Askese bekehrter Edelmann die »Versuchungen des Fleisches« anprangert. Eine ganze Reihe solcher und ähnlicher Passagen des arg zerlesenen Textes sind mit Sternchen versehen oder dick angestrichen. Die Ränder sind übersät mit rätselhaften Notizen in McCandless' Handschrift. Und in dem Kapitel »Höhere Gesetze« in Thoreaus »Walden«, das ebenfalls im Bus gefunden wurde, kreiste McCandless folgende Stelle ein: »Keuschheit ist des Menschen Blüte, und was wir Genius, Heroismus, Heiligkeit nennen, sind nur die verschiedenen Früchte, die sie reifen läßt.«

Wir Amerikaner sind besessen vom Sex. Sex ist überall. Überall erregt er uns, kitzelt uns, erschreckt uns. Wenn ein offensichtlich gesunder Mensch, insbesondere ein gesunder, junger Mann, beschließt, den Verlockungen des Fleisches zu entsagen, dann reagieren wir schockiert und blicken uns scheeläugig an. Unser Argwohn ist geweckt.

McCandless' offensichtliche sexuelle Unschuld steht jedoch in der Tradition eines Menschentypus, den man in unserem Kulturkreis zu bewundern vorgibt, zumindest gilt das für ihre berühmteren Verfechter. Mit seinen widersprüchlichen Gefühlen in bezug auf Sexualität wandelt

McCandless auf den Spuren mehrerer gefeierter Persönlichkeiten, die sich wie er für die unberührte Natur begeisterten – Thoreau (der sein Leben lang keusch blieb) und der Naturschützer John Muir, um nur zwei der prominentesten Vertreter zu nennen, ganz zu schweigen von den Heerscharen weniger berühmter Pilger, Wahrheitssucher, Aussteiger und Abenteurer. Wie so viele andere, die den Verlockungen der Wildnis erlagen, schien auch McCandless von einer Variante der Lust getrieben zu sein, die die sexuelle Begierde verdrängt. In gewissem Sinne war seine Sehnsucht zu stark, um durch natürlichen menschlichen Kontakt gestillt zu werden. Der Beistand, den ein Verhältnis mit einer Frau versprach, mag McCandless gereizt haben, doch letztendlich verblaßte dieser Reiz neben der Aussicht auf die Vereinigung mit der nackten Natur, dem Kosmos. Und so verwundert es nicht, daß es ihn nach Norden zog, nach Alaska.

McCandless versicherte sowohl Westerberg als auch Borah, daß er im Anschluß an seinen Aufenthalt im Norden nach South Dakota zurückkehren und zumindest den Herbst über bleiben wolle. Danach würde man weitersehen.

»Ich hatte den Eindruck, daß diese Alaska-Eskapade sein letztes, großes Abenteuer werden sollte«, meint Westerberg, »und daß er dann so langsam mit 'nem geregelten Leben anfangen wollte. Er meinte, daß er über seine Reisen ein Buch schreiben will. Er hat sich in Carthage wohl gefühlt. Mit seiner Ausbildung hat ihm keiner abgenommen, daß er den Rest seines Lebens in einem gottverdammten Getreidesilo schaffen würde. Aber er hatte fest vor zurückzukommen und noch 'ne Zeitlang zu bleiben, uns im Silo auszuhelfen und sich zu überlegen, was weiter wird.«

In jenem Frühling jedoch waren McCandless' Pläne

unverrückbar auf Alaska gerichtet. Bei jeder Gelegenheit redete er von seiner Reise. Er machte erfahrene Jäger der Umgegend ausfindig und bat sie um Tips für die Pirsch, das Ausnehmen und Zerlegen von Wild und das Haltbarmachen von Fleisch. Borah fuhr ihn zu einem großen Einkaufszentrum in Mitchell, wo er noch ein paar Sachen für seine Ausrüstung kaufen wollte.

Mitte April hatte Westerberg viele Aufträge, aber kaum Leute. Daher bat er McCandless, seine Abreise um ein, zwei Wochen zu verschieben. McCandless wollte jedoch nichts davon hören und lehnte ab. »Wenn Alex sich einmal etwas in den Kopf gesetzt hatte, war er durch nichts und niemand mehr davon abzubringen«, klagt Westerberg. »Ich hab ihm sogar angeboten, ihm ein Flugticket nach Fairbanks zu kaufen. Damit hätte er noch zehn Tage weiterarbeiten können und wär immer noch Ende April in Alaska gewesen, aber er hat gesagt: ›Nein, ich will in den Norden *trampen*. Fliegen wäre nicht fair. Würde mir die ganze Reise kaputtmachen.‹«

Zwei Tage vor McCandless' geplantem Aufbruch lud ihn Mary Westerberg, Waynes Mutter, zum Abendessen ein. »Meine Mutter mag die meisten Leute nicht, die ich so anheure«, erklärt Westerberg, »und sie war auch nicht allzu begeistert von der Idee, Alex kennenzulernen. Aber ich hab ihr immer wieder damit in den Ohren gelegen und gesagt: ›Du mußt den Jungen unbedingt kennenlernen‹, und dann hat sie schließlich nachgegeben und ihn zum Abendessen eingeladen. Die beiden haben sich auf Anhieb verstanden. Fünf Stunden lang haben sie nonstop miteinander gequatscht.«

»Er hatte irgendwas Faszinierendes an sich«, erklärt Mrs. Westerberg, die an einem glänzend polierten Walnußtisch sitzt. An dem gleichen Platz hatte an jenem Abend McCandless gesessen. »Alex kam mir viel älter vor als vierundzwanzig. Bei allem, was ich sagte, wollte er genauer Bescheid wissen und hat nachgehakt, was ich genau meinte, warum ich dies oder jenes dachte. Er war wißbegierig. Im Gegensatz zu den meisten Menschen war er jemand, der streng nach seinen Überzeugungen lebt, komme was wolle.

Wir haben uns stundenlang über Bücher unterhalten. In Carthage gibt es nicht so viele Leute, die sich gern über Bücher unterhalten. Er hat in einem fort über Mark Twain geredet. Mensch, hat das Spaß gemacht, den Jungen dazuhaben. Ich hätte die ganze Nacht so sitzenbleiben können. Ich hatte mich so drauf gefreut, ihn im Herbst wiederzusehen. Er geht mir nicht mehr aus dem Kopf. Ich seh immer wieder sein Gesicht vor mir. Er saß in dem gleichen Stuhl, in dem Sie sitzen. Wenn ich bedenke, daß Alex und ich ja nur ein paar Stunden miteinander verbracht haben, erstaunt es mich, wie nahe mir sein Tod geht.«

An seinem letzten Abend in Carthage ging McCandless mit Westerbergs Crew ins »Cabaret« und feierte noch einmal kräftig. Der Jack Daniels floß in Strömen. Alle waren überrascht, als McCandless sich ans Piano setzte – er hatte nie erwähnt, daß er Klavier spielt – und schräge Country- und Varietémelodien runterhämmerte, dann Ragtime und schließlich noch ein paar Tony-Bennett-Nummern. Und er war nicht etwa irgendein Betrunkener, der mit seinem vermeintlichen Talent die Geduld seines Publikums strapazierte. »Alex«, stellt Borah klar, »konnte wirklich spielen. Ich meine er war *gut*. Wir waren alle völlig hingerissen von der Show.«

Am Morgen des 15. April trafen sich alle am Silo, um McCandless Lebewohl zu wünschen. Sein Rucksack war schwer. In seinem Stiefel hatte er an die eintausend Dollar verstaut. Tagebuch und Fotoalbum ließ er zur Verwahrung bei Westerberg. Darüber hinaus schenkte er ihm den Ledergürtel, den er in der Wüste gefertigt hatte.

»Alex hat immer an der Bar im Cabaret gesessen und stundenlang Geschichten aus dem Gürtel vorgelesen«, erzählt Westerberg, »so als ob er Hieroglyphen für uns übersetzen würde. Alle Bilder, die er ins Leder geritzt hat, haben ihre eigene, lange Geschichte gehabt.«

Als McCandless Borah beim Abschied umarmte, erzählt sie, »hab ich gemerkt, daß er weint. Das hat mir einen Schrecken eingejagt. Denn so lange wollte er ja gar nicht wegbleiben. Ich hab dann gedacht, daß er bestimmt ein paar richtig riskante Sachen vorhatte und wußte, daß er vielleicht nicht wiederkommt, sonst hätte er ja wohl nicht geweint. Da hab ich zum erstenmal so ein ungutes Gefühl gekriegt, daß wir Alex nie wiedersehen.«

Ein großer, traktorähnlicher Pick-up wartete mit laufendem Motor vor der Tür. Rod Wolf, einer von Westerbergs Angestellten, mußte eine Ladung Sonnenblumen-Saatgut nach Enderlin, North-Dakota, befördern und hatte versprochen, McCandless bis zur Bundesstraße 94 mitzunehmen.

»Als ich ihn rausgelassen hab, hat ihm diese riesige verdammte Machete von der Schulter gehangen«, erzählt Wolf. »Ich hab noch gedacht: ›Mann, mit dem Ding nimmt den kein Mensch mit.‹ Aber ich hab dann nichts gesagt. Ich hab ihm einfach nur die Hand gedrückt, ihm viel Glück gewünscht und gesagt, daß er auf jeden Fall schreiben soll.«

Und das tat McCandless dann auch. Eine Woche später erhielt Westerberg eine Postkarte mit einer kurzen Nachricht. Die Karte war in Montana abgestempelt worden:

18. April: Bin heute morgen auf einem Güterzug in Whitefish angekommen. Komme gut voran. Heute werde ich mich über die Grenze schleichen. Dann heißt es Richtung Norden, nach Alaska. Grüße an alle.

Alles Gute, Alex.

Dann, Anfang Mai, erhielt Westerberg die nächste Karte, diesmal aus Alaska. Die Karte zeigte einen Eisbären. Der Stempel stammte vom 27. April 1992. »Grüße aus Fairbanks!« heißt es da:

Dies wird meine letzte Nachricht an Dich sein, Wayne. Bin vor zwei Tagen hier angekommen. Das Trampen in der Gegend um den Yukon lief nicht so gut. Aber jetzt bin ich endlich hier.

Schicke bitte all meine Post an den Absender zurück. Es kann noch lange dauern, bis ich wieder im Süden bin. Dieses Abenteuer geht vielleicht tödlich aus, und es kann sein, daß Du nie wieder von mir hören wirst. Ich möchte aber, daß Du weißt, wie sehr ich Dich bewundere. Ich breche nun in die Wildnis auf.

Alex.

Am selben Tag schickte McCandless eine Karte mit ähnlichem Inhalt an Jan Burres und Bob:

Hallo Leute! Dies wird meine letzte Message an Euch sein. Ich breche jetzt auf und werde in der Wildnis leben. Paßt auf Euch auf, es war toll, Euch kennenzulernen.

Alexander.

Alaska

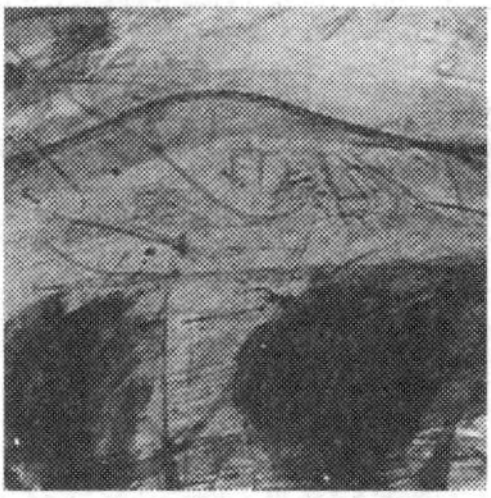

KAPITEL ACHT

Vielleicht ist es schließlich doch die schlechte Angewohnheit schöpferischer Menschen, mit pathologisch anmutender Energie geistiges Neuland zu betreten. Die Erkenntnisse, zu denen sie dabei gelangen, sind oft bemerkenswert. Allerdings verhelfen sie nur jenen zu einer dauerhaften Existenz, denen es gelingt, sie in nennenswerte Kunst oder Gedankenwelten zu übertragen.

THEODORE ROSZAK,
»IN SEARCH OF THE MIRACULOUS«

Wir haben in Amerika die Tradition des »Großen doppelherzigen Stroms«: das Ritual besteht darin, daß man seine Wunden zur Heilung, zur Umkehr oder was auch immer in die Wildnis trägt. Und wenn, wie in der Hemingway-Geschichte, die Wunden nicht allzu tief gehen, klappt dies auch. Aber wir sind hier nicht in Michigan (und auch nicht in Faulkners »Big Woods« in Mississippi). Dies hier ist Alaska.

EDWARD HOAGLAND,
»UP THE BLACK TO CHALKYITSIK«

Als McCandless in Alaska tot aufgefunden wurde und die Medien von den verblüffenden Umständen seines Todes berichteten, dachten viele, daß der Junge geistig verwirrt gewesen sein mußte. Der Artikel über McCandless in *Outside* rief eine Flut von Leserbriefen hervor, und nicht wenige der Briefe gingen mit dem jungen Traveler hart ins Gericht – und auch mit mir, dem Autor der Story, dem vorgeworfen wurde, einen Tod zu verherrlichen, den man für dumm und sinnlos hielt.

Viele der ablehnenden Briefe stammten von Alaskanern. »Alex ist für mich ein Verrückter, wie er im Buche steht«, schrieb ein Einwohner von Healy, dem kleinen Städtchen am Anfang des Stampede Trail. »Der Autor beschreibt einen Mann, der ein kleines Vermögen verschenkt, seine ihn aufrichtig liebende Familie im Stich läßt, einen Mann, der seinen Wagen, seine Uhr und seine Landkarte achtlos zurückläßt, der sein letztes Geld verbrennt, und das alles nur, um westlich von Healy in die ›Wildnis‹ zu latschen.«

»Ich persönlich kann weder an Chris McCandless' Art zu leben noch an seiner Wildnis-Doktrin etwas Positives finden«, schimpfte ein anderer Leser. »Absichtlich schlecht vorbereitet in die Wildnis aufzubrechen und eine todesähnliche Erfahrung zu überstehen macht einen nicht zum besseren Menschen. Es bedeutet nur, daß man verdammt viel Schwein gehabt hat.«

Ein Leser von *Outside* fragte sich, wie es möglich ist, »daß jemand, der vorhat, ›ein paar Monate lang von dem, was das Land so hergibt‹, zu leben, die allererste Pfadfinderregel vergißt: Sei für alles gerüstet. Wie kann ein Sohn seinen Eltern und seiner Familie einen so tiefen, bleibenden Schmerz zufügen?«

»Krakauer muß ganz schön spinnen, wenn er nicht kapiert, daß Chris ›Alexander Supertramp‹ der größte

Spinner aller Zeiten ist«, meint ein Mann aus North Pole, Alaska. »McCandless hatte schon lange jede Menge Schrauben locker, und die sind ihm in Alaska eben zum Verhängnis geworden.«

Die schärfste Kritik traf in Form einer seitenlangen dichtbeschriebenen Epistel aus Ambler ein, einer winzigen Eskimosiedlung am Kobruk River nördlich des Polarkreises. Der Autor des Briefes war Weißer, stammte ursprünglich aus Washington D.C. und hieß Nick Jans. Jans, Schriftsteller und Schullehrer von Beruf, schickte warnend voraus, daß es bereits ein Uhr nachts sei und die Flasche Seagram's so gut wie leer. Dann machte er seinem Ärger Luft:

In den letzten fünfzehn Jahren sind mir hier draußen mehr als nur ein McCandless über den Weg gelaufen. Immer das gleiche: idealistische, energiegeladene Jungs, die ihre Kräfte über- und die der Natur unterschätzen, und ehe sie sich's versehen, stekken sie bis zum Hals in Schwierigkeiten. McCandless ist wahrlich kein Einzelfall. Von diesen Typen hängen jede Menge bei uns herum. Sie sind einander zum Verwechseln ähnlich und schon beinahe zu einem allgemeinen Klischee geworden. Der einzige Unterschied besteht darin, daß McCandless am Ende mit dem Leben zahlte und seine Blödheit in sämtlichen Gazetten Verbreitung fand ... (In »Feuer im Schnee« hat Jack London all dies sehr treffend beschrieben. McCandless ist letztlich nichts weiter als eine blasse, zeitgenössische Parodie auf Londons Protagonisten, der erfriert, weil er jeglichen Ratschlag in den Wind schlägt und Opfer seiner eigenen Selbstüberschätzung wird) ...

Was McCandless umgebracht hat, ist seine Ignoranz, der er ohne weiteres durch eine Geländekarte und das allgemeine Pfadfinderhandbuch hätte abhelfen können. Für seine Eltern tut es mir leid, für ihn jedoch kann ich kein Mitgefühl aufbringen. Ein solches Ausmaß an vorsätzlicher Ignoranz ... läuft auf schiere

Respektlosigkeit gegenüber der Natur hinaus, und paradoxerweise liegt ihr die gleiche Art von Arroganz zugrunde, die zu dem Tankerunglück der Exxon Valdez führte – noch so ein Fall von überheblichen und völlig unzureichend vorbereiteten Männern, die vor sich hin wursteln und vor allem deshalb versagten, weil ihnen die nötige Demut fehlte. Der Unterschied zu McCandless ist rein quantitativ.

McCandless' aufgesetztes Asketentum und seine pseudoliterarische Geisteshaltung verschlimmern all diese Unzulänglichkeiten nur, statt sie zu mindern ... McCandless' Postkarten, Notizen und Tagebücher ... lesen sich wie die Ergüsse eines überdurchschnittlich begabten, ein wenig zur Theatralik neigenden Schuljungen – oder habe ich da was mißverstanden?

In Alaska ist man also allgemein der Überzeugung, daß McCandless lediglich ein verträumtes, halbstarkes Greenhorn mehr war, das in der Hoffnung, Antworten auf seine Probleme zu finden, in die Wälder gezogen war. Gefunden hatte er statt dessen aber Moskitos und einen einsamen Tod. Über die Jahre gab es Dutzende von Sonderlingen, die in die Wildnis Alaskas auszogen und von denen man nie wieder hörte. Einige sind im kollektiven Gedächtnis des Landes fest verankert.

Da gab es den anti-kulturellen Idealist, der Anfang der siebziger Jahre durch das Dorf Tanana zog und verkündete, daß er den Rest seines Lebens fortan damit verbringen werde, »mit der Natur einen Gedankenaustausch zu führen«. Irgendwann mitten im Winter fand ein Naturbiologe seine gesamte Habe in einer Blockhütte in der Nähe von Tofty – zwei Gewehre, Camping-Ausrüstung und ein Tagebuch, das mit einem wirrem Wortsalat über das Wahre, Schöne und Gute und einer abstrusen Öko-Theorie vollgekritzelte war. Das Innere der Hütte war in

Schneeverwehungen versunken, und der junge Mann ist bis heute verschollen.

Ein paar Jahre später kam der Vietnam-Veteran. Er zimmerte sich östlich von Chalkyitsik, am Black River, eine Blockhütte, »um endlich keine Menschen mehr zu sehen«. Im Februar gingen ihm die Lebensmittel aus und er verhungerte. Allem Anschein nach hatte er nicht einen Versuch unternommen, sich zu retten, obwohl sich drei Meilen weiter stromabwärts eine weitere Hütte befand, in der Fleisch gelagert wurde. Edward Hoagland hatte seinen Tod schriftlich festgehalten und dabei die Beobachtung gemacht, »daß Alaska nicht gerade der ideale Ort für Einsiedler-Experimente und Peace-and-Love-Schwärmer« sei.

Und dann war da jenes eigenwillige Genie, das ich 1981 zufällig am Ufer des Prince-William-Sunds traf. Ich zeltete damals in den Wäldern bei Cordova, Alaska, und versuchte als Aushilfe auf einem Wadenfischerboot anzuheuern. In Kürze würde das Jagd- und Fischereiamt die erste »Freigabe« verkünden – den Beginn der kommerziellen Lachsfangzeit –, und ich versuchte vergeblich, den rechten Augenblick abzupassen. Als ich mich an einem regnerischen Nachmittag in die Stadt aufmachte, begegnete mir ein ungepflegter, seltsam aufgewühlt wirkender Mann um die Vierzig. Er trug einen riesigen schwarzen Zottelbart und schulterlanges Haar, das er sich mit einem schmuddeligen Nylon-Kopfband aus dem Gesicht hielt. Er kam mit flinken, energischen Schritten auf mich zu, während seine Schultern sich unter der nicht zu unterschätzenden Last eines knapp zwei Meter langen Baumstamms beugten.

Als er näher kam, begrüßte ich ihn. Er murmelte eine Antwort, und wir blieben kurz im Nieselregen stehen und unterhielten uns. Ich fragte ihn nicht, warum er einen durchnäßten Baumstamm in den Wald schleppte, wo es doch dort solche Stämme in Hülle und Fülle gab. Nachdem wir ein paar Minuten ernste Banalitäten ausgetauscht hatten, ging jeder wieder seines Weges.

Aus unserer kurzen Unterhaltung folgerte ich, daß ich gerade den berühmt-berüchtigten Exzentriker getroffen hatte, den die Einheimischen den »Bürgermeister von Hippie Cove« nannten – eine Anspielung auf eine kleine Meeresbucht im Norden der Stadt, die zu einem Magneten für langhaarige Rucksacktouristen geworden war. Der Bürgermeister hatte einige Jahre in der Nähe der Bucht gewohnt. Die meisten Bewohner von Hippie Cove waren wie ich Sommersiedler, die in der Hoffnung nach Cordova gekommen waren, hervorragend bezahlte Jobs auf Fischerbooten zu ergattern oder, falls dies nicht klappte, in einer der Lachskonservenfabriken unterzukommen. Bei dem Bürgermeister lag die Sache jedoch anders.

Sein wirklicher Name war Gene Rosellini. Er war der älteste Stiefsohn von Victor Rosellini, einem vermögenden Gastronomen aus Seattle, und der Vetter von Albert Rosellini, dem ausgesprochen beliebten Gouverneur des Staates Washington zwischen 1957 und 1965. Gene war als junger Mann ein ausgezeichneter Athlet und hervorragender Student gewesen. Er verschlang massenweise Bücher, praktizierte Yoga und wurde ein Experte in diversen Kampfsportarten. Ob High School oder College, stets hielt er seinen exzellenten Notendurchschnitt. An der University of Washington und später an der Seattle University vertiefte er sich in Anthropologie, Geschichte, Philosophie und Linguistik. Er häufte Hunderte von Seminar-Scheinen an, ohne jemals einen akademischen Grad zu erlangen. Wozu auch? Bildung und das Streben nach Wissen war seiner Ansicht nach ein Wert an sich, der keiner äußerlichen Legitimation bedurfte.

Nach und nach kehrte Rosellini der akademischen Welt den Rücken und verließ Seattle. Ohne bestimmtes Ziel reiste er die Küste entlang, tourte duch British Columbia und den Panhandle, den unteren Landzipfel Alaskas. 1977 landete er in Cordova. Dort, im Wald am Rande des Dorfes, beschloß er, sein Leben einem ehrgeizigen, anthropologischen Experiment zu widmen.

»Ich wollte herausfinden, ob es möglich ist, ohne Hilfe der modernen Technik auszukommen«, diktierte er ein Jahrzehnt nach seiner Ankunft in Cordova einer Reporterin der *Anchorage Daily News*, Debra McKinney, ins Mikrofon. Er fragte sich, ob der Mensch dazu in der Lage war, so zu leben wie unsere Ahnen, als noch Mammuts und Tiger mit säbelgroßen Hauern die Lande durchstreiften, oder ob unsere Spezies sich zu weit von ihren Wurzeln entfernt hatte, um ohne Schießpulver, Stahl und andere zvilisatorische Errungenschaften zu überleben. Mit besessener Akribie, wie sie verkannten Genies von seinem Schlage eigen ist, verbannte Rosellini selbst die primitivsten Werkzeuge aus seinem Leben, es sei denn, er hatte sie eigenhändig aus Naturmaterialien hergestellt.

»Er war zu der Überzeugung gelangt, daß der Mensch sich zunehmend zum minderwertigen Wesen degeneriert«, führt McKinney aus, »und es war sein erklärtes Ziel, zu einem natürlichen Dasein zurückzukehren. Er experimentierte ständig mit verschiedenen Zeitaltern – dem Zeitalter der Römer, der Eisenzeit, der Bronzezeit. Am Ende zeigte seine Lebensweise Elemente der Jungsteinzeit auf.«

Er ernährte sich von Wurzeln, Beeren und Seetang. Wild erlegte er mit Speeren und Schlingen. Auch den allerhärtesten Winter ertrug er nur mit Lumpen bekleidet. Offenbar genoß er die Entbehrungen, denen er sich aussetzte. Sein Haus oberhalb der Hippie Cove war eine fensterlose Bruchbude, die er ohne Säge und Axt erbaut hatte. »Er hat ganze Tage damit verbracht«, erzählt McKinney, »einen Baumstamm mit einem scharfkantigen Stein entzweizumahlen.«

Und als ob das Leben nach seinen selbstauferlegten Regeln nicht schon beschwerlich genug wäre, legte Rosellini, wann immer die Futtersuche ihm dazu Zeit ließ, eine Runde Leibesübungen ein. Er füllte seine Tage mit Gymnastik, Gewichtheben und Joggen aus, häufig trug Rosellini dabei auch noch einen Sack voll Steine auf dem Rücken. Im Laufe eines typischen Sommers legte er durchschnittlich achtzehn Meilen pro Tag zurück, wie er erzählte.

Rosellinis »Experiment« zog sich weit über ein Jahrzehnt hin, aber irgendwann hatte er das Gefühl, daß die große, ihn bewegende Frage beantwortet war. In einem Brief an einen Freund schrieb er:

Ich trat mein Erwachsenenleben mit der Hypothese an, daß es möglich sei, ein Steinzeitmensch zu werden. Über dreißig Jahre lang programmierte ich mich und übte mich darin, dieses Ziel zu erreichen. Ich glaube mit Fug und Recht von mir behaupten zu können, in den letzten zehn Jahren die physische, mentale und emotionale Realität der Steinzeit hautnah erlebt zu haben. Aber, wie die Buddhisten zu sagen pflegen, am Ende steht der Mensch Auge in Auge mit der nackten Realität. Ich mußte erkennen, daß es dem Menschen so, wie wir ihn kennen, nicht möglich ist, nur von dem zu leben, was die Natur uns schenkt.

Rosellini schien es nicht weiter zu stören, daß seine Hypothese sich als falsch erwiesen hatte. Im Alter von neunundvierzig Jahren verkündete er, daß er seine Ziele »umgestaltet« habe. Er wolle nun »nur mit einem Rucksack bepackt einmal rund um die Welt wandern. Ich möchte pro Tag achtzehn bis siebenundzwanzig Meilen zurücklegen, sieben Tage die Woche, dreihundertfünfundsechzig Tage im Jahr.«

Die Weltumwanderung fand niemals statt. Im November 1991 wurde Rosellini mit dem Gesicht nach unten auf dem Boden seiner Hütte entdeckt. Aus seiner Brust stak ein Messer. Die Obduktion ergab, daß der Tote sich die Wunde selbst zugefügt hatte. Es gab keinen Abschiedsbrief. Rosellini hinterließ keinen Hinweis darauf, warum er beschlossen hatte, seinem Leben zu diesem Zeitpunkt und auf diese Art ein Ende zu setzen. Wir werden es wohl nie erfahren.

Rosellinis Tod und die Geschichte seines sonderbaren Lebens gelangten auf die Titelseite der *Anchorage Daily News*. Die Mühen des John Mallon Waterman erregten dagegen weit weniger Aufsehen. Watermann, Jahrgang 1952, wuchs in den gleichen Washingtoner Vororten auf, die auch Chris McCandless geprägt haben. Sein Vater ist Musiker und freier Schriftsteller, der – neben anderen Verdiensten, die ihn zum Anwärter auf ein bescheidenes Maß an Berühmtheit machen – Reden für Präsidenten, Ex-Präsidenten und andere prominente Politiker Washingtons verfaßte. Waterman senior ist zudem ein erfahrener Bergsteiger, der seinen drei Söhnen schon früh das Klettern beibrachte. John, der zweitälteste, war dreizehn, als er zum erstenmal einen Felsen erklomm.

Er war ein Naturtalent. Bei jeder sich bietenden Gelegenheit zog er zu einer Bergtour hinaus, und wenn er nicht klettern konnte, trainierte er wie ein Besessener. Er legte vierhundert Liegestützen pro Tag hin und ging zweieinhalb Meilen im Eilschritt zur Schule. Wenn er nachmittags wieder zu Hause ankam, tippte er kurz die Haustüre an und kehrte zur Schule zurück, um eine zweite Runde zu drehen.

Mit sechzehn Jahren – 1969 – bestieg er den Mount McKinley (den er Mount Denali nannte; wie die meisten Alaskaner gab er dem athabaskischen Namen des Gipfels den Vorzug) und wurde damit der drittjüngste Mensch, der den höchsten Gipfel des Kontinents bezwang. In den folgenden Jahren brachte er sogar noch eindrucksvollere Besteigungen zuwege, sowohl in Alaska und Kanada als auch in Europa. Als er schließlich 1973 nach Fairbanks zog und sich an der Universität von Alaska einschrieb, galt Waterman als einer der vielversprechendsten jungen Alpinisten Nordamerikas.

Waterman war kleinwüchsig und maß nur knapp über einsfünfzig. Er hatte zarte, elfenhafte Gesichtszüge und den kräftigen, sehnigen Körperbau eines Geräteturners. Die, die ihn kannten, haben ihn als ein unbeholfenes ewiges Kind in Erinnerung, mit ausgefallenem Humor und einer nervösen, beinahe manisch-depressiven Persönlichkeit.

»Als ich John kennenlernte«, erzählt James Brady, ein Bergsteigerkamerad und Studienfreund, »lief er immer in einem langen, schwarzen Umhang und so einer blauen Elton-John-Brille mit einem Stern zwischen den Gläsern in der Uni herum. Und dann hat er ständig so eine billige Gitarre dabeigehabt, die total zerschunden und überall mit Kreppband geflickt war. Bei jeder Gelegenheit hat er in die Saiten gegriffen und einem mit seiner schrägen Stimme was vorgesungen, meistens ein endlos langes Ständchen über seine Abenteuer. Fairbanks hat schon immer die seltsamsten Typen angezogen, aber er war schon eine Nummer für sich, selbst nach Fairbanks-Maßstäben. Ja, klar, John hatte ganz schön einen weg. Die Leute wußten wirklich nicht, was sie von ihm halten sollten.«

Plausible Gründe für Watermans Labilität gab es

zuhauf. Als er noch ein Teenager war, ließen seine Eltern sich scheiden. Seine Mutter litt lange Zeit unter schweren psychischen Störungen. Johns älterer Bruder Bill, an dem er sehr hing, verlor als Jugendlicher bei dem Versuch, auf einen Güterzug aufzuspringen, ein Bein.

1973 verschickte Bill einen rätselhaften Brief, in dem er vage von einer großen Reise sprach. Er verschwand spurlos, und bis zum heutigen Tag weiß niemand, was aus ihm geworden ist. Und seit John sich der Bergsteigerei verschrieben hatte, kamen acht seiner besten Freunde und Bergsteigerkameraden bei Unfällen um oder begingen Selbstmord. Es ist also nur allzu begreiflich, wenn Watermans junge Psyche durch diese lange Kette von Unglücksfällen einen schweren Knacks abbekam.

Im März 1978 brach Waterman zu seinem aufsehenerregendsten Unternehmen auf, einer Alleinbesteigung der vorspringenden Südostwand des Mount Hunter, eine bis dahin unbezwungene Route, an der bereits drei Teams aus Elite-Alpinisten gescheitert waren. Der Journalist Glenn Randall berichtete über das Bravourstück in der Zeitschrift *Climbing*. Waterman habe auf seiner Besteigung drei Gefährten gehabt, die er als »den Wind, den Schnee und den Tod« beschrieben habe.

Gesteinsvorsprünge so zart und luftig wie Sahnebaisers ragten über kilometertiefen Abgründen hervor. Die senkrechten Eiswände waren so spröde wie ein halbaufgetauter und ins Gefrierfach zurück gestellter Kübel mit Eiswürfeln. Sie führten zu Bergkämmen hinauf, die dermaßen schmal waren und zu beiden Seiten so steil abfielen, daß er sich über sie nur rittlings hinwegschieben konnte. In manchen Augenblicken brachen Schmerz und Einsamkeit mit solcher Übermacht über ihn herein, daß er nur noch weinen konnte.

Nach einundachtzig Tagen unter strapaziösen, extrem gefährlichen Bedingungen erreichte Waterman den 4400 Meter hohen Gipfel des Hunter. Der Berg liegt in der Alaska Range und schließt sich unmittelbar südlich an den Denali an. Der riskante Abstieg nahm weitere neun Wochen in Anspruch. Insgesamt verbrachte Waterman einhundertfünfundvierzig Tage allein auf dem Berg. Nach seiner Rückkehr in die Zivilisation borgte er sich zwanzig Dollar von Cliff Hudson, dem Piloten, der ihn aus dem Gebirge herausflog – er war total pleite. Er kehrte nach Fairbanks zurück und fing als Tellerwäscher an, der einzige Job, den er finden konnte.

Dennoch wurde Waterman von der kleinen Bergsteigergemeinde in Fairbanks als Held bejubelt. Er hielt einen öffentlichen Dia-Vortrag über die Hunter-Besteigung, den Brady als »unvergeßlich« bezeichnet. »Was für ein Abend. Unglaublich, wie er das gemacht hat. Er hat sich überhaupt keinen Zwang angetan, hat alles rausgelassen, seine Gedanken und Gefühle, die Angst, zu versagen, und die Todesängste, die er ausgestanden hat. Es war, als wäre man selbst dabei gewesen.« In den Monaten nach der historischen Tat mußte Waterman jedoch feststellen, daß der Erfolg seine Dämonen nicht etwa beruhigt hatte, im Gegenteil, sie waren nur noch aufsässiger.

Waterman war mehr und mehr im Begriff, sich aufzulösen. »John war sehr selbstkritisch und analysierte sich ständig selbst«, erinnert Brady sich. »Und ein bißchen zwanghaft war er ja immer schon gewesen. Er hatte immer mehrere Klemmbretter und Notizbücher dabei. Darin hat er sich ausgiebig Notizen gemacht und alles aufgezeichnet, was er im Laufe des Tages so getrieben hat. Ich weiß noch, wie wir uns einmal im Zentrum von Fairbanks begegnet sind. Ich gehe auf ihn zu, und er holt ein Klemmbrett raus und trägt den genauen Zeitpunkt unserer Begegnung ein. Und dann hat er unsere Unterhaltung – bei der es wirklich nicht um viel ging – protokolliert. Seine Notizen über unser Treffen waren drei, vier Seiten lang, zusätzlich zu all dem anderen Zeug, das er an jenem Tag bereits gekritzelt hatte. Er muß ganze Stapel von diesen Notizen gehabt haben, irgendwo aufbewahrt, und ich bin sicher, daß niemand außer John sie verstanden hätte.«

Bald danach kandidierte Waterman für die örtliche Schulaufsichtsbehörde und versprach, sich im Falle seiner Wahl für freien Sex unter Schülern und die Freigabe von halluzinogenen Drogen einzusetzen. Als er die Wahl verlor – was außer ihm selbst niemand überraschte –, bewarb er sich gleich für das nächste Amt, diesmal für die Präsidentschaft der Vereinigten Staaten. Er kandidierte unter dem Banner der »Tod-dem-Hungertod«-Partei, deren Hauptanliegen es war, daß niemand auf diesem Planeten an Hunger sterben darf.

Um seiner Kandidatur die nötige Publicity zu verschaffen, kam er auf die Idee, die Südwand des Denali zu besteigen, das steilste Stück des Berges. Die Alleinbesteigung sollte im Winter und mit einem Minimum an Verpflegung durchgeführt werden, womit er auf den verschwenderischen und unmoralischen Umgang mit Nahrungsmitteln in den USA aufmerksam machen wollte. Sein Trainingsprogamm für die Besteigung bestand unter anderem darin, Tauchbäder in einer Badewanne voller Eis zu nehmen.

Im Dezember 1979 ließ Waterman sich schließlich zum Kahiltna-Gletscher hinausfliegen und nahm die Besteigung in Angriff. Nach nur vierzehn Tagen blies er jedoch alles wieder ab. »Bring mich nach Hause«, soll er seinem Piloten gesagt haben. »Ich will nicht sterben.« Zwei Monate später jedoch bereitete er sich auf einen zweiten Versuch vor. Aber in Talkeetna, einem Dorf südlich des

Denali, das Bergsteigerexpeditionen in der Alaska Range oft als Basislager dient, ging die Hütte, die er bewohnte, in Flammen auf und brannte völlig aus. Sowohl seine Ausrüstung als auch seine umfangreichen Notizen, Gedichte und Tagebücher, die er über die Jahre angelegt hatte und als sein Lebenswerk betrachtete, fielen den Flammen zum Opfer.

Waterman konnte nicht mehr. Der Verlust hatte seiner Psyche den letzten Schlag versetzt. Am Tag nach dem Brand begab er sich freiwillig in die Obhut des Instituts für Psychiatrie in Anchorage. Zwei Wochen später verließ er es jedoch wieder, überzeugt, daß eine Verschwörung gegen ihn im Gange sei und man ihn bis an das Ende seiner Tage in der Klapsmühle behalten wolle. Dann, im Winter '81, stellte er sich erneut dem Denali.

Den Berg im Alleingang im Winter zu erklimmen war ihm offenbar nicht Herausforderung genug. Er beschloß, den Einsatz zu erhöhen und die Besteigung dieses Mal auf Meereshöhe zu beginnen. Damit mußte er zusätzlich einhundertsechzig sich umständlich schlängelnde Meilen vom Strand des Cook Inlet aus zurücklegen, um überhaupt den Fuß des Berges zu erreichen. Im Februar brach er an der Küste auf und arbeitete sich Richtung Norden vor.

Seine anfängliche Begeisterung währte nicht lange, und als er die unteren Ausläufer des Ruth-Gletschers erreichte, gut dreißig Meilen vom Gipfel entfernt, brach er das Unternehmen ab und zog sich nach Talkeetna zurück. Im März jedoch raffte er sich wieder auf und trat seinen einsamen Marsch von neuem an. Als er aufbrach, sagte er zum Piloten Cliff Hudson, den er als einen Freund betrachtete: »Wir werden uns nicht wiedersehen.«

Der März in der Alaska Range war außergewöhnlich kalt. Gegen Ende des Monats traf er zufällig Mugs Stump.

Die Begegnung fand auf dem oberen Abschnitt des Ruth-Gletschers statt. Stump, ein Alpinist von internationalem Ruf, der 1992 auf dem Denali sein Leben ließ, hatte gerade den Mooses Tooth – einen der umliegenden Berge – auf einer neuen, schwierigen Route bestiegen. Kurz nach der zufälligen Begegnung mit Waterman besuchte Stump mich in Seattle und meinte, daß »John nicht ganz beieinander zu sein schien. Er hat sich ganz komisch verhalten und jede Menge wirres Zeug geredet. Angeblich stand nun diese große Winterbesteigung des Denali an, aber er hatte so gut wie keine Ausrüstung bei sich, nur einen billigen, einteiligen Schneemobilanzug. Nicht einmal einen Schlafsack hatte er dabei. Und was die Verpflegung anging, hatte er bloß eine Packung Mehl, etwas Zucker und eine große Dose Crisco mit.«

In seinem Buch »Breaking Point« schreibt Glenn Randall:

Waterman hielt sich mehrere Wochen in der Nähe der Sheldon-Gebirgshütte auf, einer kleinen Blockhütte am Rande des Ruth-Gletschers, mitten in der Alaska Range. Kate Bull, eine Freundin von Waterman, die damals ebenfalls eine Besteigung in der Gegend unternahm, berichtet, daß er ausgezehrt wirkte und nicht so vorsichtig wie sonst vorgegangen sei. Als er sich von Cliff [Hudson] Nachschub einfliegen ließ, gab er ihm das Gerät zurück, das er sich von ihm geliehen hatte.

»Ich brauch's nicht mehr«, sagte er. Das Gerät war seine einzige Möglichkeit, Hilfe herbeizurufen.

Waterman war allem Anschein nach zuletzt auf der Northwest Fork des Ruth-Gletschers unterwegs. Anhand von Fußspuren ließ sich rekapitulieren, daß er in Richtung der vorspringenden Ostwand des Denali marschiert war, geradewegs durch ein gigantisches Gletscherspaltenlabyrinth. Demnach machte er sich also nicht einmal mehr die Mühe, offensichtliche Gefahrenstellen zu umgehen. Er wurde nie mehr gesehen. Es wird angenommen, daß er sich auf eine zu schwache Schneebrücke gewagt hatte und in eine der Gletscherspalten gestürzt ist. Nach seinem Verschwinden suchte ein Rettungsteam der Forstbehörden eine Woche lang aus der Luft seine geplante Route ab, jedoch vergeblich. Etwas später entdeckten ein paar Bergsteiger in der Sheldon-Gebirgshütte auf einer Kiste mit seiner Ausrüstung eine Notiz von ihm. »13. 3. 82« stand dort geschrieben. »Mein letzter Kuß 13 Uhr 42.«

Es ist kaum verwunderlich, daß zwischen John Watermann und Chris McCandless immer wieder Vergleiche gezogen werden. Ähnlichkeiten drängen sich auch zwischen McCandless und Carl McCunn auf, einem freundlichen, ein wenig zerstreuten Texaner, der während des Ölbooms in den siebziger Jahren nach Fairbanks zog und einen lukrativen Job beim Bau der Transalaska-Pipeline annahm. Anfang März '81, als Waterman gerade zu seiner letzten Reise aufbrach, ließ sich McCunn von einem Buschpiloten zu einem abgelegenen See in der Nähe des Coleen River fliegen, der ungefähr fünfundsiebzig Meilen nordwestlich von Fort Yukon am Südrand der Brooks Range liegt.

McCunn, ein fünfunddreißigjähriger Amateurfotograf, hatte gegenüber Freunden erklärt, daß er vor allem Tierfotos machen wolle. Er hatte fünfhundert Rollen Film, ein .22er und ein .30-.30er Gewehr dabei, des weiteren eine Schrotflinte und rund siebenhundert Kilo Verpflegung. Geplant war ein Aufenthalt bis Ende August. Irgendwie versäumte er es jedoch, dem Piloten klarzumachen, daß er am Ende des Sommers wieder in die Zivilisation zurückgeflogen werden müsse. Eine Zerstreutheit, die McCunn das Leben kostete.

Mark Stoppel, ein junger Fairbanker, der mit McCunn neun Monate auf der Pipeline-Baustelle gearbeitet hatte, zeigte sich von diesem erstaunlichen Versäumnis wenig überrascht. Er hatte den schlaksigen Texaner in den neun Monaten vor dessen Trip in die Brooks Range recht gut kennengelernt.

»Carl war ein patenter Kerl. Er war sehr nett und allseits beliebt«, erinnert Stoppel sich. »Und er schien auch echt was auf dem Kasten zu haben. Aber er hatte auch eine Seite, die verträumt und weltfremd war. Und dann hat er auch was Schillerndes an sich gehabt, war auf Partys immer der letzte, der ging. Man konnte sich zwar absolut auf ihn verlassen, aber er hat die Sachen gerne aus dem Handgelenk geschüttelt und sich auf seine forsche Art verlassen. Nein, genaugenommen überrascht es mich gar nicht, daß Carl rausgezogen ist und vergessen hat, den Rückflug klarzumachen. Aber, ehrlich gesagt, überrascht mich kaum noch was. Mehrere meiner Freunde sind ertrunken oder ermordet worden oder durch merkwürdige Unfälle ums Leben gekommen. In Alaska gewöhnt man sich an die seltsamsten Dinge.«

Ende August, als die Tage kürzer wurden und die Luft in den Bergen der Brooks Range immer schneidender und herbstlicher, regten sich in McCunn allmählich Zweifel. Kein Flugzeug weit und breit in Sicht. »Vielleicht hätte ich doch besser vorausplanen und meinen Rückflug definitiv klarmachen sollen«, vertraute er seinem Tagebuch an, von dem größere Abschnitte nach seinem Tode in einer fünfteiligen Serie von Kris Capps im *Fairbanks Daily News Miner* veröffentlicht wurden. »Es wird sich ja bald zeigen.«

Mit jeder Woche, die verging, spürte er den nahenden Winter. Als seine Nahrungsvorräte langsam zur Neige gingen, bereute McCunn bitterlich, daß er seine Schrotpatronen bis auf ein restliches Dutzend in den See geworfen hatte. »Ich muß ständig an die ganze Schrotmunition denken, die ich vor zwei Monaten weggeworfen habe«, schreibt er. »Hatte fünf Schachteln, und als ich sie immer so vor mir liegen sah, kam ich mir ziemlich albern vor, daß ich soviel mitgeschleppt habe. (Kam mir wie ein Waffenhändler vor.) ... Toller Schachzug. Wer hätte gedacht, daß ich sie eines Tages fürs nackte Überleben brauchen würde.«

Dann, an einem frischen Septembermorgen, schien die Rettung nahe. McCunn war mit seinen letzten Patronen auf Entenjagd gegangen. Plötzlich wurde die Stille von dem Brummen eines Flugzeugs durchbrochen, das bald darauf direkt über ihm erschien. Der Pilot entdeckte McCunns Lager und umkreiste es zweimal im Tiefflug, offensichtlich, um es sich genauer anzusehen. McCunn winkte und wedelte aufgeregt mit einem fluoreszierenden, orangefarbigen Schlafsacküberzug. Die Maschine hatte Räder und kein Schwimmgestell und konnte daher nicht landen. Aber McCunn zweifelte keinen Augenblick daran, gesichtet worden zu sein, und war überzeugt, daß man nun ein Wasserflugzeug nach ihm aussenden würde. Er war so sicher, schrieb er in sein Tagebuch, daß »ich, nachdem die Maschine mich das erste Mal überflogen hatte, aufhörte zu winken. Gleich darauf räumte ich meine Sachen zusammen und bereitete alles für den Aufbruch vor.«

Doch an jenem Tag sollte sich kein Flugzeug mehr blikken lassen, und auch an den folgenden Tagen nicht. Als er sich dann später einmal zufällig die Rückseite seiner Jagdlizenz ansah, wurde ihm schlagartig klar, warum. Auf dem kleinen, viereckigen Stück Papier waren die Bodensignale zur Verständigung mit Flugzeugen abgebildet. »Soweit ich weiß, hatte ich die rechte Hand etwa in Schulterhöhe gehoben, und als mich die Maschine das zweite Mal überflog, reckte ich ihr die geballte Faust entgegen«, schrieb McCunn. »Als Zeichen des Jubels – wie beim Football, wenn dein Team einen Touchdown oder so was erzielt.« Unglücklicherweise ist jedoch, wie er nun zu spät entdeckte, ein einzelner erhobener Arm das weltweit gültige Zeichen für »Alles O.K., keine Hilfe nötig.« Das Signal für »SOS, sofort Hilfe schicken« dagegen sind zwei erhobene Arme.

»Das wird wohl der Grund dafür sein, daß die Leute, als sie praktisch schon davongeflogen waren, wieder zurückgekehrt sind, um wirklich sicherzugehen. Aber da habe ich überhaupt nichts mehr signalisiert (wenn ich mich recht erinnere, hatte ich mich sogar bereits umgedreht)«, sinnierte McCunn gleichmütig. »Wahrscheinlich haben sie mich als Verrückten abgeschrieben.«

Ende September war der See zugefroren, und die Tundra verschwand unter einer dicken Schneeschicht. Die Vorräte schrumpften weiter, und er machte sich nun daran, Hagebutten zu sammeln und Hasenfallen aufzustellen. Einmal hatte er Glück. Ein krankes Karibu war in den See gewandert und gestorben. Er zog das Tier an Land und schlachtete es aus. Spätestens im Oktober jedoch waren die Fettreserven seines Körpers so gut wie aufgezehrt, und er schaffte es kaum mehr, sich während der langen, eiskalten Nächte warmzuhalten. »Mittlerweile wird ja wohl irgend jemand zu Hause gemerkt haben, daß etwas nicht stimmt, daß ich immer noch nicht zurück bin«, schrieb er. Aber noch immer tauchte kein Flugzeug auf.

»Das ist typisch Carl, anzunehmen, daß jemand wie durch Zauber auftaucht und ihn rettet«, meint Stoppel. »Er war Fahrer – Lastwagenfahrer –, das heißt, er hatte sehr viel Leerlauf, wo nichts passierte und er bloß in seinem Brummi rumgesessen ist und mit offenen Augen geträumt hat. So ist er auch auf die Idee mit dem Trip in die Brooks Range gekommen. Für ihn war es ein todernstes Unternehmen: er hat mehr als ein halbes Jahr drüber nachgedacht, geplant und hin und her überlegt. In den Mittagspausen haben wir uns darüber unterhalten, was er an Ausrüstung mitnehmen soll. Er hat zwar alles haarklein vorbereitet, aber andererseits gab er sich auch den verrücktesten Träumereien hin.

Zum Beispiel«, fährt Stoppel fort, »wollte Carl nicht allein in die Wildnis gehen. Sein großer Traum war ursprünglich, mit irgendeiner Schönheit in der Einsamkeit der Natur zu leben. Von den Mädchen, die mit uns gearbeitet haben, hatte er mehr als nur eine im Auge und er hat richtig viel Zeit und Energie darauf verwendet, Sue oder Barbara oder wen auch immer dazu zu überreden, mitzukommen – was an sich schon reines Wunschdenken war. In der Hinsicht lief nämlich bei uns rein gar nichts. Ich meine, in dem Pipeline-Camp, in dem wir waren, Pumpstation 7, kam auf ungefähr vierzig Männer eine Frau. Aber Carl war eben ein Träumer, und bis zum Schluß hat er gehofft und gehofft, daß eins der Mädchen sich's anders überlegt und doch noch mitkommt.

Genauso«, erklärt Stoppel, »war Carl der Typ, der so unrealistisch ist und denkt, daß jemand schon merken wird, Carl ist in Schwierigkeiten und man muß ihn da rausholen. Wahrscheinlich hat er sogar noch geglaubt, als er schon am Verhungern war, daß Big Sue im letzten Moment vorbeigeflogen kommt, das Flugzeug randvoll mit Fressalien, und endlich diese heiße Romanze mit ihm hat. Seine Phantasiewelt war so was von abgedreht, daß die Leute einfach nichts damit anfangen konnten. Carl ist einfach nur immer hungriger geworden. Als es ihm endlich dämmerte, daß niemand kommen wird, um ihn zu retten, war er bereits zu geschwächt, um sich selbst zu retten.«

Als McCunns Verpflegungsvorräte so gut wie aufgebraucht waren, schrieb er ins Tagebuch: »Ich fange an, mir ernsthaft Sorgen zu machen. Um die Wahrheit zu sagen, langsam krieg ich's mit der Angst zu tun.« Das Thermometer war auf minus zwanzig Grad Celsius gefallen. An Fingern und Zehen bildeten sich schmerzhafte, eitrige Frostbeulen.

Im November verbrauchte er seine letzte Ration. Er fühlte sich schwach und schwindlig. Immer wieder wurde sein abgezehrter Körper von Kälteschauern durchzuckt. In seinem Tagebuch heißt es: »Hände und Nase werden immer schlimmer, und auch die Füße. Nasenspitze dick angeschwollen, voller Blasen und schorfig... Eine langsame, quälende Art zu sterben, soviel ist sicher.« McCunn erwog, sein Lager zu verlassen und sich zu Fuß nach Fort Yukon aufzumachen. Schließlich setzte sich jedoch bei ihm die Einsicht durch, daß er zu schwach sei und unterwegs vor Erschöpfung und Kälte zusammenbrechen würde.

»Die Gegend, wo Carl hin ist, ist ein abgelegener, völlig unerschlossener Teil Alaskas«, meint Stoppel. »Im Winter wird's da eiskalt. Manche Leute in seiner Situation hätten irgendwie einen Weg gefunden, rauszuwandern oder vielleicht zu überwintern, aber dazu muß man schon sehr findig sein. Dazu muß man wirklich auf Draht sein. Man muß wie ein Tiger sein, wie ein Killer, eine halbe Bestie. Und Carl war für so was viel zu weich. Er war ein Party-Typ.«

»Ich fürchte, ich kann so nicht weitermachen«, schrieb McCunn irgendwann Ende November auf eine der letzten Seiten seines Tagebuchs, das mittlerweile einhundert blaulinierte Notizblockseiten füllte. »Lieber Gott, der du bist im Himmel, bitte vergib mir meine Schwäche und meine Sünden. Bitte beschütze meine Familie.« Und dann legte er sich in seinem Steilwandzelt zurück, hielt die Mündung des .30-.30ers an die Schläfe und riß mit dem Daumen den Abzug nach unten. Zwei Monate später, am 2. Februar 1982, stießen zwei Alaska State Troopers auf die Lagerstelle. Als sie einen Blick ins Zelt warfen, entdeckten sie die ausgezehrte, steinhart gefrorene Leiche.

Zwischen Rosellini, Waterman, McCunn und auch McCandless gibt es Ähnlichkeiten. Wie Rosellini und Waterman war McCandless ein Suchender, und wie auf sie übte die Wildnis eine weltferne Faszination auf ihn aus. Wie Waterman und McCunn legte er einen erschütternden Mangel an gesundem Menschenverstand an den Tag. Aber McCandless war im Unterschied zu Waterman nicht geistesgestört. Und anders als McCunn ging er nicht in dem Glauben in die Wildnis, daß schon irgend jemand auftauchen würde, um ihn zu retten, falls etwas schieflaufen sollte.

McCandless paßt nicht so recht ins stereotype Bild des Opfers der Wildnis. Auch wenn er zu überstürzten Entscheidungen neigte, von den schwierigen Lebensbedingungen im Landesinnern keine Ahnung hatte und achtlos bis zur Tollkühnheit war: ein Dilettant war er nicht – sonst hätte er wohl kaum einhundertdreizehn Tage durchgehalten. Und er war kein durchgeknallter Spinner, kein Soziopath, kein ausgestoßener Sonderling. McCandless war etwas anderes – was genau, ist schwierig zu sagen. Vielleicht ein Pilger.

Um Chris McCandless' tragisches Ende besser zu verstehen, lohnt es sich vielleicht, sich mit einigen seiner Vorläufer zu beschäftigen, Menschen, die aus demselben, exotischen Holz geschnitzt waren wie er. Und dazu muß man einen Blick über Alaska hinaus wagen, zu den kahlen Canyons des südlichen Utah. Im Jahre 1934 zog dort ein seltsamer zweiundzwanzigjähriger Junge in die Wüste aus und kehrte nie wieder zurück. Er hieß Everett Ruess.

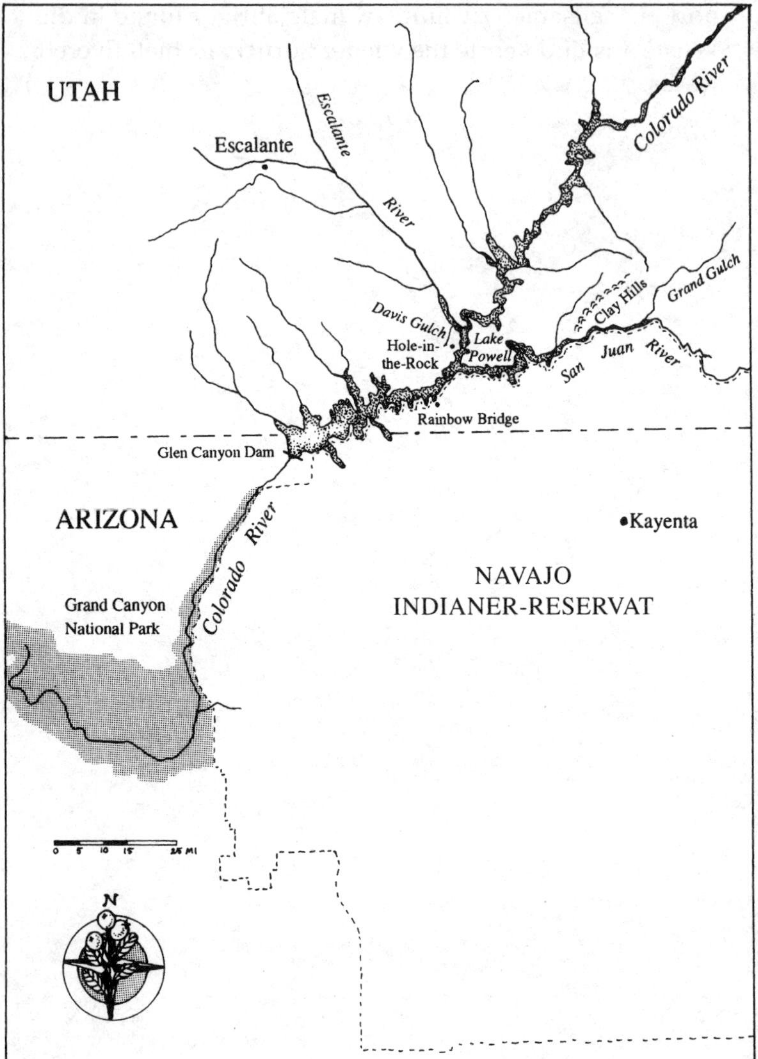
UTAH
Escalante
Escalante River
Colorado River
Grand Gulch
Clay Hills
Davis Gulch
Hole-in-the-Rock
Lake Powell
San Juan River
Rainbow Bridge
Glen Canyon Dam
ARIZONA
Colorado River
Kayenta
NAVAJO
INDIANER-RESERVAT
Grand Canyon
National Park
0 5 10 15 25 MI
N
M Davidson

Die Davis-Schlucht

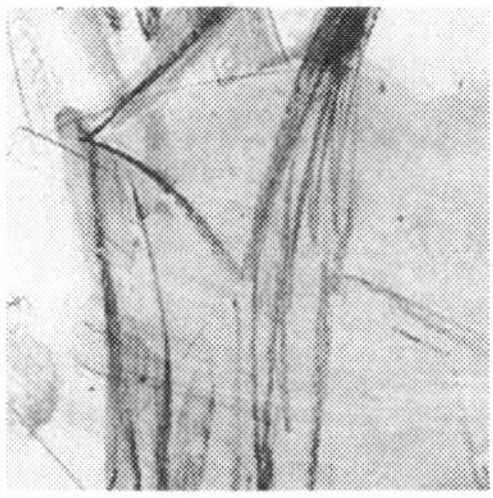

KAPITEL NEUN

Du fragst, wann ich meinen nächsten Abstecher in die zivilisierte Welt machen werde. Nun, ich glaube nicht, daß dies sehr bald sein wird. Ich bin der Wildnis noch lange nicht überdrüssig, genieße vielmehr ihre Schönheit und das Wanderleben, das ich führe, mit jedem neuen Tag mehr. Ich sitze tausendmal lieber im Sattel als in der Trambahn, und auf ein Dach über dem Kopf verzichte ich gern, wenn ich nur unter einem besternten Himmel sitzen darf; der einsame, unwegsame Trail, der mich an einen unbekannten Ort führt, reizt mich mehr als jeder asphaltierte Highway, und auch bin ich lieber vom tiefen Frieden der Wildnis umgeben als von der Unzufriedenheit, die in den Städten herrscht. Kannst Du es mir verübeln, wenn ich bleibe, wo ich mich heimisch fühle, wo ich eins bin mit der Welt um mich herum? Es ist wahr, mir fehlt zuweilen der gute Freund, das geistreiche Gespräch. Doch es gibt kaum jemanden, mit dem ich mich über die Erlebnisse, die mir soviel bedeuten, austauschen könnte. Ich habe daher längst gelernt, darauf zu verzichten. Es reicht mir vollkommen, von Schönheit umgeben zu sein …

Auch wenn Du's mir nur flüchtig geschildert hast, weiß ich, daß ich den Trott und die Eintönigkeit des Lebens, das Du zu führen gezwungen bist, nicht einen Tag aushalten könnte. Ich kann mir nicht vorstellen, meinem Wanderleben jemals abzuschwören. Ich bin zu tief in die Geheimnisse des Lebens vorgedrungen und würde so ziemlich alles einer Rückkehr ins Leben der Mittelmäßigkeit vorziehen.

DER LETZTE BRIEF VON
EVERETT RUESS AN SEINEN BRUDER WALDO
VOM 11. NOVEMBER 1934

Everett Ruess hatte die Suche nach Schönheit zum Lebensinhalt erkoren. Sein Verständnis von Schönheit war dabei von einer naiven Romantik bestimmt, und der eine oder andere mag vielleicht über die Übertriebenheit seiner Schönheitsverehrung lächeln, wenn da nicht die einzigartige Hingabe wäre, mit der er sie betrieb. Ästhetizismus als Salonpose ist lächerlich und grenzt ans Obszöne; als Lebensform erlangt sie jedoch zuweilen Würde. Wenn wir Everett Ruess verlachen, so ist John Muir ebenso lächerlich, denn abgesehen vom Alter besteht zwischen den beiden kaum ein Unterschied.

WALLACE STEGNER,
»MORMON COUNTRY«

❖

Der Davis-Creek ist ein Großteil des Jahres über nur ein Rinnsal, und manchmal nicht einmal das. Am Fuße einer hochaufragenden Felswand entspringend, dem sogenannten Fiftymile Point, schlängelt er sich durch die rosa schimmernden Sandsteintafeln Süd-Utahs. Nach nur vier Meilen mündet er in aller Bescheidenheit in den Lake Powell, die gigantische Talsperre, die sich vom Glen-Canyon-Damm aus einhundertneunzig Meilen weit in

Richtung Norden erstreckt. Die schlitzförmige Davis-Schlucht, die der Creek durchfließt, ist eine winzige, aber reizvolle Wasserscheide. Das Gelände ist verdorrt und unwegsam, und seit Jahrhunderten verläßt sich der Durchreisende auf die fruchtbare Oase, die sich tief unten in der Schlucht verborgen hält. Gespenstische, neunhundert Jahre alte Felszeichnungen und Hieroglyphen schmücken die Steilwände. In geschützten Nischen liegen zerfallene Felsbehausungen des längst verschwundenen Kayenta-Anasazi-Stamms versteckt, den Schöpfern der Zeichnungen. Im Sand finden sich noch alte Tonscherben der Anasazi, vermischt mit rostigen, achtlos beiseite geworfenen Konservendosen der Viehhüter, die um die Jahrhundertwende im Canyon ihr Vieh weideten und tränkten.

Die Schlucht ist verhältnismäßig kurz. Wie eine tiefe, klaffende Wunde windet sie sich durch das glatte Felsgestein. An manchen Stellen wird sie so eng, daß man über sie hinwegspucken könnte. Überall vereiteln Felsvorsprünge einen Abstieg in den Creek. Am unteren Ende der Schlucht, unweit der Mündungsstelle am Lake Powell, gibt es jedoch einen verborgenen Pfad, eine natürliche abschüssige Rampe, die in Serpentinen den Westrand des Canyons hinunterführt. Sie endet ein Stück oberhalb der Wasserrinne und geht in eine holprige Treppe über, die vor fast einem Jahrhundert von mormonischen Viehhütern in den weichen Sandstein gemeißelt wurde.

Die Landschaft um die Schlucht herum ist von nacktem Fels und ziegelrotem Sand geprägt. Der Pflanzenwuchs ist spärlich. Es gibt praktisch keinen Schutz vor der sengenden Sonne. Wer jedoch in den Canyon hinabsteigt, sieht sich urplötzlich in eine andere Welt versetzt. Pappeln beugen sich anmutig über blühende Kakteengruppen. Hochaufgeschossene Gräser wiegen sich im Wind. Die kurzlebige Blüte einer Mormonentulpe lugt unter einem dreißig Meter hohen Felsbogen hervor, und das klagende Zwitschern von Zaunkönigen weht aus dichtbelaubten Zwergeichen herüber. Moosbeete und saftig grüne Büschel von herabhängendem Frauenhaar gedeihen an dem feuchten Lauf einer kleinen Quelle, die hoch oben der Felswand entspringt.

In diesem bezaubernden Refugium, knapp eine Meile von der Stelle, an der die Treppenstufen zu dem Talgrund aufschließen, ritzte vor sechs Jahrzehnten der damals zwanzigjährige Everett Ruess unter einer Felstafel mit Hieroglyphen der Anasazi sein Schriftstellerpseudonym in die Steilwand des Canyons, genau so wie an den Eingang zu einer kleinen Steinhütte, die von den Anasazi zur Getreidelagerung errichtet worden war. »NEMO 1934«, kritzelte er. Zweifellos folgte er dabei demselben Impuls, aus dem heraus Chris McCandless »Alexander Supertramp/May 1992« auf den Bus am Sushana schrieb – ein Impuls, der sich vielleicht gar nicht so stark unterscheidet von dem, der die Anasazi-Indianer dazu bewog, das Felsgestein mit ihren mittlerweile nicht mehr entzifferbaren Symbolen zu schmücken. Wie auch immer, kurz nachdem Ruess sein Signum in den Sandstein geritzt hatte, verließ er die Davis-Schlucht und verschwand auf rätselhafte Weise. Sein Verschwinden war offenbar von ihm selbst geplant worden. Eine großangelegte Suchaktion ergab keinerlei Aufschlüsse über sein Verbleiben. Er war einfach weg, von der Wüste verschluckt. Sechzig Jahre später wissen wir immer noch so gut wie nichts über das, was damals wirklich geschah.

Everett wurde 1914 als der jüngere von zwei Söhnen von Christopher und Stella Ruess in Oakland, Kalifornien, geboren. Christopher hatte Theologie in Harvard studiert und war gleichzeitig Dichter, Philosoph und Priester der Unitarian Church. Seinen Unterhalt verdiente er sich allerdings als Verwaltungsbeamter im kalifornischen Strafvollzug. Stella war eigenwillig, energiegeladen und allem Unkonventionellen zugetan. Sie hatte ausgeprägte künstlerische Ambitionen, und zwar sowohl für sich selber als auch für ihre Kinder. Auf eigene Kosten gab sie eine literarische Zeitschrift heraus, das *Ruess Quartette,* auf dessen Titelblatt die Familienmaxime prangte: »Preise den Tag«. Die vier waren eine verschworene Gemeinschaft, trotz oder gerade wegen ihres nomadischen Lebensstils. Sie zogen über Oakland nach Fresno und weiter nach Los Angeles. Von dort ging es nach Boston, dann nach Brooklyn, dann nach New Jersey und weiter nach Indiana, bis sie sich in Südkalifornien niederließen. Everett war vierzehn.

In Los Angeles besuchte Everett die Otis Art School und die Hollywood-High-School. Er war sechzehn, als er zu seinem ersten langen Alleintrip aufbrach und im Sommer 1930 durch Yosemite und Big Sur trampte, wobei er schließlich in Carmel landete. Zwei Tage nachdem er dort angekommen war, klopfte er in munterer Respektlosigkeit an die Tür Edward Westons, der vom Charme des rast- und ruhelosen jungen Mannes so eingenommen war, daß er ihn bei sich aufnahm. In den nächsten zwei Monaten bestärkte der berühmte Fotograf den Jungen in seinen noch etwas holprigen, jedoch vielversprechenden Mal- und Holzschnittversuchen. Ruess durfte sich mit Westons Söhnen, Neil und Cole, im Studio herumtreiben.

Als der Sommer zu Ende war, kehrte Everett nach Hause zurück, allerdings nur, um schnell die High School abzuschließen. Im Januar 1931 erhielt er sein Abschlußzeugnis, und einen knappen Monat später war er schon wieder unterwegs. Er reiste allein durch die Canyon-Gebiete von Utah, Arizona und New Mexiko, das damals beinahe ebenso spärlich besiedelt und sagenumwoben war wie Alaska heute. Abgesehen von einem kurzen, nicht sehr glücklichen Zwischenspiel an der University of California in Los Angeles (nach nur einem Semester stieg er zum ewigen Bedauern seines Vaters wieder aus), zwei längeren Besuchen bei seinen Eltern und einem in San Francisco ausgesessenen Winter (wo es ihm gelang, sich in den Kreis um Dorothea Lange, Ansel Adams und dem Maler Maynard Dixon einzuschmuggeln) sollte er den Rest seiner kurzen, sternschnuppenhaften Existenz auf Reisen verbringen. Er lebte aus seinem Rucksack, hatte kaum Geld, schlief im Dreck und überlebte oft tagelang ohne Nahrung, was seiner guten Laune jedoch keinen Abbruch tat.

Ruess war, wie Wallace Stegner es ausdrückte, »ein Romantiker, jung und unerfahren, ein jugendlicher Ästhet, ein atavistischer Wanderer der Wüsten«:

Mit achtzehn hatte er einen Traum. Er sah sich, wie er sich durch Dschungelgebiete schleppte, sich an den Klippen der Felswände hochhangelte und die romantischen Einöden dieser Erde durchwanderte. Jedem Mann, der noch die Säfte der Jugend in sich verspürt, sind solche Träume unvergeßlich. Das Besondere an Everett Ruess ist, daß er auszog und genau das, wovon er träumte, auch tat, und zwar nicht im Rahmen eines zweiwöchigen Urlaubs in gezähmten und veredelten Wunderparadiesen, sondern inmitten des wahren Wunders selbst …

Freiwillig setzte er sich horrenden Qualen aus, überforderte seinen Körper und testete seine Ausdauer. Stets entschied er sich für Trails, vor denen Indianer oder ältere Einwohner der Gegend ihn warnten. Er kletterte in Steilwände, die ihn mehr als nur einmal zwischen den Geröllhaufen am Boden und dem rettenden Rand baumeln ließen … Von seinen Lagerplätzen an den Wasserstellen, in den Canyons oder hoch oben auf dem bewaldeten Kamm des Navajo Mountain schrieb er lange, phantasievolle und überschwengliche Briefe an seine Familie und seine Freunde, in denen er die stereotypen Lebensweisen der Zivilisation verfluchte und der Welt seinen barbarischen, jugendlichen Übermut ins Gesicht schmetterte.

Ruess produzierte solche Briefe am laufenden Band. Sie trugen die Poststempel der abgelegensten Siedlungen, die er durchstreift hatte: Kayenta, Chinle, Lukachukai; Zion Canyon, Grand Canyon, Mesa Verda; Escalante, Rainbow Bridge, Canyon de Chelly. Dem Leser dieser Briefe (sie finden sich in gesammelter Form in W. L. Rushos sorgfältig recherchierter Biographie, »Everett Ruess: A Vagabond for Beauty«) wird die starke Sehnsucht Ruess' nach einer innigen Verbindung mit der Natur auffallen sowie seine gleichsam trotzige Leidenschaft für das Land, das er durchstreifte. »Seit meinem letzten Brief an Dich hatte ich ein paar phantastische Erlebnisse in der Wildnis – ergreifend, überwältigend«, schwärmte er gegenüber seinem Freund Cornel Tengel. »Aber ich bin ja ständig überwältigt. Ich brauche dieses Gefühl wie die Luft zum Atmen.«

Die Briefe lassen geradezu gespenstische Parallelen zwischen Ruess und Chris McCandless erkennen. Es folgen Auszüge aus drei Ruess-Briefen:

Mehr und mehr komme ich zu der Überzeugung, daß ich dazu bestimmt bin, ein einsamer Wanderer der Wildnis zu bleiben. Gott, welch verführerische Macht der Trail doch auf mich ausübt. Du kannst die unwiderstehliche Faszination, die von ihm ausgeht, nicht nachvollziehen. Schließlich ist der einsame Trail auch der beste ... Ich werde ewig weiterwandern. Und wenn meine Zeit gekommen ist und der Tod naht, werde ich den abgelegensten, einsamsten, verlassensten Ort aufsuchen.

Die Schönheit dieses Landes wird allmählich zu einem Teil meiner selbst. Ich fühle mich dem Leben entrückter, bin irgendwie sanfter und gütiger geworden … Ich habe hier ein paar gute Freunde, aber niemanden, der wirklich begreift, warum ich hier bin oder was ich mache, und es gibt auch niemanden, der mich mehr als nur teilweise versteht. Ich bin zu lange allein gegangen.

Das Leben, wie die meisten Leute es führen, hat mich noch nie befriedigt. Schon seit ich denken kann, sehne ich mich nach einem intensiveren, reicheren Leben.

Die Risiken und Abenteuer auf meinen Wanderungen in diesem Jahr waren wilder und aufregender denn je. Und was für gewaltige Landschaften ich sehen durfte – riesige, ungezähmte Einöden, vergessene Hochlandregionen, blaue Bergmassive, die aus orange schimmerndem Wüstensand aufragen, ein Meter fünfzig breite Canyons, die über hundert Meter tief waren. Wolkenbrüche, die sich über namenlose Canyons ergossen, und Hunderte von Felsbehausungen, die vor eintausend Jahren verlassen wurden.

Ein halbes Jahrhundert später ähneln McCandless' Worte auf unheimliche Weise denen von Ruess, wenn er in einer Postkarte an Wayne Westerberg erklärt, daß er beschlossen habe, »dieses Leben noch eine ganze Weile fortzusetzen. Die Freiheit und die schlichte Schönheit daran sind einfach zu verlockend.« Und auch in McCandless' letztem Brief an Ronald Franz [siehe Seite 87–90] finden sich Anklänge an Ruess.

Ruess war genau so ein Romantiker wie McCandless, wenn nicht sogar stärker, und genau wie McCandless pfiff er auf die Gefahr. Clayborn Lockett, ein Archäologe, für den Ruess bei Ausgrabungsarbeiten der Anasazi-Felsbehausungen vorübergehend als Koch arbeitete, erklärte

Rusho gegenüber, daß er »entsetzt war über die unbekümmerte Art, an den gefährlichsten Felswänden herumzuturnen«.

Tatsächlich prahlt Ruess in einem seiner Briefe stolz: »Hunderte Male habe ich mein Leben auf der Suche nach Wasser oder einer verlassenen Felshöhle brüchigem Sandstein und mehr oder weniger senkrechten Steilhängen anvertraut. Zweimal wäre ich beinahe von den Hörnern eines wilden Stieres durchbohrt worden. Aber bis jetzt bin ich immer ungeschoren davongekommen und ins nächste Abenteuer aufgebrochen.« Und in seinem letzten Brief gesteht Ruess seinem Bruder lässig:

Manchmal ist es ganz schön knapp geworden, wenn mal wieder eine Klapperschlange vor mir auftauchte oder ich an einem von diesen bröckeligen Steilhängen hing. Das letzte Desaster ist mir passiert, als Chocolatero [sein Packesel] einen Bienenschwarm in Aufruhr versetzte. Ein paar Stiche mehr, und ich hätte es nicht überlebt. Drei oder vier Tage lang konnte ich weder die Augen öffnen noch die Hände bewegen.

Wie McCandless ließ auch Ruess sich nicht von körperlichen Schmerzen abschrecken. Teilweise hat man sogar den Eindruck, daß er sie gerne in Kauf nahm. »Seit nunmehr sechs Tagen leide ich unter den schrecklichsten Qualen. Ich bin, wie alle sechs Monate, mit Giftsumach in Berührung gekommen – ein Ende meiner Qualen ist nicht abzusehen«, erzählt er seinem Freund Bill Jacobs. Er fährt fort:

Zwei Tage lang wußte ich nicht, ob ich nun tot oder lebendig bin. Ich wand und krümmte mich in der brütenden Hitze, während Fliegen und ganze Heerscharen von Ameisen auf mir herumkrabbelten. Die Entzündungen im Gesicht, an den Armen und auf dem Rücken eiterten und verkrusteten. Ich konnte nichts essen – mir blieb nichts anderes übrig, als alles stoisch über mich ergehen zu lassen.

Es erwischt mich jedesmal, aber so schnell lasse ich mich aus den Wäldern nicht vertreiben.

Und wie McCandless legte sich auch Ruess auf seiner letzten Odyssee einen neuen Namen beziehungsweise eine ganze Reihe neuer Namen zu. In einem Brief vom 1. März 1931 setzt er seine Familie davon in Kenntnis, daß er sich von nun an Lan Rameau nennt und bittet sie, »meinen Plüschnamen... oder was sagt man auf französisch? *Nomme de plusse,* oder wie?« zu respektieren. Zwei Monate später jedoch verkündet er in einem anderen Brief, daß »ich meinen Namen erneut geändert habe. Ich heiße jetzt Evert Rulan. Die, die mich noch von früher kennen, fanden mein erstes Pseudonym zu spleenig und französisiert.« Und im August desselben Jahres nennt er sich ohne nähere Erklärung wieder Everett Ruess und bleibt auch dabei – bis zu dem Tag, an dem er in die Davis-Schlucht absteigt. Aus irgendwelchen unergründlichen Motiven ritzte er an zwei Stellen *Nemo* – lateinisch für »niemand« – in den weichen Navajo-Sandstein, um dann spurlos zu verschwinden. Er war zwanzig Jahre alt.

Seine letzten Briefe waren am 11. November 1934 in Escalante abgestempelt worden, einer Mormonensiedlung siebenundfünfzig Meilen nördlich der Davis-Schlucht. Sie waren an seine Eltern und seinen Bruder adressiert, und Ruess deutete darin kurz an, daß er »ein, zwei Monate lang« jegliche Verbindung zur Außenwelt abbrechen wolle. Acht Tage nachdem er sie abgeschickt hatte, begegnete Ruess ungefähr eine Meile von der Schlucht entfernt zwei Schafhirten und verbrachte mit ihnen zwei Tage an ihrem Lagerplatz. Die Männer waren die letzten Menschen, die den Jungen nachweislich lebend gesehen haben.

Etwa drei Monate nachdem Ruess Escalante verlassen hatte, erhielten seine Eltern ein Bündel ungeöffneter Briefe, das von der Post in Marble Canyon, Arizona, an sie weitergeleitet worden war, da Ruess die Stadt schon längst passiert haben sollte. Um ihren Sohn besorgt, setzten Christopher und Stella Ruess sich mit den Behörden von Escalante in Verbindung, die Anfang März 1935 einen Suchtrupp auf die Beine stellten. Sie begannen beim Hirtenlager, wo Ruess zuletzt gesehen worden war, und durchkämmten von dort aus die gesamte Umgebung. Schon bald stießen sie auf Everetts zwei Packesel, die in der Davis-Schlucht in einem aus Gestrüpp und Ästen improvisierten Pferch zufrieden vor sich hin grasten.

Die Esel befanden sich im oberen Teil des Canyons, etwas stromaufwärts von der Stelle, wo die Mormonentreppe zu der Canyon-Sohle aufschließt. Ein Stück weiter stromabwärts fand der Suchtrupp Überreste eines eindeutig von Ruess angelegten Lagers, und am Eingang eines Getreidespeichers der Anasazi, unter einem prächtigen, natürlichen Felsbogen, stießen sie auf die in eine Felsplatte geritzte Inschrift »NEMO 1934«. Auf einem nahegelegenen Felsen standen sorgfältig arrangiert vier Anasazi-Töpfe. Drei Monate später stieß ein weiterer Suchtrupp etwas tiefer in die Schlucht auf eine zweite in Stein gekratzte Nemo-Inschrift (beide Inschriften sind nicht mehr vorhanden; nach Fertigstellung des Glen Canyon-Dammes im Jahre 1963 wurden sie von den Fluten des sich allmählich füllenden Lake Powell ausgewaschen). Abgesehen von den Packeseln und dem Zaumzeug mit den Gepäcktaschen konnte jedoch nichts von Ruess' Habseligkeiten – seine Camping-Utensilien, Tagebücher und Malereien – gefunden werden.

Es wird allgemein angenommen, daß Ruess bei dem Versuch, in einem der Canyons eine Steilwand zu erklimmen, in den Tod gestürzt ist. In Anbetracht der tückischen topographischen Beschaffenheit der Gegend (die meisten Schluchten dieser Region sind aus brüchigem, die Erosion begünstigenden Navajo-Sandstein geformt) und Ruess' Vorliebe zu gefährlichen Klettertouren ist dies eine durchaus einleuchtende Erklärung. Dennoch konnten bei ausgedehnten Suchexpeditionen zu den Steilhängen in näherer und weiterer Umgebung keine menschlichen Gebeine ausfindig gemacht werden.

Und wie will man die Tatsache erklären, daß Ruess die Schlucht allem Anschein nach mit seiner gesamten schweren Ausrüstung, jedoch ohne seine Packesel verlassen hat? Diese verblüffenden Umstände haben manch einen, der dem Fall nachspürte, zu der Schlußfolgerung veranlaßt, daß Ruess von einer Viehdiebbande ermordet wurde, die sich zu jener Zeit bekanntermaßen in der Gegend herumtrieb. Anschließend hätten sie seine Habseligkeiten an sich genommen und seine Leiche vergraben oder in den Colorado River geworfen. Auch diese Theorie ist nicht von der Hand zu weisen; beweisen läßt sie sich jedoch nicht.

Kurz nach Everetts Verschwinden äußerte sein Vater die Vermutung, daß der Junge wahrscheinlich von Jules Vernes »Zwanzigtausend Meilen unterm Meer« dazu inspiriert worden war, sich Nemo zu nennen – ein Buch, das Everett viele Male gelesen hatte und in dem der wakkere Held, Kapitän Nemo, der Zivilisation entflieht und »auch die letzten Bande zur Erde« zerreißt. Everetts Biograph, W. L. Rusho, stimmt mit Christopher Ruess überein und meint weiter, daß Everetts »Rückzug aus der

Gesellschaft, seine Geringschätzung irdischer Vergnügen und das besagte NEMO-Signum in der Davis-Schlucht die Vermutung sehr nahelegen, daß er sich mit der Jules-Verne-Figur stark identifizierte«.

Die Tatsache, daß Ruess von Kapitän Nemo fasziniert war, nährte unter einer ganzen Reihe von Ruess-Mythographen die Spekulation, daß Everett, nachdem er die Davis-Schlucht verlassen hatte, der Welt einen Streich spielte, sich unter einem anderen Namen irgendwo niederließ und quicklebendig ist – oder war. Als ich vor einem Jahr gerade in Kingman, Arizona, meinen Pick-up auftankte, kam ich zufällig mit dem Tankwart, einem kleinen Mann mittleren Alters mit fahrigen Bewegungen und Bierschaum an den Mundwinkeln, ins Gespräch. Wir unterhielten uns über Ruess. Im Brustton der Überzeugung schwor er, daß er »jemanden kennt, der Ruess getroffen hat, hundert Pro«, und zwar in den späten Sechzigern in einer einsamen, erdbedeckten Indianerhütte im Navajo-Reservat. Dem Freund des Tankwarts zufolge war Ruess mit einer Navajo-Indianerin verheiratet, mit der er mindestens ein Kind großgezogen habe. Natürlich ist der Wahrheitsgehalt dieses und anderer Berichte, nach denen Ruess erst kürzlich gesichtet worden sei, höchst zweifelhaft.

Ken Sleight, der sich ebenfalls eingehend mit dem Rätsel Everett Ruess befaßte, ist überzeugt, daß der Junge 1934 oder Anfang 1935 starb. Darüber hinaus glaubt er zu wissen, wie Ruess ums Leben kam. Der fünfundsechzigjährige Sleight ist ein professioneller Flußführer und eine wahre Wüstenratte. Er stammt aus einer Mormonen-Familie und ist bekannt für seine Schnodderigkeit. Als Edward Abbey »The Monkey Wrench Gang« schrieb, einen Schelmenroman über Öko-Terrorismus in der Canyon-Region, nahm er angeblich Ken Sleight zum Vorbild für die Figur des Seldom Seen Smith. Sleight, der die Gegend seit vierzig Jahren sein Zuhause nennt, suchte sämtliche Orte auf, an denen Ruess sich aufgehalten hatte. Er unterhielt sich mit vielen Leuten, die Ruess mehr oder weniger gut kannten, und führte auch Ruess' älteren Bruder Waldo in die Davis-Schlucht, um den Ort von Everetts Verschwinden in Augenschein zu nehmen.

»Waldo glaubt, daß Everett ermordet worden ist«, erzählt Sleight. »Aber das glaub ich nicht. Ich hab zwei Jahre in Escalante gelebt und dort mit den Leuten geredet, die man beschuldigt, ihn umgebracht zu haben, und ich glaub einfach nicht, daß sie so was getan haben. Aber wer weiß? Man kann nie wirklich sagen, was jemand macht, sobald man ihm den Rücken zukehrt. Andere Leute meinen ja, Everett ist beim Klettern abgestürzt. Tja, möglich wär's. In der Gegend ist so was schneller passiert, als man denkt. Aber ich glaub nicht dran. Ich sag Ihnen, was ich glaube: Ich glaub, er ist ertrunken.«

Sleight hatte vor vielen Jahren ein weiteres Nemo-Signet entdeckt. Er war gerade den Grand Gulch entlanggewandert, einen Nebenfluß des San Juan River, etwa fünfundvierzig Meilen östlich der Davis-Schlucht. Der Name war in den weichen Mörtel eines Getreidespeichers der Anasazi geritzt worden. Sleight geht davon aus, daß Ruess es eingekerbt hat, kurz nachdem er aus der Davis-Schlucht fortgewandert war.

»Er hat die Esel eingepfercht«, meint Sleight, »und seine gesamten Sachen irgendwo in einer Höhle versteckt. Dann ist er losgezogen und hat Kapitän Nemo gespielt. Ruess hatte ein paar Freunde bei den Indianern vom Navajo-Reservat, und da ist er, glaub ich, hin.« Eine denkbare Route ins Navajo-Reservat hätte Ruess bei Hole-in-the-Rock über den Colorado River geführt, dann über einen felsigen, 1880 von Mormonen-Siedlern erkundeten

Trail durch die Wilson Mesa und über die Clay Hills, und schließlich am Grand Gulch entlang zum San Juan River, an dessen gegenüberliegendem Ufer das Reservat lag. »Everett hat sein Nemo in die Speicherruine im Grand Gulch geritzt, etwa eine halbe Meile von der Stelle, wo der Collins Creek mündet, und dann ist er am San Juan River entlang weitergewandert. Und als er versucht hat, ans andere Ufer zu schwimmen, ist er ertrunken. So, jetzt wissen Sie, was ich glaube.«

Nach Sleights Ansicht wäre es Ruess unmöglich gewesen, seine Anwesenheit im Reservat zu verbergen, wenn er es wirklich lebend erreicht hätte, »selbst dann, wenn er immer noch sein Nemo-Versteckspiel gespielt hätte. Everett war 'n Einzelgänger, aber, verdammt, er hat die Menschen viel zu sehr gemocht, um dort draußen zu bleiben und sich den Rest seines Lebens zu verstecken. Die meisten von uns sind so – ich bin so, Ed Abbey war so, und es sieht ganz so aus, als ob dieser McCandless-Bursche auch so war: Wir schätzen Freundschaft und all das, verstehen Sie, aber wenn wir zu lange unter Menschen sind, kriegen wir 'nen Koller. Wir verdünnisieren uns, kommen dann für 'ne Weile zurück, und dann verziehen wir uns wieder. So hat Everett es gemacht.

Everett war ein seltsamer Typ«, räumt Sleight ein. »Irgendwie anders. Aber er und McCandless – die beiden haben zumindest versucht, ihre Träume zu leben. Das ist das Großartige an ihnen. Sie haben es versucht. Das tun die wenigsten.«

Um Everett Ruess und Chris McCandless besser zu verstehen, mag es helfen, ihre Handlungen in einem größeren Zusammenhang zu betrachten. Es ist aufschlußreich, sich mit ihren Pendants zu beschäftigen, mit Menschen, die vor langer Zeit an einem fernen Ort lebten.

Vor der Südostküste Islands erhebt sich eine flache, dem Festland wie ein Wall vorgelagerte Insel namens Papós. Kahl, felsig und von heulenden Nordatlantikstürmen heimgesucht, bezieht sie ihren Namen von den ersten dort ansässigen Siedlern, den *papar* genannten irischen Mönchen, die von dort allerdings schon lange verschwunden sind. Als ich an einem Sommernachmittag den von Wind und Wetter zerklüfteten Strand der Insel entlangspazierte, stolperte ich über das Muttergestein von verwitterten, fest in den Tundraboden verankerten Rechtecken: Überreste der ehemaligen Behausungen der Mönche, die sogar noch einige hundert Jahre älter sind als die Anasazi-Ruinen in der Davis-Schlucht.

Die Mönche segelten oder ruderten von der Westküste Irlands herüber und gelangten bereits im fünften oder sechsten Jahrhundert auf die Insel. Sie stießen mit ihren sogenannten Coraclen in See, kleinen, offenen Booten aus Korb und darübergezogenen Rindshäuten, und überquerten eines der tückischsten Meeresgebiete der Welt. Sie hatten dabei nicht die leiseste Ahnung, ob sie auf der anderen Seite etwas erwartete, und wenn ja, was.

Die *papar* riskierten ihr Leben – und verloren es in ungezählten Scharen. Sie taten dies weder, um Reichtum und persönlichen Ruhm zu erlangen, noch um für irgendeinen Despoten Land in Besitz zu nehmen. Wie der große Polarforscher und Nobelpreisträger Fridtjof Nansen betont, waren »diese bemerkenswerten Reisen … hauptsächlich auf dem Wunsch begründet, menschenleere Gebiete ausfindig zu machen, an denen diese Einsiedler in Frieden leben konnten, fern vom Lärm und den Versuchungen der zivilisierten Welt.« Als im neunten Jahrhundert die ersten Norweger vor den Küsten Islands auftauchten, wurde es den *papar* zu eng – obwohl die Gegend immer noch so gut wie menschenleer war. Die Mönche reagierten prompt, stiegen in ihre Coraclen und ruderten in Richtung Grönland. Nur ein inneres Verlangen und eine Sehnsucht von derart seltsamer Intensität, die unser heutiges Vorstellungsvermögen übersteigt, trieben sie über den windgepeitschten Ozean, trieben sie nach Westen, über den Rand der alten und damals noch einzig bekannten Welt hinaus.

Wer über diese Mönche liest, wird unweigerlich von ihrem Mut, ihrer verwegenen Unschuld und ihrer großen Sehnsucht zutiefst berührt. Wer über diese Mönche liest, fühlt sich unwillkürlich an Everett Ruess und Chris McCandless erinnert.

Fairbanks

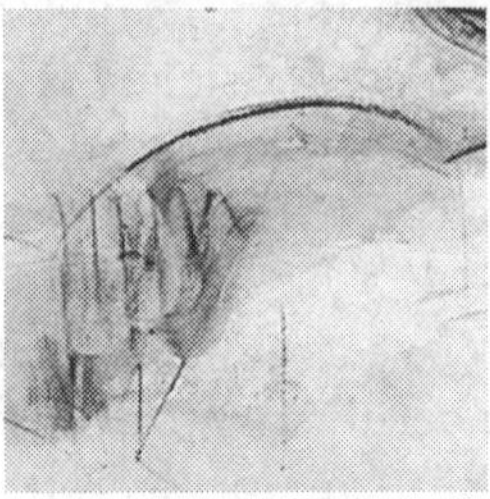

KAPITEL ZEHN

RUCKSACKREISENDER FÜHRT TAGEBUCH, WÄHREND ER IN DER WILDNIS STIRBT

ANCHORAGE, 12. *September (AP) – Am vergangenen Sonntag wurde in einem abgelegenen Waldlager im Landesinnern Alaskas ein junger Rucksackreisender tot aufgefunden. Eine Verletzung hatte ihn am Weiterkommen gehindert. Der Mann konnte bisher noch nicht identifiziert werden. Sein Tagebuch und zwei am Lager gefundene Zettel erzählen jedoch die bewegende Geschichte seines verzweifelten, von Tag zu Tag aussichtsloser werdenden Überlebenskampfes.*

Aus dem Tagebuch geht hervor, daß sich der Mann, ein etwa dreißig Jahre alter Amerikaner, vermutlich durch einen Sturz eine Verletzung zuzog und über drei Monate an sein Lager gefesselt war. Es beschreibt, wie er sich durch die Jagd und das Sammeln von Pflanzen und Früchten vor dem Verhungern zu bewahren suchte, und wie er trotz allem immer schwächer wurde.

Einer der beiden Zettel ist ein Hilferuf, den er schrieb, als er sich auf Nahrungssuche begeben mußte, und mit dem er auf sein Schicksal aufmerksam machen wollte. Auf dem zweiten Zettel verabschiedet er sich von der Welt …

Die am gerichtsmedizinischen Institut in Fairbanks durchgeführte Autopsie ergab, daß der Mann vermutlich Ende Juli verhungert ist. Die zuständigen Behörden entdeckten bei der Überprüfung der Sachen des Mannes einen Namen, von dem angenommen wird, daß es der des Toten ist. Da es bisher jedoch nicht gelungen ist, den Toten einwandfrei zu identifizieren, wird der Name von den Behörden weiterhin vertraulich behandelt.

THE NEW YORK TIMES,
13. SEPTEMBER 1992

❖

Als die *New York Times* sich der Geschichte des einsamen Wanderers annahm, hatten die Alaska State Troopers sich bereits seit einer Woche bemüht, die Identität der Leiche festzustellen. Der Tote trug ein blaues Sweatshirt mit dem Logo einer in Santa Barbara ansässigen Firma, einem Abschleppdienst mit dazugehörigem Schrotthandel, und als die Troopers dort nach McCandless fragten, wurde ihnen nur erklärt, daß man weder etwas über ihn wußte noch darüber, wie er an das T-Shirt gekommen war. Mit der Leiche war auch das kurze, zahlreiche Fragen aufwerfende Tagebuch sichergestellt worden. Bei vielen Einträgen handelte es sich um knappe, präzise Beobachtungen zu Flora und Fauna, was zu der Spekulation anregte, McCandless sei Naturbiologe gewesen. Aber auch diese Fährte führte letztlich in eine Sackgasse.

Am 10. September, drei Tage bevor die Nachricht von dem tot aufgefundenen Traveller in der *Times* erschien, kam die Geschichte auf die Titelseite der *Anchorage Daily News*. Als Jim Gallien die Schlagzeile und die dazugehörige Karte sah, aus der hervorging, daß die Leiche fünfundzwanzig Meilen westlich von Healy am Stampede Trail gefunden worden war, hielt er entsetzt den Atem an: Alex. In Gallien lebte noch immer die Erinnerung an das Bild des seltsamen, sympathischen Jugendlichen fort, der den Trail in zwei Nummern zu großen Stiefeln hinuntergeschritten war – Galliens Stiefeln, den alten, braunen extrastarken Gummistiefeln, die er dem Jungen mehr oder weniger hatte aufdrängen müssen. »Der Artikel hat, trotz der spärlichen Informationen, so geklungen, als ob es derselbe ist«, erzählt Gallien, »also hab ich die State Troopers angerufen und gesagt, ›Leute, ich glaub, den Jungen hab ich ein Stück per Anhalter mitgenommen.‹«

»O.k., verstanden«, erwiderte Trooper Roger Ellis am anderen Ende der Leitung. »Warum glauben Sie das? Sie sind mittlerweile der sechste innerhalb der letzten Stunde, der hier anruft und behauptet, er weiß, wer der Junge ist.« Aber Gallien ließ sich nicht beirren, und als er einige Details nennen konnte, schwand Ellis' anfängliche Skepsis. Gallien konnte Teile der Ausrüstung beschreiben, die sich bei der Leiche befanden und in dem Artikel nicht erwähnt waren. Und dann fiel Ellis der erste, kryptische Tagebucheintrag des Jungen wieder ein. Er lautete, »Exit Fairbanks. Gallien-Sitzung. Kaninchen Tag.«

Die Troopers hatten inzwischen den Film aus der Minolta des Jungen entwickeln lassen. Bei mehreren Bildern handelte es sich ganz offensichtlich um Selbstporträts. »Als sie die Fotos zu mir auf die Baustelle gebracht haben, auf der ich damals gearbeitet hab«, erzählt Gallien, »da gab es keinen Zweifel mehr. Der Junge auf dem Bild war Alex.«

Da McCandless Gallien erzählt hatte, er stamme aus South Dakota, verlagerten die Troopers ihre Suche nach den nächsten Verwandten unverzüglich dorthin. Eine

Suchmeldung an alle Polizeidienststellen führte auf die Spur eines Vermißten mit dem Namen McCandless aus dem Osten von South Dakota, der noch dazu zufälligerweise aus einer kleinen Stadt stammte, die nur zwanzig Meilen von Westerbergs Carthage entfernt lag. Eine Weile glaubten die Troopers, ihren Mann gefunden zu haben. Aber auch diese Fährte führte ins Nichts.

Westerberg hatte seit der Postkarte aus Fairbanks vom Frühjahr zuvor nichts mehr von jenem Freund, den er als Alex McCandless kannte, gehört. Als er nach viermonatiger Erntezeit in Montana am 13. September seine Mähdrescher-Kolonne nach Carthage zurückführte und einen leeren, endlosen Highway außerhalb von Jamestown hinunterrollte, schaltete sich plötzlich sein Funkgerät ein »Wayne!« rief die aufgeregte Stimme eines seiner Arbeiter aus den anderen Lastern. »Bob hier. Hast du dein Radio eingeschaltet?«

»Ja, Bobby. Hier Wayne. Was gibt's?«

»Schnell – schalt dein Radio ein und hör dir Paul Harvey an. Er quatscht gerade was von irgend 'nem Jungen, der in Alaska verhungert sein soll. Die Polizei weiß nicht, wer er ist. Hört sich verdammt nach Alex an.«

Westerberg fand den Sender gerade noch rechtzeitig, um das Ende der Paul-Harvey-Sendung mitzubekommen. Er mußte Bob wohl oder übel recht geben: die bruchstückhafte Beschreibung paßte beunruhigend genau auf seinen Freund.

In Carthage angekommen, rief ein niedergeschlagener Westerberg unverzüglich die Alaska State Troopers an und erzählte ihnen, was er über McCandless wußte. Inzwischen war jedoch in vielen Zeitungen des Landes ausführlich über den toten Traveller berichtet worden. Einige Zeitungen hatten sogar Auszüge seines Tagebuchs abgedruckt. Folglich erhielten die Troopers massenweise

Anrufe von Leuten, die alle behaupteten, den Jungen zu kennen, und waren noch kürzer angebunden als bei Galliens Anruf. »Der Bulle am Telefon hat gemeint, daß sie mittlerweile Anrufe von hundertfünfzig Leuten gehabt hätten, die geglaubt haben, Alex ist ihr Kind, ihr Freund, ihr Bruder«, erzählt Westerberg. »Na ja, jedenfalls ist er mir mit seiner Art ziemlich schnell auf den Sack gegangen und ich hab dem Typen gesagt: ›Hören Sie, ich bin nicht irgendein Spinner. Ich *weiß*, wer er ist. Er hat für mich gearbeitet. Wenn mich nicht alles täuscht, dann muß hier sogar irgendwo noch seine Sozialversicherungsnummer rumfliegen.‹«

Westerberg wühlte die Aktenordner vom Getreidesilo durch und fand schließlich zwei von McCandless ausgefüllte Steuerformulare. Auf dem einen, das noch von McCandless' allererstem Aufenthalt in Carthage 1990 stammte, hatte er oben drüber »Befreit Befreit Befreit Befreit« gekritzelt: Seinen Namen hatte er mit Iris Fucyu angegeben. Adresse: »Geht Euch nix an.« Sozialversicherungsnummer: »Hab ich vergessen.«

Aber auf dem zweiten Formular, das vom 30. März '92 stammte, also zwei Wochen vor seinem Aufbruch nach Alaska, hatte er seinen richtigen Namen angegeben: »Chris J. McCandless.« Und in dem Kästchen für die Sozialversicherungsnummer hatte er die Nummer »228-31-6704« eingetragen. Westerberg rief wieder in Alaska an. Diesmal nahmen die Troopers ihn ernst.

Wie sich herausstellte, war die Sozialversicherungsnummer echt: McCandless hatte einen ständigen Wohnsitz im Norden Virginias. Die Behörden in Alaska setzten sich mit den zuständigen Stellen in Virginia in Verbindung, die wiederum die Telefonbücher wälzten und nach Eintragungen unter dem Namen McCandless suchten. Walt und Billie McCandless waren inzwischen an die

Küste von Maryland gezogen und somit aus den Verzeichnissen gestrichen worden. Aber Walts ältester Sohn aus seiner ersten Ehe wohnte in Annandale und stand im Telefonbuch. Am späten Nachmittag des 17. September erhielt Sam McCandless einen Anruf von einem Kommissar der Fairfax-County-Mordkommission.

Sam, der neun Jahre älter als Chris war, hatte ein paar Tage zuvor in der *Washington Post* einen kurzen Artikel über den Traveller gelesen. Wie er zugibt, wäre ihm jedoch nie in den Sinn gekommen, »daß der junge Wanderer vielleicht Chris sein könnte. Daran habe ich nicht im entferntesten gedacht. Das Ironische daran ist, daß ich, als ich den Artikel las, noch gedacht habe: ›O mein Gott, was für eine Tragödie. Die Familie des Jungen kann einem aber leid tun, auch wenn ich sie nicht kenne. Was für eine traurige Geschichte.‹«

Sam war bei seiner Mutter in Kalifornien und Colorado aufgewachsen und erst '87 nach Virginia gezogen, als Chris den Bundesstaat schon längst verlassen hatte, um in Atlanta zu studieren. Sam kannte seinen Halbbruder also kaum. Als aber der Beamte der Mordkommission fragte, ob ihm der Traveller irgendwie bekannt vorkäme, erzählt Sam, »war ich ziemlich sicher, daß es Chris war. Die Tatsache, daß er nach Alaska gegangen war, und zwar allein – das paßte alles.«

Auf Bitten des Beamten machte sich Sam ins Revier der Fairfax County Police auf, wo man ihm ein Foto des Travellers zeigte, das aus Fairbanks gefaxt worden war. »Es war eine Vergrößerung, achtzehn mal vierundzwanzig«, weiß Sam noch, »nur der Kopf. Er hatte langes Haar und trug einen Bart. Chris hatte fast immer kurzes Haar gehabt und sich regelmäßig rasiert. Hinzu kam, daß das Gesicht auf dem Bild sehr hager war. Aber ich hab ihn gleich erkannt. Es gab keinen Zweifel. Es war Chris. Ich bin nach Hause gefahren, hab Michele, meine Frau, abgeholt und bin nach Maryland rausgefahren, um es Dad und Billie zu sagen. Ich wußte nicht, wie ich es ihnen sagen sollte. Wie bringt man jemandem bei, daß sein Kind tot ist?«

Chesapeake Beach

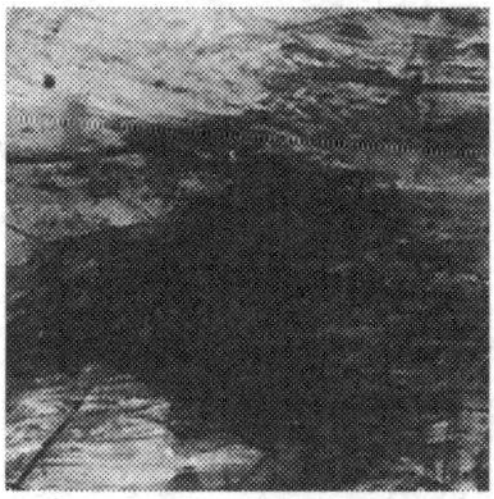

KAPITEL ELF

Mit einem Schlag hat sich alles verwandelt, der Ton und die Luft, man weiß nicht mehr, was man denken und auf wen man hören soll. Es ist, als wärst du dein Lebtag wie ein kleines Kind an der Hand geführt worden, und plötzlich läßt man dich los und sagt: Lerne allein gehen! Und es gibt niemanden mehr in deiner näheren und ferneren Umgebung, keine Familie, keine Autorität. Jetzt, da die menschlichen Einrichtungen zusammengebrochen sind, müßte man sich auf das Wesentliche stützen, auf die Lebenskraft, die Schönheit oder auf die Wahrheit. Ihnen müßte man sich in einer vollkommeneren und rücksichtsloseren Weise anvertrauen als in Friedenszeiten und im Alltagsleben, das es nicht mehr gibt.

BORIS PASTERNAK,
»DOKTOR SCHIWAGO«

Von Chris McCandless angestrichener Passus aus einem der Bücher, die unter seinen Habseligkeiten gefunden wurden. »Suche nach einem Sinn« stand in seiner Handschrift am Seitenrand.

Samuel Walter McCandless jun. ist ein sechsundfünfzig Jahre alter wortkarger Mann. Er trägt einen Bart, und sein halblanges, von silbernen Strähnen durchzogenes Haar ist glatt nach hinten gekämmt. Er ist groß und kräftig gebaut und macht einen intelligenten, gelehrten Eindruck, was nicht zuletzt an der Brille mit Drahtgestell liegt. Sieben Wochen sind vergangen, seit der Leichnam seines Sohnes in einem Schlafsack in Alaska aufgefunden wurde, den Billie aus vorgefertigten Teilen für Chris genäht hatte. Walter steht am Fenster seines Reihenhauses und blickt auf ein dahingleitendes Segelboot hinunter. »Wie ist es nur möglich«, fragt er sich laut, während er mit abwesenden Augen über die Chesapeake Bay hinwegblickt, »daß ein so einfühlsamer Junge wie Chris seinen Eltern solches Leid beschert?«

Das Haus der McCandless' in Chesapeake Beach, Maryland, ist geschmackvoll eingerichtet. Mit seiner makellosen Sauberkeit zeugt es von peinlicher Ordnungsliebe. Die großen, vom Boden bis zur Decke reichenden Fenster überblicken das diesige Buchtpanorama. Ein großer Chevrolet Suburban und ein weißer Cadillac stehen draußen vor der Tür, eine liebevoll restaurierte 69er Corvette in der Garage, und am Pier liegt ein zehn Meter langer, kreuzfahrttauglicher Katamaran vor Anker. Seit Tagen sind vier große viereckige Pinnwände mit zahllosen Fotos, die Chris' kurzes Leben dokumentieren, auf dem Eßtisch ausgebreitet.

Billie geht bedächtig um den Tisch herum und weist auf ein Bild von Chris, der auf einem Schaukelpferdchen sitzt, dann auf Chris als neugierig gespannten Achtjährigen in einer gelben Regenjacke während seiner ersten Wandertour und schließlich auf Chris an seinem ersten High-School-Tag. »Am meisten schmerzt uns, daß er einfach nicht mehr da ist«, sagt Walt. In seiner Stimme liegt ein beinahe unhörbares Zittern. Er hält über einem Foto seines Sohnes inne, das ihn herumalbernd auf einem Familienurlaub zeigt. »Ich habe viel Zeit mit Chris verbracht, vielleicht mehr als mit den anderen Kindern. Ich war einfach sehr gern mit ihm zusammen, obwohl er uns so oft enttäuscht hat.«

Walt trägt eine graue Jogginghose, Tennisschuhe und eine Baseballjacke aus Satin mit aufgesticktem Logo des Jet Propulsion Laboratory, einer Versuchswerkstatt für Düsenantriebssysteme. Trotz des sportlich-lässigen Outfits hat er unbestreitbar etwas Autoritäres an sich. In der Nomenklatura seines geheimnisumwitterten Forschungsfeldes – einer hochmodernen Technologie, die unter der Bezeichnung »Synthetic aperture radar«, kurz SAR, bekannt ist – steht er ganz oben. SAR ist seit 1978 fester Bestandteil der spektakulärsten Raumfahrtmissionen. Damals wurde der erste mit SAR bestückte Satellit, *Seasat*, in die Erdumlaufbahn gebracht. NASA-Projektleiter jenes bahnbrechenden *Seasat*-Starts war Walt McCandless.

Die erste Zeile auf Walts Lebenslauf lautet: »Keine Angaben: Top Secret, U.S. Verteidigungsministerium.« Ein paar Zeilen darunter beginnt eine Darstellung seiner beruflichen Qualifikation: »Ich führe beratende Tätigkeiten im Bereich der Konstruktion von Telesensoren und Satellitensystemen durch sowie für damit verbundene Signalverarbeitungs-, Datenreduktions- und Informationsgewinnungsprozesse.« Kollegen scheuen sich nicht, Walt McCandless brillant zu nennen.

Walt ist es gewohnt, das Sagen zu haben. Ganz unbewußt, wie durch einen Reflex, ergreift er die Zügel. Obwohl er im sanften gelassenen Tonfall der Westküste spricht, unterliegt seiner Stimme eine gewisse Schärfe, und ein harter Zug um sein Kinn verrät eine unterschwellige nervöse Energie. Selbst von der anderen Seite des

Raumes ist nicht zu übersehen, daß hier ein Mann vor einem steht, der unter ständiger Hochspannung steht. Es liegt auf der Hand, woher die Kraft und das Feuer in Chris stammte.

Wenn Walt etwas sagt, hört man ihm zu. Falls ihm jemand oder etwas mißfällt, verengen sich seine Augen, und er wirkt plötzlich kurz angebunden. Aus dem entfernteren Familienkreis ist zu hören, daß er bisweilen verschlossen und launisch sein kann, obwohl, so die allgemeine Ansicht, sein berüchtigtes aufbrausendes Naturell in den letzten Jahren viel von seiner Unberechenbarkeit eingebüßt hat. Nachdem Chris sich 1990 ohne Vorwarnung aus dem Staub gemacht hatte, trat bei Walt eine Wandlung ein. Das Verschwinden seines Sohnes machte ihm angst und stimmte ihn nachdenklich. Eine sanftere, tolerantere Seite seines Wesens kam zum Vorschein.

Walt wuchs in ärmlichen Verhältnissen auf. Er stammt aus Greely, Colorado, einem Farmerstädtchen in der windgepeitschten Hochprärie ganz in der Nähe der Grenze zu Wyoming. Er sei, wie er nüchtern feststellt, »nicht auf der Sonnenseite des Lebens groß geworden«. Aber er war klug und ehrgeizig, jemand, der aus seinem Leben etwas machen wollte. Er bekam ein Uni-Stipendium für die Colorado State University im nahen Fort Collins. Um sich während der Studienzeit über Wasser zu halten, hatte er eine ganze Reihe von Jobs inne, unter anderem in einer Leichenhalle. Ein wirklich regelmäßiges Einkommen bescherte ihm aber vor allem die Arbeit mit Charlie Novak, dem Bandleader eines beliebten Jazzquartetts. Novaks Band – Walt war der Pianist – bediente die lokale Tanzszene und tingelte mit ihren Tanznummern und alten Standards durch verrauchte Schuppen am Fuße der Rocky Mountains. Walt ist ein begeisterter Musiker mit beachtlichem Talent, und auch heute noch übernimmt er von Zeit zu Zeit ein Engagement.

1957 schossen die Sowjets die *Sputnik I* in den Weltraum. Über Amerika legte sich ein Schatten der Angst. In der nun folgenden nationalen Hysterie schleuste der Kongreß Millionen und Abermillionen von Dollars in die in Kalifornien beheimatete Raumfahrtindustrie, die einen rasanten Aufschwung erlebte. Für den jungen Walt McCandless – frisch von der Uni, verheiratet und werdender Vater – öffnete die *Sputnik* die Tür ins Reich der unbegrenzten Möglichkeiten. Als er den ersten Teil seines Studiums abgeschlossen hatte, trat er eine Stellung bei Hughes Aircraft an. Von dort aus wurde er für drei Jahre nach Tucson geschickt, wo er an der University of Arizona seinen Magister in Antennentheorie machte. Sobald er seine Dissertation – »Analyse konischer Spiralen« – fertiggestellt hatte, wechselte er an Hughes' riesiges, kalifornisches Stammwerk über, wo damals die spannendsten Projekte in Gang waren. Walt war entschlossen, sich in dem Wettlauf der Raumfahrtsysteme einen Namen zu machen.

Er kaufte einen kleinen Bungalow in Torrance, arbeitete hart und erklomm in raschen Sprüngen die Karriereleiter. Sam wurde 1959 geboren, und die vier anderen Kinder – Stacy, Shawna, Shelly und Shannon – folgten in kurzen Abständen. Walt wurde zum Testleiter und Ressortchef der *Surveyor-1*-Mission bestellt, des ersten Raumschiffes, dem eine weiche, aufsetzende Landung auf dem Mond gelang. Walts Stern ging auf und leuchtete.

1965 jedoch scheiterte seine Ehe. Er und seine Frau Marcia trennten sich. Walt begann sich häufiger mit seiner Sekretärin bei Hughes zu treffen. Sie hieß Wilhemina Johnson – alle nannten sie Billie –, war zweiundzwanzig

Jahre alt und hatte auffallend dunkle Augen. Sie verliebten sich und zogen zusammen. Billie wurde schwanger. Ihr zierlicher Körper legte in neun Monaten nur acht Pfund zu, so daß sie nicht einmal Umstandskleider tragen mußte. Am 12. Februar 1968 brachte Billie einen Sohn zur Welt. Er hatte Untergewicht, war ansonsten aber gesund und munter. Walt schenkte Billie eine Gianini-Gitarre, auf der sie Wiegenlieder anstimmte, um das quengelnde Neugeborene zu besänftigen. Zweiundzwanzig Jahre später sollten die Ranger des Nationalparks ebendiese Gitarre auf dem Rücksitz des am Lake Mead stehengelassenen, gelben Datsuns finden.

Es ist natürlich unmöglich zu bestimmen, welches obskure Chromosomen-Zusammenspiel, welche Eltern-Kind-Dynamik und zufällige Sternenkonstellation dafür verantwortlich war, daß Christopher Johnson McCandless die Welt mit einer Vielzahl ungewöhnlicher Talente betrat und mit einem Willen, der der Durchschlagskraft von Walts NASA-Raketen in nichts nachstand. Mit gerade mal zwei Jahren stand er eines Nachts auf, gelangte nach draußen und drang in eines der Nachbarhäuser ein, um dort die Schublade mit Süßigkeiten zu plündern.

Als er in der dritten Klasse in einem Einstufungstest ein hervorragendes Ergebnis erzielte, wurde er in ein Hochbegabtenprogramm gesteckt. »Er war darüber alles andere als glücklich«, weiß Billie noch, »weil damit zusätzliche Hausaufgaben verbunden waren. Also hat er eine Woche lang versucht, sich aus dem Programm wieder hinauszuwinden. Dieser kleine Junge ging also hin und versuchte, den Lehrer, den Direktor – jeden, der ihm Gehör schenkte – davon zu überzeugen, daß die Testergebnisse nicht stimmten, daß er eigentlich gar nicht dort hingehörte. Wir haben erst auf einem Elternabend davon erfahren. Seine Lehrerin nahm uns beiseite und sagte uns, daß ›Chris nach einer anderen Musik tanzt‹. Sie schüttelte nur den Kopf.«

»Selbst als wir noch klein waren«, erzählt Carine, die drei Jahre nach Chris geboren ist, »war er gerne für sich. Nicht daß er abweisend oder ein Eigenbrötler gewesen wäre – er hatte immer Freunde, und alle mochten ihn –, aber er konnte sich eben auch gut allein unterhalten, und zwar stundenlang. Er brauchte keine Freunde oder Spielsachen, zumindest erweckte er diesen Eindruck. Er konnte allein sein, ohne sich einsam zu fühlen.«

Als Chris sechs war, wurde Walt ein Posten bei der NASA angeboten, und die Familie zog in die Hauptstadt um. Die Familie kaufte ein geräumiges, mehrstöckiges Haus mit grünen Fensterläden, Erkerfenster und einem hübschen Garten am Willet Drive in Annandale, einem Vorort von Washington. Vier Jahre nach dem Umzug nach Virginia gab Walt seinen Job bei der NASA auf und gründete eine Beraterfirma – User Systems, Incorporated –, die Billie und er von zu Hause aus führten.

In der Anfangszeit fehlte es überall an Geld. Die Familie hatte ein regelmäßiges Gehalt gegen die Unwägbarkeiten eines selbständigen Unternehmens eingetauscht. Hinzu kam, daß Walt wegen der Scheidung von seiner ersten Frau praktisch für den Unterhalt von zwei Familien aufkommen mußte. »Damit das Ganze auch klappte, haben Mom und Dad Tag und Nacht gearbeitet. Wenn Chris und ich morgens aufstanden, um zur Schule zu gehen, waren sie im Büro bei der Arbeit. Wenn wir nachmittags heimkehrten, waren sie im Büro bei der Arbeit. Wenn wir nachts schlafen gingen, waren sie im Büro bei der Arbeit. Sie haben eine wirklich tolle Firma aufgebaut, und irgendwann haben sie damit auch haufenweise Geld verdient, aber sie haben die ganze Zeit non-stop gearbeitet.«

Es war eine schwierige Zeit. Walt und Billie sind beide von impulsivem, leicht erregbarem Wesen. Beide geben nur ungern nach, und es blieb nicht aus, daß ihre Temperamente in hitzigen Wortgefechten aufeinanderprallten. Im Eifer des Gefechts drohte der eine dem anderen häufig mit Scheidung. Die Streitereien schienen oft schlimmer, als sie tatsächlich waren, meint Carine, aber »ich glaube, daß sie einer der Gründe dafür waren, daß Chris und ich uns so nahestanden. Wir wußten, wir konnten uns aufeinander verlassen, wenn Mom und Dad aneinandergerieten.«

Aber es gab auch gute Zeiten. An den Wochenenden und in den Schulferien machten sie Familienausflüge: Sie fuhren nach Virginia Beach und an den Strand von Carolina oder auch nach Colorado, um Walts Kinder aus seiner ersten Ehe zu besuchen, zu den Großen Seen und zu den Blue Ridge Mountains in den Appalachen. »Wir haben dann die Ladefläche unseres Pick-up – ein Chevy Subarban – zum Wohnwagen umgebaut«, erzählt Walt. »Später haben wir einen Airstream-Wohnwagen gekauft und sind mit dem gefahren. Chris war verrückt nach diesen Reisen, je länger desto besser. In unserer Familie herrschte immer ein gewisses Fernweh, und schon früh war klar, daß Chris es geerbt hatte.«

Im Laufe ihrer Reisen besuchte die Familie auch Iron Mountain in Michigan, eine kleine Bergbaustadt in den Waldgebieten der Halbinsel zwischen dem Lake Superior und dem Huronsee, wo Billie unter fünf anderen Geschwistern aufgewachsen war. Loren Johnson, Billies Vater, war offiziell Fernfahrer, »aber er hat es nie lange bei einer Stelle ausgehalten«, erzählt sie.

»Billies Vater hat sich nie wirklich in die Gesellschaft einordnen können«, fügt Walt erklärend hinzu. »Er und Chris hatten viel gemein.«

Loren Johnson war stolz, stur und verträumt: Er war ein Kenner des Waldes, selbstgelernter Musiker und Dichter. In der Gegend von Iron Mountain war sein Verhältnis zu den Kreaturen des Waldes schon legendär. »Er hatte immer irgendwelche Tiere, die er aufzog«, erzählt Billie. »Wenn er auf ein Tier mit einem Fangeisen stieß, nahm er es mit nach Hause, amputierte das verletzte Bein, pflegte es gesund und setzte es dann wieder aus. Einmal überfuhr mein Vater mit seinem Pick-up ein Reh und machte sein Junges zur Waise. Er war am Boden zerstört. Also brachte er das kleine Kitz mit heim und zog es im Haus groß, hinter dem Holzofen, so als wär's eins seiner leiblichen Kinder.«

Um seine Familie zu ernähren, versuchte er sich in den verschiedensten unternehmerischen Unterfangen, die jedoch alle zum Scheitern verurteilt waren. Eine Weile züchtete er Hühner, dann Nerze und Chinchillas. Er zog einen Reitstall auf und vermietete Pferde an Touristen. Die meisten Mahlzeiten setzten sich aus dem zusammen, was er auf der Jagd erbeuten konnte – obwohl ihm das Töten von Tieren gegen den Strich ging. »Mein Vater hat jedesmal geweint, wenn er ein Reh schoß«, weiß Billie noch, »aber wir brauchten was zu essen, also hat er es getan.« Er arbeitete auch als Jagdführer, was ihn noch mehr peinigte. »Reiche Hobbyjäger aus der Stadt kamen in ihren dicken Cadillacs vorgefahren, und mein Vater führte sie für eine Woche auf seine Jagdhütte hinauf, damit sie sich zu Hause irgendein Geweih an die Wand hängen konnten. Er garantierte jedem, der kam, einen Rehbock, aber die meisten von ihnen waren fürchterlich schlechte Schützen. Darüber hinaus tranken sie so viel, daß sie sowieso nichts getroffen hätten. Normalerweise mußte er ihnen also ihren Bock abknallen. Gott, wie er das haßte.«

Ganz klar, daß Loren von Chris eingenommen war. Und Chris liebte seinen Großvater über alles. Die hinterwäldlerische Schläue des alten Mannes und seine Liebe zur Natur hinterließen einen bleibenden Eindruck auf den Jungen.

Als Chris acht Jahre alt war, nahm Walt ihn auf seine erste größere Wandertour mit. In einem Drei-Tage-Trip im Shenandoah-Nationalpark bestiegen sie zusammen den Old Rag. Sie schafften es tatsächlich bis zum Gipfel, und Chris hatte bis zuletzt seinen Rucksack allein getragen. Von da an wurde es zwischen Vater und Sohn zur Tradition, den Berg zu besteigen. Beinahe jedes Jahr wanderten sie den Old Rag hoch.

Als Chris etwas älter war, nahm Walt Billie und die Kinder aus beiden Ehen mit nach Colorado, um den Longs Peak zu besteigen – mit 4345 Metern der höchste Gipfel im Rocky-Mountain-Nationalpark. Als Walt, Chris und Walts jüngster Sohn aus seiner ersten Ehe das Keyhole erreichten, einen aus der Bergwand hervorspringenden Engpaß in knapp viertausend Meter Höhe, beschloß Walt umzukehren. Er war erschöpft und spürte die Höhenluft. Der Rest der Strecke wirkte steinig, zerklüftet und gefährlich. »Ich war total fertig«, erklärt Walt, »aber Chris wollte unbedingt auf den Gipfel. Ich hab ihm gesagt, nie und nimmer. Er war damals erst zwölf, mehr als herumnörgeln konnte er also nicht. Wenn er vierzehn oder fünfzehn gewesen wäre, wäre er einfach ohne mich weitergegangen.« Walt hält plötzlich ein und schaut mit abwesendem Blick in die Ferne. »Chris kannte schon als kleiner Junge keine Angst«, sagt er nach langem Schweigen. »Er hat nie geglaubt, daß es ihn irgendwie erwischen könnte, auch nicht wenn er Dinge tat, die wirklich riskant waren. Wir waren immer damit beschäftigt, ihn vorm Abgrund zu bewahren.«

Chris war in beinahe allem, was er anfaßte, erfolgreich. Von der Schule und der Uni brachte er am laufenden Band Einser nach Hause. Nur einmal hatte er eine schlechtere Note als eine Zwei: eine Sechs in Physik auf der High School. Als Walt das Zeugnis sah, bat er den Physiklehrer um einen Termin, um herauszufinden, wo das Problem lag. »Er war ein pensionierter Oberst der Luftwaffe«, weiß Walt noch, »er war schon etwas älter, erzkonservativ und ziemlich unflexibel. Am Anfang des Schuljahres hatte er den Schülern erklärt, er habe zweihundert Schüler, Laborprotokolle sollten also alle in einem bestimmten Format abgefaßt sein, damit er sie leichter korrigieren konnte. Chris fand, daß die Vorschrift dumm und unnötig war, und hat sich deshalb nicht dran gehalten. Also hat er seine Protokolle zwar geschrieben, aber nicht im richtigen Format, und der Lehrer gab ihm eine Sechs. Nachdem ich mit dem Mann gesprochen hatte, kam ich nach Hause zurück und sagte zu Chris, daß er nun die Note bekommen hat, die er verdient.«

Chris und Carine hatten Walts musikalische Begabung geerbt. Chris spielte Gitarre, Klavier und Waldhorn. »Auch wenn man es sich bei einem Kind seines Alters kaum vorstellen kann«, erzählt Walt, »aber er war ganz vernarrt in Tony Bennett. Er hat Nummern wie ›Tender is the Night‹ gesungen, und ich habe ihn dazu auf dem Klavier begleitet. Er war richtig gut.« Und das war er wirklich. In einem Blödel-Video, das Chris auf dem College aufgenommen hatte, hört man ihn Songs wie »Summers by the Sea« und »Sailboats in Capri« schmettern. Er singt mit eindrucksvollem Elan, und seine schmachtende Stimme steht einem professionellen Pianobarsänger in nichts nach.

Als talentierter Hornist war er in seiner Jugendzeit Mitglied der American University Symphony, schied aber früh aus, weil ihn, wie Walt meint, ein paar Vorschriften störten, die der Dirigent erlassen hatte. Carine weiß aber, daß da noch mehr dahintersteckte. »Natürlich, er mochte es nicht, wenn jemand ihm sagte, was er zu tun hatte, aber das war nur der eine Grund. Der andere war ich. Ich wollte immer wie Chris sein, also hab ich auch angefangen, Waldhorn zu spielen. Und wie sich herausstellte, war es das einzige, das ich besser konnte als er. In meinem ersten High-School-Jahr wurde ich gleich als erste Hornistin ins Oberstufen-Orchester aufgenommen. Chris war in seinem letzten Jahr, und nichts hätte ihn dazu gebracht, sich hinter seine verdammte Schwester zu setzen.«

Ihr Wetteifern auf musikalischem Gebiet scheint das Verhältnis zwischen Chris und seiner Schwester jedoch keineswegs gestört zu haben. Von Kindesbeinen an waren sie eine verschworene Gemeinschaft. Damals hatten sie oft im Wohnzimmer von Annandale miteinander gespielt und stundenlang Westernforts aus Kissen und Decken gebaut. »Er war immer sehr lieb zu mir«, weiß Carine noch, »und hat mich immer beschützt. Wenn wir die Straße hinuntergegangen sind, hat er mich an die Hand genommen. Als er dann auf die High-School kam und ich immer noch zur Grundschule ging, hatte er früher Schluß als ich. Aber er ist dann einfach zu Brian Paskowitz, seinem Freund, gegangen und hat so lange gewartet, bis wir zusammen nach Hause gehen konnten.«

Chris erbte Billies engelhafte Gesichtszüge, vor allem ihre dunklen Augen, in denen sich all seine Gefühle widerspiegelten. Obwohl von kleinem Wuchs – auf Schulfotos ist er immer in der ersten Reihe zu finden, der Kleinste der Klasse – war Chris für seine Größe kräftig und in seinen Bewegungen sehr gewandt. Er probierte eine ganze Reihe von Sportarten aus, hatte letztendlich aber nicht die Geduld, sich in technische Feinheiten hineinzuknien. Wenn die Familie in Colorado auf Skiurlaub war, machte Chris sich so gut wie nie die Mühe, auch einmal in Slalomschwüngen hinabzufahren. Statt dessen ging er in die »Gorillahocke«, spreizte die Beine, um sich einen besseren Halt zu verschaffen, und fuhr einfach im Schuß den Berg hinunter. »Beim Golfspielen war's ähnlich«, weiß Walt zu erzählen. »Als ich versuchte, es ihm beizubringen, weigerte er sich, die Tatsache zu akzeptieren, daß Schlagtechnik alles ist. Chris stellte sich einfach hin und holte jedesmal zu einem gigantischen Schlag aus. Manchmal schoß er den Ball dreihundert Meter weit, aber oft genug drehte der Ball einfach nur auf den nächsten Fairway ab.

Chris hatte so vielfältige Begabungen«, fährt Walt fort, »aber wenn man versuchte, ihn mit ins Training zu nehmen, sein Können zu verfeinern, das entscheidende gewisse Etwas aus ihm herauszukitzeln, stieß man auf eine Wand. Er hat sich nichts sagen lassen, nie, sofort regte sich bei ihm der Widerstand. Ich spiele leidenschaftlich gern Racketball und habe es Chris beigebracht, als er elf war. Mit fünfzehn oder sechzehn war er so gut, daß er fast immer gegen mich gewann. Er war unglaublich flink und hatte einen harten Schlag. Als ich ihn aber mal auf einige Schwachstellen in seinem Spiel hinwies, an denen er arbeiten sollte, hat er sich taub gestellt. In einem Turnier traf er einmal auf einen fünfundvierzigjährigen, sehr erfahrenen Spieler. Chris lag gleich zu Anfang mit ein paar Punkten vorne, aber in Wirklichkeit testete sein Gegner ihn nur, suchte nach Schwachstellen. Sobald er heraushatte, welcher Schlag Chris die größten Schwierigkeiten bereitete, war das der einzige Schlag, den Chris von da an zu sehen bekam, und das war's dann.«

Feinheiten, Strategie und alles, was über Grundtechniken hinausging, waren bei Chris verlorene Liebesmüh. Es gab für ihn nur eine Art, eine Herausforderung anzugehen, und zwar direkt und frontal, mit der ganzen Wucht seiner erstaunlichen Energie. Klar, daß er dabei oft enttäuscht und frustriert zurückblieb. Erst als er sich dem Langstreckenlauf widmete, einer Sportart, in der Wille und Entschlossenheit stärker belohnt werden als Geschick oder Cleverness, fand er seine athletische Berufung. Mit zehn lief er sein erstes Rennen, einen Zehn-Kilometer-Straßenlauf. Er wurde Neunundsechzigster und ließ damit mehr als tausend Erwachsene hinter sich. Seither hatte der Langstreckenlauf ihn in seinem Bann, und schon ein paar Jahre später sollte er zu den besten Läufern der Region zählen.

Als Chris zwölf war, kauften Walt und Billie Carine einen kleinen Welpen, einen Shetland-Collie, den sie Buckley nannten. Chris machte es sich zur Gewohnheit, den Hund auf seine täglichen Trainingsläufe mitzunehmen. »Buckley sollte ja eigentlich mein Hund sein«, sagt Carine, »aber er und Chris wurden unzertrennlich. Buck war schnell und er kam immer als erster zu Hause an, wenn sie laufen gingen. Ich weiß noch heute, wie aufgeregt Chris war, als er es das erste Mal vor Buckley nach Hause schaffte. Er ist kreuz und quer durchs Haus gejagt und rief immer wieder: ›Ich habe Buck geschlagen! Ich habe Buck geschlagen!‹«

An der W.T.Woodson High School – einer großen, staatlichen Schule in Fairfax, Virginia, die für ihre hohen schulischen Anforderungen und erfolgreichen Leichtathletik-Teams bekannt ist – war Chris Kapitän der Dauerlauf-Mannschaft. Er genoß seine Position und ersann ständig neue, strapaziöse Trainingseinheiten, die seine Kameraden im Team immer noch gut in Erinnerung haben.

»Chris mußte immer das letzte aus sich herausholen«, meint Gordon Cucullu, ein jüngeres Teammitglied. »Er hatte sich dieses Trainingsprogramm ausgedacht, das er ›Road Warriors‹ nannte: Er führte uns auf lange, selbstmörderische Läufe durch Felder und Baustellen, Orte, an denen wir wirklich nichts zu suchen hatten, und dann hat er es so gemacht, daß wir uns verirrten. Wir sind so weit und so schnell gelaufen, wie wir konnten, über die seltsamsten Straße und Wege, durch Wälder, was auch immer. Es ging darum, daß wir die Orientierung verlieren sollten, in unbekanntes Terrain vorstoßen sollten. Dann haben wir das Tempo etwas verlangsamt, bis wir auf eine Straße kamen, die wir kannten, und sind dann wieder volle Pulle heimgelaufen. In gewisser Hinsicht hat Chris sein ganzes Leben so gelebt.«

McCandless sah im Langstreckenlauf eine intensive, spirituelle Übung, die einer religiösen Erfahrung nahekam. »Chris hat den spirituellen Aspekt benutzt, um uns zu motivieren«, erinnert sich Eric Hathaway, ein anderes Teammitglied. »Er hat uns gesagt, daß wir an das ganze Böse in der Welt denken sollen, den ganzen Haß. Wir sollten uns vorstellen, gegen die Kräfte der Finsternis oder die Wand des Bösen anzurennen, die uns davon abhalten wollte, Bestzeit zu laufen. Er war der Meinung, daß die eigene Leistung allein von der mentalen Einstellung abhing und daß es nur darum ging, soviel von seinen Ressourcen zu mobilisieren wie möglich. Wir waren damals junge High-School-Kids und leicht zu beeindrukken, und solche Sätze haben uns natürlich vom Hocker gehauen.«

Aber Langstreckenlaufen war nicht ausschließlich eine spirituelle Angelegenheit. Es war auch ein Wettkampf. Wenn Chris McCandless lief, lief er, um zu gewinnen. »Chris hat das Laufen wirklich ernst genommen«, meint

Kris Maxie Gillmer, eine der Frauen im Team, die wohl seine beste Freundin auf Woodson war. »Ich weiß noch, wie ich an der Ziellinie stand und ihm bei einem Rennen zusah. Ich wußte, er wollte unbedingt gut abschneiden und würde total enttäuscht sein, wenn es nicht klappte. Nach einem schlechten Rennen oder auch nur nach einer schlechten Laufzeit bei Übungswettkämpfen hat er sich die schlimmsten Vorwürfe gemacht. Und er hat auch nicht darüber reden wollen. Wenn ich versucht hab, ihn zu trösten, war er verärgert und hat mich ziemlich rüde angemacht. Er hat seine Enttäuschung nur mit sich selbst ausgemacht, sich in irgendeine Ecke verkrochen und gelitten.

Chris hat nicht nur das Laufen so ernst genommen«, fügt Gillmer hinzu. »Er war mit allem so. In der High-School denkt man ja im allgemeinen nicht an Leistungsgrenzen und solche Sachen. Aber ich schon, und er auch, deshalb haben wir uns so gut verstanden. Wir sind in den Pausen bei seinem Spind rumgehangen und haben über das Leben, die Probleme in der Welt geredet, ganz ernsthafte Sachen. Ich bin schwarz, und ich habe mein Lebtag nicht verstanden, warum alle so ein Riesentheater um die Hautfarbe machen. Mit Chris konnte ich über solche Sachen reden. Er hat so was verstanden. Er hat sich an den gleichen Sachen gestört wie ich, und hat die gleichen Fragen gestellt. Ich hab ihn wirklich gemocht. Er war ein echt prima Typ.«

McCandless nahm sich die Ungerechtigkeiten in dieser Welt sehr zu Herzen. In seinem letzten Jahr auf Woodson wurde er zu einem fanatischen Gegner der Apartheidpolitik in Südafrika. Er sprach in allem Ernst zu seinen Freunden davon, Waffen in das Land zu schmuggeln und den Kampf gegen die Rassendiskriminierung anzutreten. »Wir haben uns darüber öfters hitzige Debatten geliefert«, weiß Hathaway noch. »Chris war nicht der Typ, der sich gerne in geregelten Bahnen bewegte oder der versucht hätte, von innen heraus etwas zu verändern und zu warten, bis er mit seinen Ideen an der Reihe war. Er sagte einfach: ›Komm schon, Eric, wir können genug Geld auftreiben und auf eigene Faust nach Südafrika gehen, jetzt gleich. Wir müssen es einfach nur wirklich wollen, das ist alles.‹ Ich hab ihm dann widersprochen und gemeint, daß wir ja nur ein paar Schuljungen sind, die dort drüben wirklich nicht viel ausrichten können. Aber man durfte sich mit ihm auf keine Diskussion einlassen. Er kam einem dann gleich mit so was wie: ›Ach so, dir ist anscheinend völlig egal, was richtig ist und was falsch.‹«

Während seine High-School-Freunde sich an den Wochenenden auf Bierpartys in irgendeinem sturmfreien Elternhaus herumtrieben oder versuchten, in die Bars von Georgetown eingelassen zu werden, wanderte McCandless in den Elendsvierteln von Washington umher und unterhielt sich mit Prostituierten und Obdachlosen. Er kaufte ihnen etwas zu essen und machte ihnen ernsthafte Vorschläge, wie sie ihr Leben ändern könnten.

»Chris konnte einfach nicht fassen, wie es möglich war, daß Menschen Hunger litten, schon gar nicht in diesem Land«, meinte Billie. »Er konnte über solche Sachen stundenlange Vorträge halten.«

Einmal machte Chris Nägel mit Köpfen und führte einen obdachlosen Mann von den Straßen der Hauptstadt ins grüne, wohlhabende Annandale. Er brachte ihn heimlich in dem Airstream-Wohnwagen unter, den seine Eltern neben der Garage stehen hatten. Walt und Billie erfuhren nie, daß ein Stadtstreicher bei ihnen zu Gast war.

Ein anderes Mal fuhr Chris zu dem Haus der Hathaways

und verkündete groß, daß man den Abend in der Innenstadt verbringen würde. »Klasse!« dachte Hathaway und erinnert sich heute noch. »Es war Freitagabend, und ich hab gedacht, wir gehen nach Georgetown und machen einen drauf. Statt dessen parkte Chris den Wagen in der Vierzehnten Straße, was damals ein richtiges Elendsviertel war. Dann sagte er: ›Weißt du, Eric, man kann ja über diese Sachen lesen, aber verstehen tut man's erst, wenn man's erlebt. Und genau das werden wir heute abend tun.‹ Die nächsten paar Stunden verbrachten wir in ziemlich üblen Läden und unterhielten uns mit Zuhältern und Nutten und total fertigen Gestalten. Ich hatte *richtig Schiß.*

Als der Abend zu Ende ging, fragte Chris mich, wieviel Geld ich hätte. Fünf Dollar, sagte ich. Er hatte zehn. ›O.k., du bezahlst das Benzin‹, sagte er zu mir. ›Ich werde was zu essen kaufen.‹ Und dann hat er den Zehner für eine ganze Tüte voller Hamburger ausgegeben, und wir sind durch die Gegend gegondelt und haben sie an so versiffte Typen verteilt, die auf Kanaldeckeln schliefen. Es war der seltsamste Freitagabend meines Lebens. Aber Chris hat so was häufig gemacht.«

Zu Beginn seines letzten Jahres auf Woodson teilte Chris seinen Eltern mit, daß er nicht die Absicht hätte, zu studieren. Als Walt und Billie ihm klarzumachen versuchten, daß er einen Uni-Abschluß brauche, um eine befriedigende Karriere einschlagen zu können, meinte Chris nur, daß Karriere eine »entwürdigende Erfindung des zwanzigsten Jahrhunderts« sei, etwas, das eher eine Belastung für die Menschen war, als daß es ihnen half, ihr Leben zu gestalten. Er könne sehr gut ohne sie auskommen, danke.

»Das hat uns sehr beunruhigt«, gesteht Walt. »Billie und ich stammen beide aus kleinen Verhältnissen. Ein Universitätsabschluß ist nichts, das wir auf die leichte

Schulter nehmen, verstehen Sie, und wir haben hart gearbeitet, um unsere Kinder auf gute Schulen zu schicken. Billie hat sich also mit ihm hingesetzt und gesagt: ›Chris, wenn du in dieser Welt etwas ausrichten willst, wenn du Menschen, die keine Chance haben, helfen willst, verschaff dir erst mal die Mittel dazu. Geh auf die Universität, werde Anwalt, und dann wirst du in der Lage sein, wirklich etwas zu bewegen.‹«

»Chris hatte immer sehr gute Zeugnisse«, meint Hathaway. »Was das anging, hatte er nie Schwierigkeiten, er war ungemein leistungsfähig, was er tun mußte, hat er getan. Seine Eltern hatten nie Anlaß zur Klage. Aber als er nicht auf die Uni wollte, sind sie ihm ganz schön aufs Dach gestiegen, und ich weiß nicht, was sie zu ihm gesagt haben, aber auf jeden Fall hat es gewirkt. Denn er ist auf die Emory gegangen, obwohl er keinen Sinn darin sah und es für die reinste Zeit- und Geldverschwendung hielt.«

Es ist schon erstaunlich, daß Chris dem Druck seiner Eltern, zu studieren, nachgab, da er sonst kaum auf ihre Ratschläge hörte. Aber das Verhältnis zwischen Chris und seinen Eltern war ganz allgemein sehr widersprüchlich. Wenn Chris Kris Gillmer besuchte, zog er ständig über Walt und Billie her und stellte sie als unberechenbare Tyrannen dar. War er jedoch mit seinen anderen Kumpanen zusammen – Hathaway, Cucullu und Andy Horowitz, einem der Besten im Dauerlaufteam – verlor er nie ein Wort über sie. »Ich hatte einen sehr netten Eindruck von seinen Eltern«, meint Hathaway, »nicht viel anders als meine oder irgendwelche anderen Eltern. Chris konnte es einfach nicht ausstehen, wenn ihm jemand Vorschriften machte. Egal welche Eltern er gehabt hätte, er hätte immer etwas auszusetzen gehabt. Die ganze *Vorstellung* von Eltern behagte ihm nicht.«

McCandless' Persönlichkeit war ebenso komplex wie verwirrend. Einerseits konnte er sich völlig in sich selbst zurückziehen, andererseits konnte er aber auch ganz unbeschwert und gesellig sein. Und trotz seines überentwickelten sozialen Gewissens war er kein schmallippiger, ewig grimmiger Weltverbesserer, ohne Spaß am Leben. Im Gegenteil, er trank auch mal ganz gerne ein Gläschen und hatte ständig einen Scherz auf Lager.

Sein vielleicht größter innerer Widerspruch bestand in seinem gespaltenen Verhältnis zu Geld. Walt und Billie kannten Armut von Kindesbeinen an, und nachdem sie sich endlich nach oben gearbeitet hatten, hatten sie keinerlei Skrupel, die Früchte ihrer Arbeit zu genießen. »Wir haben wirklich sehr, sehr hart gearbeitet, Tag und Nacht«, betont Billie. »Als die Kinder noch klein waren, haben wir auf alles mögliche verzichtet, und was wir verdient haben, haben wir gespart und in die Zukunft investiert.« Als die Zunkunft schließlich Gegenwart war, trugen sie ihren bescheidenen Reichtum nicht zur Schau, aber sie kauften sich gute Kleider, ein wenig Schmuck für Billie und einen Cadillac. Schließlich erwarben sie das Haus an der Bucht und das Segelboot. Sie fuhren mit ihren Kindern nach Europa und nahmen sie mit in den Skiurlaub nach Breckenridge oder auf eine Kreuzfahrt in die Karibik. »Chris war das alles peinlich«, gesteht Billie ein.

Ihr Sohn, schon als Jugendlicher ein überzeugter Tolstoi-Fan, war der Meinung, daß Reichtum etwas Beschämendes sei, etwas Korrumpierendes, das von Natur aus böse sei – was eine gewisse Ironie enthält, da Chris der geborene Kapitalist war, mit untrüglichem Gespür dafür, wie man schnelles Geld machen konnte. »Chris war der geborene Unternehmer«, lacht Billie. »Von Anfang an.«

Als er acht war, legte er hinterm Haus in Annandale

einen Gemüsegarten an, zog mit der Ernte von Tür zu Tür und verkaufte sie in der Nachbarschaft. »Da war also dieser süße, kleine Fratz, der einen Karren frisch geernteter Bohnen, Tomaten und Paprikaschoten hinter sich her zog«, erzählt Carine. »Wer konnte da schon widerstehen? Und Chris wußte das natürlich genau. Er hatte dann diesen Gesichtsausdruck, der sagte: ›Ich bin ja so süß! Wollen Sie mir keine Bohnen abkaufen?‹ Wenn er von seiner Runde zurückkehrte, war der Karren leer, und er hatte einen schönen Batzen Geld verdient.«

Als Chris zwölf war, ließ er einen Stapel Flugblätter ausdrucken und startete in der Nachbarschaft einen Kopierservice: Chris' Schnellkopien. Er bot einen kostenlosen Abholdienst an und benutzte den Kopierer in Walts und Billies Büro. Seinen Eltern zahlte er ein paar Cents pro Kopie, und der Preis, den er von den Kunden verlangte, lag zwei Cents niedriger als der im Copy-Shop an der Ecke. Er machte einen ansehnlichen Profit.

Nach seinem ersten Jahr auf Woodson wurde Chris 1985 von einer Baufirma der Gegend dazu angeheuert, die Stadtviertel nach zum Verkauf stehenden Häusern abzuklappern und Gebäudeverkleidungs- und Küchenrenovierungsarbeiten an Land zu ziehen. Und er war erstaunlich erfolgreich, ein Verkaufstalent, das seinesgleichen suchte. Nach wenigen Monaten arbeitete ein halbes Dutzend anderer Schüler für ihn, und er konnte siebentausend Dollar auf sein Sparkonto legen. Mit einem Teil des Geldes kaufte er den gelben Datsun, den gebrauchten B210.

Chris' Verkaufstalent war so ausgeprägt, daß Walt im Frühling '86, als die Abschlußprüfungen der High School näherrückten, einen Anruf des Besitzers der Baufirma erhielt. Er bot Walt an, Chris das Studium zu finanzieren, wenn Walt seinen Sohn dazu überreden könnte, in

Ananndale zu bleiben und während des Studiums weiterzuarbeiten, statt an die Emory zu gehen und den Job aufzugeben.

»Als ich Chris von dem Angebot erzählte«, sagt Walt, »hat er kategorisch abgelehnt. Er hat seinem Boß gesagt, daß er andere Pläne hat.« Sobald er die High-School beendet habe, verkündete Chris, werde er sich hinter das Steuer seines neuen Wagens setzen und den Sommer über das Land durchqueren. Niemand ahnte, daß die Reise nur der Anfang einer ganzen Serie von transkontinentalen Abenteuern sein würde. Genausowenig konnte irgend jemand in der Familie voraussehen, daß eine zufällige Entdeckung während dieser Jungfernreise Chris endgültig sich von den anderen abwenden lassen und nach innen kehren würde – eine Entdeckung, die Chris und die, die ihn liebten, in einen Sumpf aus Wut, Mißverständnissen und Sorgen ziehen würde.

Annandale

KAPITEL ZWÖLF

Lieber als Liebe, als Geld, als Ruhm gebt mir Wahrheit. Ich saß an einem Tische, wo feine Weine und Speisen in Überfluß vorhanden waren, wo man mich sorgsam bediente, wo es aber keine Aufrichtigkeit und Wahrheit gab. Hungrig verließ ich ihren ungastlichen Tisch. Die Gastfreundschaft war so kalt wie das Gefrorene.

HENRY DAVID THOREAU,
»WALDEN. EIN LEBEN IN DEN WÄLDERN«

Von Chris McCandless angestrichener Passus aus einem der mit der Leiche geborgenen Bücher. McCandless hatte an den oberen Rand der Seite das Wort »Wahrheit« in großen Druckbuchstaben geschrieben.

Denn Kinder sind unschuldig und lieben die Gerechtigkeit, während die meisten von uns verderbt sind und natürlich der Gnade den Vorzug geben.

G. K. CHESTERTON

Als Chris an jenem schwülen Frühlingswochenende im Jahr 1986 die Woodson-High-School abschloß, schmissen Walt und Billie für ihn eine Party. Walt hatte wenige Tage später, am 10. Juni, Geburtstag, und während der Party überreichte Chris seinem Vater ein Geschenk: ein sehr wertvolles Teleskop von Questar.

»Ich weiß noch, wie ich dasaß, als er Dad das Fernrohr gab«, erzählt Carine. »Chris hatte ein paar Drinks gekippt und ganz schön einen sitzen. Er ist richtig sentimental geworden. Er hat mit den Tränen gekämpft und gesagt, daß sie zwar in den letzten Jahren so ihre Schwierigkeiten miteinander gehabt hätten, aber daß er ihm für alles, was er für ihn getan hat, dankbar ist. Er hat Dad gesagt, wie sehr er ihn dafür bewundert, daß er bei null angefangen und ein ganzes Studium hinter sich gebracht hat und sich dann den Arsch aufgerissen hat, um acht Kinder zu ernähren. Es war eine bewegende Rede. Alle waren total gerührt. Und dann ist Chris auf seine große Reise gegangen.«

Walt und Billie versuchten nicht, Chris von seinen Reiseplänen abzubringen. Sie überredeten ihn allerdings, für alle Fälle Walts Texaco-Kreditkarte mitzunehmen, und rangen ihm das Versprechen ab, alle drei Tage anzurufen. »Die ganze Zeit seiner Abwesenheit haben wir Blut und Wasser geschwitzt«, sagt Walt, »aber wir hätten ihn nicht davon abhalten können, zu fahren.«

Von Virginia aus fuhr er nach Süden, dann weiter nach Westen durch die flache texanische Prärie. Von dort aus durchquerte er die Hitze New Mexicos und Arizonas und erreichte schließlich die Pazifikküste. Anfänglich hielt er sich sogar an die Abmachung mit seinen Eltern, regelmäßig anzurufen, doch im Laufe des Sommers wurden die Anrufe immer spärlicher. Erst zwei Tage vor Beginn des Herbstsemesters der Emory University kehrte er nach

Hause zurück. Als er das Haus in Annandale betrat, hatte er einen ungepflegten Bart, langes, zottiges Haar und war um dreißig Pfund abgemagert.

»Als ich hörte, daß er wieder da ist«, erzählt Carine, »rannte ich gleich in sein Zimmer, um mit ihm zu reden. Er lag auf seinem Bett und schlief. Er war *so* dünn. *Er sah aus wie mit Jesus am Kreuz in diesen Gemälden.* Als Mom sah, wie abgemagert er war, war sie total fertig. Sie fing an, wie verrückt zu kochen, um ihn wieder aufzupäppeln.«

Wie sich herausstellte, hatte Chris sich gegen Ende der Reise in der Mohave-Wüste verirrt und wäre beinahe verdurstet. Als seine Eltern hörten, wie knapp er einer Katastrophe entkommen war, waren sie in heller Aufregung. Sie wußten aber nicht, wie sie Chris dazu bringen konnten, in Zukunft besser auf sich aufzupassen. »Chris gelang fast alles, was er anfaßte«, sinniert Walt, »und das machte ihn zu selbstsicher. Wenn man ihn von etwas abbringen wollte, widersprach er einem nicht. Er nickte nur höflich und tat letztlich genau das, was er wollte.

Am Anfang vermied ich es also, über Vorsicht und Aufpassen und so weiter zu sprechen. Ich bin mit ihm Tennisspielen gegangen, habe von ganz anderen Dingen geredet, und nach einer Weile setzte ich mich mit ihm hin und sprach die sinnlosen Risiken an, die er eingegangen war. Ich hatte ja meine Erfahrungen mit ihm gemacht und wußte, daß die direkte Art – ›Mann, da hast du ja vielleicht was angestellt. Mach das bloß nicht noch mal!‹ – zu nichts führte. Statt dessen versuchte ich ihm klarzumachen, daß wir nichts gegen seine Reisen hätten und uns nur wünschten, daß er ein bißchen besser auf sich aufpaßt und sich ab und zu mal meldet und uns sagt, wo er ist.«

Zu Walts Bestürzung reagierte Chris auf den kleinen väterlichen Ratschlag mit Verärgerung. Er bewirkte nur, daß er nun noch weniger Lust hatte, seiner Familie von seinen Plänen zu erzählen.

»Chris«, sagt Billie, »hatte überhaupt kein Veständnis dafür, daß wir uns Sorgen machten. Er fand es völlig idiotisch.«

Chris hatte auf seinen Reisen eine Machete und ein Gewehr von Kaliber 30-06 erworben, und als Walt und Billie ihn zur Immatrikulation nach Atlanta fuhren, bestand er darauf, das Gewehr und das riesige Messer mitzunehmen. »Als wir zu seiner Bude im Studentenwohnheim raufgingen«, erinnert sich Walt mit einem Lachen, »dachten wir schon, daß die Eltern seines Zimmergenossen bestimmt der Schlag trifft. Sein Mitbewohner war ein braver, adretter Junge aus Connecticut, angezogen wie ein Schüler, und Chris kommt mit seinem zottigen Bart und den zerschlissenen Klamotten hereinspaziert. Mit der Machete und dem schweren Gewehr sah er aus wie Jeremiah Johnson. Aber wissen Sie was? Drei Monate später hatte sein adretter Zimmergenosse das Studium geschmissen, während Chris auf der Liste der Jahrgangsbesten stand.«

Zur angenehmen Überraschung seiner Eltern lebte sich Chris im Laufe des Semesters immer besser in Emory ein und war schon bald ganz begeistert. Er rasierte sich, ließ sich die Haare schneiden und sah wieder genauso gepflegt aus wie zu High-School-Zeiten. Seine Leistungen und Noten waren nahezu perfekt. Er fing an, für die Uni-Zeitung zu schreiben. Er redete sogar mit Begeisterung davon, nach dem Grundstudium weiterzumachen und Jura zu studieren. »Hör mal«, verkündete Chris einmal stolz Walt gegenüber, »ich glaube, mit den Noten, die ich hier habe, nimmt mich sogar die Harvard Law School.«

Nach den ersten beiden Semestern auf Emory kehrte Chris im Sommer nach Annandale zurück, um für die

Firma seiner Eltern zu arbeiten. Er entwickelte ein Computerprogramm. »Das Programm, das er für uns entworfen hat, war ohne Fehl und Tadel«, erzählt Walt. »Wir benutzen es bis heute und haben jede Menge davon an unsere Kunden verkauft. Aber als ich Chris bat, mir zu zeigen, wie er es gemacht hat, und mir zu erklären, warum und wie es funktionierte, stellte er sich stur. ›Du brauchst nur zu wissen, *daß* es funktioniert, nicht wie oder warum.‹ Das war typisch Chris, und ich kannte ihn ja, aber ich war trotzdem wütend. Er hätte einen hervorragenden CIA-Agenten abgegeben – im Ernst, ich kenne Leute, die für die CIA arbeiten. Chris hat uns immer nur soviel gesagt, wie wir unbedingt wissen mußten, und kein bißchen mehr. So war er in allen Dingen.«

Chris' widersprüchlicher Charakter verblüffte selbst seine Eltern immer wieder. Er konnte großzügig und uneigennützig bis zur Selbstverleugnung sein, aber er hatte auch seine dunklen Seiten, war bisweilen monomanisch, ungeduldig und egozentrisch; diese Eigenschaften schienen während seiner Studienzeit immer stärker in den Vordergrund zu treten.

»Ich hab Chris in Emory mal auf einer Party getroffen. Das war im vierten Semester«, erinnert sich Eric Hathaway, »und es stach einem förmlich ins Auge, wie sehr er sich verändert hatte. Er war verschlossen, beinahe abweisend. Ich sagte: ›Toll, dich zu sehen, Chris‹, und er antwortete nur zynisch: ›Ja, sagen hier alle.‹ Es war schwer, mit ihm ins Gespräch zu kommen. Wir haben uns schließlich übers Studium unterhalten, das einzige, was ihn wirklich zu interessieren schien. Das gesellschaftliche Leben in Emory spielte sich hauptsächlich in den Studentenverbindungen ab, etwas, das Chris total ablehnte. Ich schätze, als alle anfingen, sich solchen Verbindungen anzuschließen, hat er sich von seinen alten Freunden abgewandt und sich immer mehr nach außen verschanzt.«

Nach seinem zweiten College-Jahr kehrte Chris im Sommer wieder nach Annandale zurück und fing bei Domino's als Pizza-Fahrer an. »Nicht gerade der coolste Job, aber das war ihm egal«, erzählt Carine. »Er hat einen Haufen Geld gemacht. Ich weiß noch, wie er immer nachts nach Hause kam und am Küchentisch die Abrechnung machte, auch wenn er todmüde war. Er rechnete aus, wie viele Meilen er gefahren war, wieviel Domino's ihm fürs Benzin zahlte, wieviel das Benzin ihn tatsächlich kostete, seinen Reingewinn pro Schicht und wieviel es im Vergleich zur Woche davor war. Er hat alles akribisch festgehalten und mir gezeigt, wie man es anstellt, wie man Profit macht. Es war weniger das Geld, was ihn interessierte, eher die Tatsache, daß er sehr gut darin war, es zu verdienen. Es war wie ein Sport, und Geldzählen war seine Art, sich über den Spielstand zu informieren.«

Das ungewöhnlich positive Verhältnis, das zwischen Chris und seinen Eltern bestand, seit er die High School abgeschlossen hatte, sollte sich in jenem Sommer auffällig verschlechtern. Walt und Billie wußten nicht, weshalb. Billie zufolge »war er immer öfter sauer auf uns und verschloß sich immer mehr – nein, das ist nicht das richtige Wort. Chris war nie *verschlossen*. Aber er erzählte uns nicht mehr, was ihn beschäftigte, und verbrachte mehr Zeit mit sich allein.«

Chris' schwelende Wut hatte sich allem Anschein nach an einer Entdeckung entzündet, die er im Sommer vor zwei Jahren während seiner großen Reise gemacht hatte. In Kalifornien besuchte er das El-Segundo-Viertel, in dem er seine ersten sechs Lebensjahre verbracht hatte. Er rief ein paar alte Freunde der Familie an, unterhielt sich mit ihnen, stellte Fragen und bastelte sich schließlich aus den

Antworten die näheren Umstände von Walts erster, gescheiterter Ehe zusammen – Umstände, die ihm bis dato verborgen geblieben waren.

Walts Scheidung von seiner ersten Frau Marcia war keine saubere, im gegenseitigen Einvernehmen vollzogene Trennung gewesen. Nachdem er sich längst in Billie verliebt hatte, ja sogar noch nach Chris' Geburt, führte er heimlich seine Beziehung zu Marcia fort. Er führte ein Doppelleben, lebte in zwei Haushalten, in zwei Familien. Er verfing sich in einem Netz aus Lügen, und wenn er zur Rede gestellt wurde, ersetzte er die alten Lügen nur durch neue. Zwei Jahre nach Chris' Geburt zeugte Walt mit Marcia einen weiteren Sohn – Quinn McCandless. Als Walts Doppelleben aufflog, rissen die ans Tageslicht gekommenen Wahrheiten tiefe Wunden. Alle Beteiligten durchlebten eine schreckliche Zeit.

Schließlich zogen Walt und Billie mit Chris und Carine an die Ostküste. Die Scheidung von Marcia war endlich vollzogen; Walt und Billie konnten heiraten. Alle versuchten so gut wie möglich, einen Strich unter die Vergangenheit zu ziehen und wieder nach vorne zu blicken. Zwei Jahrzehnte vergingen. Man wurde weiser, übte sich in Nachsicht. Die Schuldgefühle, der Schmerz und die erbitterte Eifersucht verloren sich in der fernen Vergangenheit. Der Sturm schien sich gelegt zu haben. Und dann fuhr Chris 1986 nach El Segundo, klopfte an die Türen ehemaliger Nachbarn und erfuhr all die schmerzhaften Details dieser Ereignisse.

»Chris war ein Typ, der über die Dinge brütete«, stellt Carine fest. »Wenn er irgendwie sauer war, sagte er es einem nicht gleich. Er behielt es für sich, schmorte vor sich hin und wurde nur noch wütender.« Genau dies scheint nach den Enthüllungen von El Segundo der Fall gewesen zu sein.

Kinder sind in ihrem Urteil über ihre Eltern oft grausam und lassen nur selten Milde walten. Chris war diesbezüglich alles andere als eine Ausnahme. Mehr als andere Jugendliche tendierte er dazu, die Dinge schwarz-weiß zu sehen. Er maß seine Umgebung an einem strengen Moralkodex, dem keiner genügen konnte.

Seltsamerweise scherte er dabei jedoch nicht alle über einen Kamm. Beispielsweise war einer der Menschen, die er in den letzten beiden Jahren seines Lebens aufrichtig zu bewundern vorgab, ein schwerer Alkoholiker und unverbesserlicher Schürzenjäger, der seine Freundinnen regelmäßig verprügelte. Chris war sich der charakterlichen Mängel dieses Mannes sehr wohl bewußt, störte sich aber nicht weiter daran. Auch war es ihm möglich, die menschlichen Schwächen seiner literarischen Vorbilder zu entschuldigen oder sie geflissentlich zu übersehen: Jack London war ein notorischer Trinker; Tolstoi war trotz seines vielbeachteten, öffentlichen Eintretens für Keuschheit als junger Mann ein richtiger Schürzenjäger, der mindestens dreizehn Kinder zeugte. Einige davon entstanden just zu jener Zeit, als der gestrenge Graf in seinen Schriften gegen die sündige Fleischeslust wetterte.

Wie viele Leute, so beurteilte auch Chris Künstler und enge Freunde anhand ihrer Werke und nicht ihrer Lebensführung. Dennoch war er nicht in der Lage, diese Nachsicht auch auf seinen Vater auszudehnen. Wenn Walt McCandless in seiner unnachgiebigen Art gegenüber Chris, Carine oder einer ihrer Halbgeschwister eine Rüge aussprach, dann dachte Chris an das wahrlich nicht tadellose Verhalten seines Vaters vor vielen Jahren und verdammte ihn insgeheim als schamlosen Heuchler.

Chris führte über jedes begangene Unrecht sorgfältig

Buch. Und mit der Zeit steigerte er sich in einen Zustand selbstgerechter Entrüstung, dem er irgendwann Luft verschaffen mußte.

Nachdem Chris die Details von Walts Scheidung ausgegraben hatte, vergingen zwei Jahre, bis seine Wut nach außen drang. Der Junge konnte seinem Vater die Fehler, die er als junger Mann begangen hatte, nicht verzeihen, und schon gar nicht den Versuch, das Geschehene totzuschweigen. Später erklärte er gegenüber Carine und anderen, daß ihm angesichts des von Walt und Billie gesponnenen Lügennetzes seine »ganze Kindheit wie eine bloße Fiktion erscheint«. Aber er konfrontierte seine Eltern nicht mit seinen Kenntnissen, weder damals noch später. Statt dessen machte er aus seinem Wissen um die Vergangenheit ein düsteres Geheimnis und versteckte seine Wut, fraß sie stumm in sich hinein und zog sich mürrisch in sich selbst zurück.

Aber Chris nahm nicht nur seinen Eltern gegenüber eine immer unversöhnlichere Haltung an. Auch seine Empörung über das allgemeine Unrecht in der Welt wuchs ins Maßlose. Im Sommer 1988 fing Chris, wie Billie noch weiß, an, »sich über all die reichen Söhne und Töchter auf Emory zu beschweren«. Mehr und mehr bevorzugte er Seminare, die sich mit den sozialen Problemen dieser Welt – Rassismus, Welthunger und ungerechte Verteilung des Reichtums – auseinandersetzten. Aber trotz seiner Aversion gegen Geld und Konsum ist seine politische Haltung kaum als liberal zu bezeichnen.

Tatsächlich hatte er einen Riesenspaß dabei, sich über das politische Programm der Demokratischen Partei lustig zu machen. Chris war ein lautstarker Ronald-Reagan-Anhänger. In Emory ging er sogar soweit, sich an der Gründung eines republikanischen College-Clubs zu beteiligen. Seine scheinbar widersprüchlichen politischen

Ansichten lassen sich am besten mit einem Ausspruch aus Thoreaus »Zivilem Ungehorsam« resümieren: »Mit ganzem Herzen willige ich in das Motto ein – ›Die beste Regierung ist die, welche am wenigsten regiert.‹« Darüber hinaus ist sein politisches Weltbild zu diffus, um es in Worte zu fassen.

Als stellvertretender Leitartikler des *Emory Wheel* verfaßte er zahllose Kommentare zum Zeitgeschehen. Wer diese Artikel heute, ein halbes Jahrzehnt später, liest, dem fällt sofort auf, wie jung und leidenschaftlich McCandless damals war. Seine mit eifernder Logik vorgetragenen Ansichten zielen in alle Richtungen. Er karikierte Jimmy Carter und Senator Joe Biden, forderte den Rücktritt von Justizminister Edwin Meese, fiel über die neue christliche Rechte und ihre bibelschwingenden Jünger her, mahnte zur Wachsamkeit gegen die sowjetische Bedrohung, drosch auf die Japaner ein, weil sie Wale jagten, und verteidigte Jesse Jackson als Präsidentschaftskandidaten der Zukuft. In einer in typisch überdrehtem Ton verfaßten Erklärung vom 1. März 1988 lautet die Eröffnungszeile von McCandless' Leitartikel: »Heute bricht der dritte Monat des Jahres 1988 an, das auf dem besten Wege ist, als eines der politisch korruptesten und skandalträchtigsten Jahre der Neuzeit in die Geschichte einzugehen ...« Chris Morris, der Herausgeber des Blattes, hat McCandless als einen »sehr angespannten Menschen« in Erinnerung.

Seiner stetig schrumpfenden Schar von Mitstreitern sollte McCandless mit jedem verstreichenden Monat immer angespannter vorkommen. Im Frühling '89 brach Chris gleich nach Vorlesungsende zu einem weiteren, verlängerten Spontantrip in seinem Datsun auf. »Wir haben während des gesamten Sommers nur zwei Postkarten von ihm erhalten«, erzählt Walt. »Auf der ersten stand ›Unterwegs nach Guatemala‹. Als ich das las, dachte ich nur: ›O Gott, er fährt da runter, um sich den Rebellen anzuschließen. Die werden ihn bestimmt an die Wand stellen und abknallen.‹ Dann, gegen Ende des Sommers, traf die zweite Karte ein, und dort stand nur ›Bin in Fairbanks. Reise morgen ab. Wir sehen uns in ein paar Wochen.‹ Er hatte also kurzerhand umdisponiert und war nicht nach Süden, sondern nach Alaska gefahren.«

Die beschwerliche, staubige Fahrt über den Alaska Highway war Chris' erste Reise in den hohen Norden. Es wurde ein verhältnismäßig kurzer Aufenthalt – er sah sich ein wenig in Fairbanks und Umgebung um, mußte dann aber gleich wieder los, um es noch rechtzeitig zum Beginn des Wintersemesters nach Atlanta zu schaffen –, doch er war überwältigt von der grenzenlosen Weite der Landschaft, der gespenstischen Färbung der Gletscher und dem glasklaren, subarktischen Himmel. Kein Zweifel, eines Tages würde er hierher zurückkommen.

In seinem Abschlußjahr wohnte Chris außerhalb des Universitätsgeländes in seinem kahlen, spartanischen Zimmer, das er nur mit Milchkästen und einer Matratze ausgestattet hatte. Von seinen Freunden sahen ihn nur wenige auch nach dem Unterricht. Ein Professor gab ihm einen Bibliotheksschlüssel, so daß er auch außerhalb der Öffnungszeiten hineinkonnte. Dort verbrachte er einen Großteil seiner Freizeit. Andy Horowitz, ein enger Freund aus High-School-Zeiten und Mitglied der alten Dauerlaufmannschaft, traf ihn dort zufällig eines Morgens kurz vor der Abschlußprüfung. Obwohl Horowitz und McCandless in Emory im gleichen Jahrgang waren, hatten sie sich seit zwei Jahren nicht gesehen. Sie unterhielten sich kurz, doch ein richtiges Gespräch kam nicht zustande, und nach ein paar Minuten verschwand McCandless in einer Lesenische.

Chris meldete sich in jenem Jahr nur selten bei seinen

Eltern, und da er selbst kein Telefon hatte, war es für sie sehr schwierig, Verbindung mit ihm aufzunehmen. Walt und Billie machten sich über die emotionale Distanz ihres Sohnes immer größere Sorgen. In einem Brief an Chris schrieb Billie beschwörend: »Du hast Dich allen, die Dich lieben und Dich gern haben, radikal entzogen. Was auch immer es ist, mit wem auch immer Du zusammen bist – hältst Du dies für richtig?« Chris sah darin eine Einmischung in seine Angelegenheiten und empfand den Brief als »völlig daneben«, wie er sich Carine gegenüber äußerte.

»Was soll eigentlich dieses ›mit wem auch immer Du zusammen bist?‹« schimpfte er seiner Schwester gegenüber. »Die spinnt wohl. Weißt du, was ich glaube? Ich wette, sie halten mich für schwul. Todsicher. Wie sind sie nur auf so einen Schwachsinn gekommen? Diese Volltrottel.«

Als Walt, Billie und Carine im Frühling 1990 Chris' Abschlußfeier beiwohnten, machte er auf sie einen glücklichen, zufriedenen Eindruck. Als er auf die Bühne trat, um sein Zeugnis entgegenzunehmen, strahlte er über das ganze Gesicht. Er sagte ihnen, daß er vorhabe, wieder länger zu verreisen, gab ihnen aber zu verstehen, daß er sie vorher noch in Annandale besuchen würde. Kurze Zeit später spendete er sein gesamtes Bankguthaben der OXFAM, packte den Datsun mit seinen Sachen voll und verschwand aus ihrem Leben. Seit diesem Zeitpunkt vermied er jeden Kontakt mit seinen Eltern oder auch mit Carine, der Schwester, an der er angeblich so hing.

»Irgendwann hörten wir nichts mehr von ihm und haben uns Sorgen gemacht«, sagt Carine, »und ich glaube, bei meinen Eltern kam auch noch eine gewisse Wut hinzu, und sie fühlten sich gekränkt. Er hat nicht geschrieben, aber ich selbst war deshalb nicht gekränkt.

Ich wußte, er ist glücklich und tut, was ihm Spaß macht. Ich hab gespürt, daß es wichtig für ihn ist, herauszufinden, wie weit er mit seiner Unabhängigkeit gehen kann. Und ihm war natürlich klar, daß, wenn er mir schreibt oder mich anruft, Mom und Dad sofort rauskriegen, wo er ist, dorthin fliegen und versuchen, ihn heimzuholen.«

Walt streitet dies nicht ab. »Keine Frage«, sagt er. »Wenn wir irgendeinen Hinweis gehabt hätten, wo wir suchen müssen – klar –, ich wäre auf dem schnellsten Wege dorthin gefahren, hätte rausgekriegt, wo er steckt, und dann hätte ich unseren Sohn nach Hause gebracht.«

Als ganze Monate ohne Nachricht von Chris verstrichen – und dann Jahre –, wurde aus Sorge qualvolle Angst. Billie verließ nie das Haus, ohne einen Zettel mit einer Nachricht für Chris an die Tür zu kleben. »Jedesmal, wenn wir im Auto unterwegs waren und einen Anhalter gesehen haben«, erzählt sie, »der Chris irgendwie ähnlich sah, haben wir gewendet und sind zurückgefahren. Es war eine schreckliche Zeit. Nachts war es am schlimmsten, vor allem wenn es kalt war und draußen stürmte. Man fragt sich: ›Wo *ist* er? Ist ihm warm genug? Ist er verletzt? Ist er einsam? Geht es ihm gut?‹«

Juli 1992, Chesapeake Beach, zwei Jahre nachdem Chris Atlanta verlassen hatte: Billie liegt schlafend im Bett. Plötzlich, mitten in der Nacht, fährt sie hoch und weckt Walt. »Ich hatte gehört, wie Chris mich ruft. Ich war absolut sicher«, beteuert sie unter Tränen. »Ich weiß nicht, wie ich jemals darüber hinwegkommen soll. Ich habe nicht geträumt. Ich habe nicht phantasiert. Ich habe seine Stimme gehört! Er flehte um Hilfe: ›Mom! Hilf mir!‹ Aber ich konnte ihm nicht helfen. Ich hab ja nicht gewußt, wo er ist. Und mehr hat er nicht gesagt, nur: ›Mom! Hilf mir!‹«

Virginia Beach

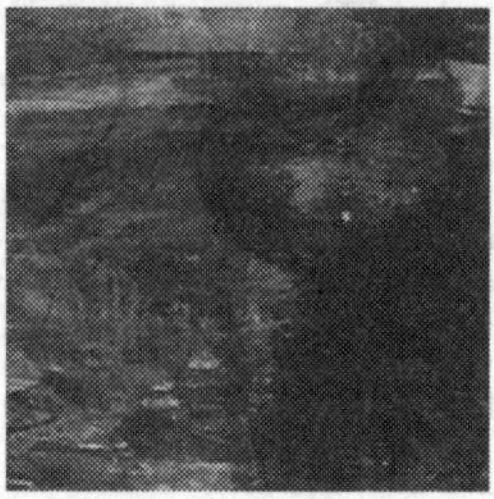

KAPITEL DREIZEHN

Kraft und Kühnheit der Landschaft spiegelten sich in mir wider.

Die Wege, die ich mir bahnte, führten hinaus in die Berge und Sümpfe, aber ebenso führten sie nach innen. Ich erforschte die einfachsten Dinge um mich herum, las viel, dachte lange über das Gelesene nach und gelangte so zu einer tiefgehenden Auseinandersetzung mit mir und der Landschaft. Mit der Zeit verschmolz beides zu einer Einheit.

Mit zunehmender Heftigkeit kristallisierte sich in mir eine leidenschaftliche, unbeirrbare Sehnsucht heraus – das Denken und all die sich daraus ergebenden Komplikationen für immer hinter mir zu lassen und mich nur noch von den unmittelbaren Bedürfnissen leiten zu lassen.

Einfach drauflosgehen, die Augen in die Ferne gerichtet. Ob zu Fuß, in Schneeschuhen oder mit dem Schlitten in die sommerlichen Hügellandschaften und ihren kühlen, spätabendlichen Schatten hinein – eine Baummarkierung oder Laufspuren im Schnee verrie-

ten meine Wege. Soll der Rest der Menschheit mich doch finden, wenn er kann.

JOHN HAJNES,
»THE STARS, THE SNOW, THE FIRE:
TWENTY-FIVE YEARS IN THE
NORTHERN WILDERNESS«

❖

Auf dem Kaminsims in Carine McCandless' Haus in Virginia Beach stehen zwei gerahmte Fotos: Das eine zeigt Chris in seinem ersten Jahr auf der High-School, das andere zeigt ihn als Siebenjährigen. Auf dem zweiten Bild, das an einem Osterwochenende geknipst wurde, steht er in einem winzigen Kinderanzug mit schief sitzender Krawatte neben Carine, die ein mit Rüschen besetztes Kleid und einen neuen Hut trägt. »Das Erstaunliche ist«, sagt Carine, die Augen auf die Bilder ihres Bruders geheftet, »daß, obwohl die Bilder im Abstand von zehn Jahren aufgenommen sind, der Gesichtsausdruck derselbe geblieben ist.«

Es stimmt: Auf beiden Fotos schaut Chris mit dem gleichen nachdenklichen, störrischen Blick in die Kamera, so als wäre er gerade dabei, einen wichtigen Gedanken zu fassen, und ärgert sich nur darüber, seine Zeit mit Fotografiertwerden zu verschwenden. Sein Ausdruck ist vor allem auf dem Osterfoto auffällig, weil er in so krassem Gegensatz zu Carines freudestrahlendem Lächeln steht. »Das ist Chris«, sagt sie mit zärtlichem Lächeln. Sie streicht mit den Fingerspitzen über das Bild. »So hat er ganz oft geschaut.«

Zu Carines Füßen liegt Buckley, der Shetland-Collie, an dem Chris so hing. Er ist mittlerweile dreizehn Jahre alt und um die Schnauze herum schon ganz weiß. In einem Bein hat er Arthritis und hinkt. Wenn jedoch Max, Carines achtzehn Monate alter Rottweiler, in Buckleys Revier eindringt, zögert der kleine, sieche Buck keine Sekunde, das viel größere Tier mit einem lauten Bellen und ein paar kurzen, wohlplazierten Beißattacken anzugehen. Der einhundertdreißig Pfund schwere Rottweiler eilt erschrokken davon.

»Chris war ganz vernarrt in Buck«, erzählt Carine. »In dem Sommer, in dem er verschwunden ist, wollte er Buck mitnehmen. Er war gerade mit der Uni fertig, und da hat er Mom und Dad gefragt, ob er Buck zu sich holen kann, aber sie haben nein gesagt. Buckley war gerade von einem Auto angefahren worden und noch nicht wieder ganz auf dem Damm. Jetzt tut ihnen die Entscheidung natürlich ein wenig leid, aber Buck hatte wirklich schwer was abgekriegt. Der Tierarzt hat nach dem Unfall gemeint, daß Buck nie wieder laufen wird. Meinen Eltern spukt immer noch die Frage im Kopf rum – und ich geb zu, mir auch –, wie die Dinge wohl gelaufen wären, wenn Chris Buck mitgenommen hätte. Chris dachte sich nichts dabei, sein eigenes Leben aufs Spiel zu setzen, aber nie und nimmer hätte er Buckley in Gefahr gebracht. Er wäre auf gar keinen Fall die gleichen Risiken eingegangen, wenn Buck dabeigewesen wäre.«

Carine ist etwas über einssiebzig und damit genauso groß wie ihr Bruder, vielleicht ein, zwei Zentimeter größer. Sie sieht ihm so ähnlich, daß sie öfters gefragt wurden, ob sie Zwillinge seien. Sie erzählt sehr lebendig, und wenn sie spricht, zerteilt sie mit kleinen, ausdrucksstarken Händen die Luft, um dies oder jenes zu betonen. Sie hat langes, bis an die Hüfte reichendes Haar und wirft immer wieder den Kopf zurück, um es sich aus dem Gesicht zu halten. Sie ist barfuß. An ihrem Hals baumelt ein goldenes Kreuz. Ihre Jeans sind sauber gebügelt, mit nach vorn abstehender Bügelfalte.

Carine ist, wie Chris, energiegeladen, selbstsicher und sehr ausdauernd. Sie ist es gewohnt, immer offen ihre Meinung zu sagen, und als Heranwachsende hatte auch sie heftige Auseinandersetzungen mit Walt und Billie. Dennoch sind die Unterschiede zwischen den beiden Geschwistern größer als die Gemeinsamkeiten.

Carine schloß mit ihren Eltern kurz nach Chris' Verschwinden Frieden, und jetzt, mit zweiundzwanzig Jahren, bezeichnet sie ihr Verhältnis als »besonders gut«. Sie ist um vieles geselliger als Chris und kann sich nicht vorstellen, einfach so alleine in die Wildnis hinauszuziehen – oder überhaupt ohne Begleitung zu verreisen. Und obwohl sie Chris' Empörung über Rassendiskriminierung teilt, ist Reichtum für sie nichts Verwerfliches. Erst kürzlich erwarb sie für viel Geld ein neues Haus. Sie klotzt regelmäßig Vierzehn-Stunden-Tage bei C.A.R. Services, Inc., der Autoreparaturfirma, die sie zusammen mit ihrem Mann, Chris Fish, führt. Carine hofft, daß sie ihre erste Million noch als junge Frau verdient.

»Ich hab Mom und Dad früher immer damit genervt, daß sie die ganze Zeit arbeiten und nie da sind«, sinniert sie mit einem selbstironischen Lächeln, »und jetzt schauen Sie mich an: Ich bin genauso.« Chris hat sie immer wegen ihres kapitalistischen Eifers aufgezogen, wie sie gesteht, und sie die Herzogin von York, Ivana Trump McCandless und »die zukünftige Leona Helmsley genannt«. Die Kritik an seiner Schwester ging jedoch nie über liebevolle Neckereien hinaus. Chris und Carine standen sich ungewöhnlich nah. In einem Brief, in dem Chris ihr den Krach mit Walt und Billie darlegte, schrieb er ihr einmal: »Wie auch immer, ich erzähle Dir davon, weil Du der *einzige* Mensch auf Erden bist, der überhaupt versteht, worum es mir bei dem Ganzen geht.«

Zehn Monate nach Chris' Tod trauert Carine noch

immer um ihren Bruder. »Es vergeht kein Tag, an dem ich nicht weine«, sagt sie mit verwirrtem Blick. »Ich weiß nicht, warum, aber am schlimmsten ist es, wenn ich allein im Wagen sitze. Die Fahrt ins Geschäft dauert zwanzig Minuten, und ich habe es bisher nicht ein einziges Mal geschafft, nicht an Chris zu denken und loszuheulen. Ich fang mich dann zwar wieder, aber trotzdem, wenn es passiert, ist es schlimm.«

Am Abend des 17. September 1992 badete Carine gerade im Freien ihren Rottweiler, als Chris Fish die Auffahrt hochgefahren kam. Sie war überrascht, weil es noch so früh war. Fish arbeitete normalerweise bis spät in die Nacht bei C.A.R. Services.

»Er war irgendwie komisch«, weiß Carine noch. »Er wirkte ganz verstört. Er ist reingegangen, kam dann wieder raus und fing an, mir mit Max zu helfen. Da wußte ich, irgendwas stimmt nicht. Fish wäscht sonst nämlich nie den Hund.«

»Ich muß mit dir reden«, sagte Fish. Carine folgte ihm ins Haus, spülte noch kurz Max' Halsbänder in der Küche ab und ging ins Wohnzimmer. »Fish saß im Dunkeln auf dem Sofa. Er wirkte ganz geknickt. Ich wollte einen Scherz machen, um ihn aufzumuntern, und sagte: ›Was *hast* du denn?‹ Ich dachte, bestimmt haben die Jungs in der Firma ihn mit irgendwas aufgezogen – vielleicht haben sie ihm gesagt, sie hätten mich mit einem anderen Mann gesehen oder so. Ich hab gelacht und gefragt: ›Machen die Jungs dir mal wieder das Leben schwer?‹ Aber er hat nicht zurückgelacht. Dann hat er aufgeschaut. Er hatte ganz rote Augen.«

»Es geht um deinen Bruder«, sagte Fish. »Sie haben ihn gefunden. Er ist tot.« Sam, Walts ältester Sohn, hatte Fish in der Firma angerufen und es ihm gesagt.

Carine wurde plötzlich schwarz vor Augen. Sie schüttelte mechanisch den Kopf, immer wieder. »Nein«, sagte sie fest, »Chris ist nicht tot.« Dann fing sie an zu schreien. Ihr Schluchzen und Klagen war so laut und anhaltend, daß Fish befürchtete, die Nachbarn würden meinen, er schlage sie, und die Polizei rufen.

Carine rollte sich wie ein Fötus auf dem Sofa zusammen. Als Fish sie trösten wollte, stieß sie ihn weg und schrie ihn an, daß er sie in Ruhe lassen solle. Sie verharrte fünf Stunden so, von Weinkrämpfen geschüttelt. Um elf hatte sie sich wieder einigermaßen im Griff. Sie packte schnell ein paar Sachen zusammen und ließ sich von Fish zu Walt und Billie nach Chesapeake Beach bringen, das etwa vier Stunden entfernt liegt.

Als sie Virginia Beach verließen, bat Carine Fish, bei ihrer Kirche anzuhalten. »Ich ging hinein und setzte mich eine Stunde oder so vor den Altar. Fish hat im Wagen auf mich gewartet«, weiß Carine noch. »Ich wollte ein paar Antworten von Gott. Aber ich bekam keine.«

Ein paar Stunden zuvor hatte Sam bestätigt, daß es sich bei dem aus Alaska gefaxten Foto des unbekannten Trampers tatsächlich um Chris handelte. Der Leichenbeschauer in Fairbanks forderte jedoch Chris' zahnärztliche Unterlagen an, um die Leiche definitiv identifizieren zu können. Der Vergleich der Röntgenbilder nahm einen weiteren Tag in Anspruch. Billie weigerte sich, das gefaxte Foto anzuschauen. Sie wollte die Ergebnisse der dentalen Identifizierung abwarten, um einen eindeutigen Beweis zu haben, daß der Junge, der in dem Bus am Sushana River verhungerte, tatsächlich ihr Sohn war.

Am nächsten Tag flogen Sam und Carine nach Fairbanks, um Chris' sterbliche Reste zu überführen. Im Büro des Leichenbeschauers wurden ihnen die wenigen, mit der Leiche sichergestellten Sachen ausgehändigt: Chris' Gewehr, ein Fernglas, die Angel, die Ronald Franz ihm geschenkt hatte, eines der Schweizer Armeemesser, die er von Jan Burres hatte, das Pflanzenkundebuch, in dem er Tagebuch geführt hatte, eine Minolta und fünf Rollen Film – mehr nicht. Der Leichenbeschauer schob ihnen ein paar Unterlagen über den Tisch zu, und Sam schob sie unterschrieben zurück.

Knapp vierundzwanzig Stunden nach ihrer Ankunft in Fairbanks flogen Carine und Sam nach Anchorage weiter. Chris' Leiche war dort nach der Autopsie im gerichtsmedizinischen Institut eingeäschert worden. Der Verantwortliche der Leichenhalle schickte ihnen Chris' Asche in einer Plastikdose ins Hotel. »Ich war erstaunt, wie groß die Dose war«, sagt Carine. »Sein Name war falsch geschrieben. Auf dem Aufklebeschildchen stand Christopher R. MCCANDLESS. Seine mittlere Initiale war in Wirklichkeit *J*. Es hat mich wahnsinnig gemacht, daß die das nicht hingekriegt haben. Ich wäre beinahe an die Decke gegangen vor Wut. Dann dachte ich nur: ›Chris wär's egal. Er würde es höchstens witzig finden.‹«

Am nächsten Morgen flogen sie nach Maryland. Carine hatte die Asche ihres Bruders in ihrem kleinen Rucksack verstaut.

Auf dem Heimflug aß Carine alles, was ihr von den Flugbegleitern vorgesetzt wurde, bis auf den letzten Krümel auf, »obwohl es«, wie sie sagt, »dieses gräßliche Zeugs war, das sie einem in Flugzeugen servieren. Chris war verhungert, und der Gedanke, Essen zu verschwenden, war mir einfach unerträglich.« In den Wochen darauf mußte sie jedoch feststellen, daß sie kaum noch einen Bissen herunterkriegte. Sie nahm zehn Pfund ab, und ihre Freunde befürchteten bereits, daß sie an Magersucht litt.

Billie, die in Chesapeake Beach zurückgeblieben war, konnte ebenfalls nichts mehr essen. Die zierliche Achtundvierzigjährige mit den mädchenhaften Zügen verlor acht Pfund, bevor ihr Appetit schließlich zurückkehrte. Walt reagierte genau umgekehrt: er begann zwanghaft zu essen und nahm acht Pfund zu.

Einen Monat später sitzt Billie am Eßzimmertisch und sichtet die fotografischen Zeugnisse von Chris' letzten Tagen. Sie muß sich direkt überwinden, die unscharfen, verschwommenen Bilder anzuschauen. Immer wieder bricht sie dabei zusammen, weint, wie nur eine Mutter weinen kann, die ihr eigenes Kind überlebt hat. Ihre Tränen zeugen von einem entsetzlichen, irreparablen Verlust, der sich jeder Beschreibung entzieht. Wer solche Trauer aus nächster Nähe miterlebt, hat fürs erste die Nase voll von all den ausgefeilten Rechtfertigungen für hochriskante Extremtouren. Sie klingen albern und hohl.

»Ich kann einfach nicht verstehen, warum er sich solchen Gefahren aussetzen mußte«, protestiert Billie unter Tränen. »Ich kann es wirklich nicht verstehen.«

Das Stikine-Gletscher-plateau

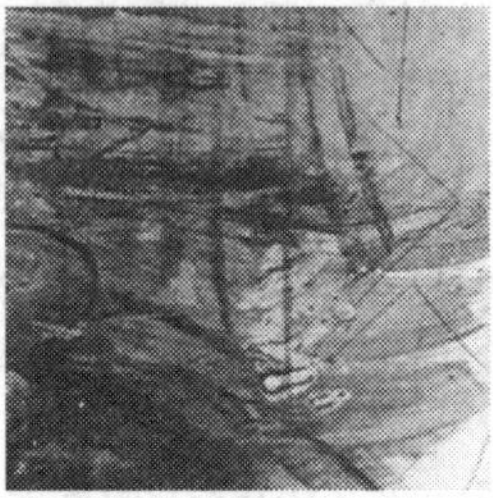

KAPITEL VIERZEHN

Als Kind strotzte ich vor Lebenskraft, aber schon damals war ich besessen von einer fiebrigen Sehnsucht. Ich wollte stets mehr vom Leben, suchte nach etwas Greifbarem. Ich sehne mich nach Wirklichkeit, so, als ob sie nicht da wäre …

Man sieht jedoch gleich, was ich tue. Ich gehe in die Berge und erklimme ihre Gipfel.

JOHN MENLOVE EDWARDS,
»LETTER FROM A MAN«

Ich kann nicht mehr genau sagen – es ist schon lange her –, unter welchen Umständen ich zum ersten Mal hinaufgestiegen bin, ich weiß nur noch, daß mich während des Wanderns ein Zittern ergriff (ich habe eine vage Erinnerung daran, alleine unter freiem Himmel übernachtet zu haben), – dann stieg ich kontinuierlich einen felsigen Bergkamm hinauf, auf dem vereinzelt karge Bäume wuchsen und wilde Tiere lebten, bis ich mich in der Höhe und den Wolken verlor und die unsichtbare Grenze zu überqueren glaubte, die einen Hügel, der nichts anderes ist als eine Haufen Erde, von einem Berg trennte: Ich befand mich in überirdischer Pracht und Erhabenheit. Der Gipfel hebt sich von der irdischen Grenze ab, weil er unberührt, eindrucksvoll, großartig ist. Er wird einem nie vertraut werden; in dem Moment, in dem man seinen Fuß dorthin setzt, ist man schon verloren. Man kennt den Weg, doch man läuft erregt über den kahlen, unwegsamen Felsen, als handele es sich um verfestigte Luft und Wolken. Dieser felsige Gipfel, in Dunst gehüllt und von Wolken verborgen, ist weitaus eindrucksvoller, fesselnder und erhabener als ein Vulkankrater, der Feuer spuckt.

HENRY DAVID THOREAU,
»JOURNAL«

❖

Auf seiner letzten Postkarte an Wayne Westerberg hatte McCandless geschrieben: »Dieses Abenteuer geht vielleicht tödlich aus, und es kann sein, daß Du nie wieder von mir hören wirst. Ich möchte aber, daß Du weißt, wie sehr ich Dich bewundere. Ich breche nun in die Wildnis auf.« Als das Abenteuer dann tatsächlich tödlich ausging, gab diese dramatische Äußerung Anlaß zu der Spekulation, daß der Junge partout Selbstmord begehen wollte, daß er, als er in die Wildnis auszog, nie vorhatte, sie lebend wieder zu verlassen. Ich bin mir da jedoch nicht so sicher.

Ich glaube nicht, daß McCandless seinen Tod geplant hatte. Ich glaube, es war ein tragischer Unfall. Meine Vermutung stützt sich vor allem auf die wenigen Dokumente, die er hinterließ, aber auch auf die Berichte der Männer und Frauen, mit denen er während des letzten

Jahres seines Lebens Kontakt hatte. Aber auch mein Verständnis von McCandless' Beweggründen entspringt einer eher persönlichen Sichtweise.

Ich muß in meiner Jugend, wie ich immer wieder höre, ein störrischer, unzugänglicher, launischer und oft auch leichtsinniger Bursche gewesen sein. Mein Vater hatte bestimmte Hoffnungen in mich gesetzt, die ich ein ums andere Mal enttäuschte. Wie bei Chris McCandless erregten männliche Führerfiguren in mir eine verwirrende Mischung aus verklemmter Wut und dem Verlangen, es ihnen recht zu machen. Wenn meine unbändige Phantasie von etwas gefangengenommen wurde, verfolgte ich es mit einem Eifer, der an Besessenheit grenzte. Zwischen siebzehn und Ende Zwanzig war dieses Etwas Bergsteigen.

Von früh bis spät träumte ich davon, die fernen Berge Alaskas und Kanadas zu erklimmen – bis ich sie schließlich tatsächlich erklomm. Es handelte sich dabei meist um irgendwelche obskuren Gipfel, die steil und furchteinflößend waren, von denen aber bis auf eine Handvoll Kletterfreaks kein Mensch je gehört hatte. Meine Besessenheit hatte jedoch auch seine guten Seiten. Während ich wie gebannt von einem bestiegenen Gipfel zum nächsten schaute, gelang es mir, die nebelumschleierten Klippen der Pubertät heil und unversehrt zu durchschiffen. Berg steigen war etwas, das *zählte*. Durch die ständig lauernde Gefahr wurde die Welt in einen grellen Glorienschein getaucht, der alles wie in einem schimmernden Relief gestochen scharf heraustreten ließ – von der geschwungenen Bergwand über die orangenen und gelben Felsenflechten bis zu den hohen Wolkenformationen. Ich fühlte mich dem Leben plötzlich so nah, spürte sein rhythmisches Atmen. Die Welt war echt und greifbar geworden.

1977 saß ich auf einem Barhocker in Colorado, brütete vor mich hin und kratzte an meinen existentiellen Wunden und Narben. Plötzlich kam mir die Eingebung, den sogenannten Devil's Thumb zu besteigen. Bei dem Berg handelt es sich um einen Einschluß von dioritischem Eruptivgestein, der von vorzeitlichen Gletschern zu einem Gipfel von ungeheuren, spektakulären Ausmaßen geformt wurde. Von Norden her wirkt er besonders imposant: Aus einem weiten Gletscherplateau ragt jäh und spitz die große, damals noch unbezwungene Nordwand in eine Höhe von knapp zweitausend Metern empor, doppelt so hoch wie El Capitan im Yosemite Park. Ich würde also nach Alaska gehen, von der Küste aus auf Skiern dreißig Meilen über Glazialeis wandern und die mächtige Nordwand besteigen. Und zwar allein.

Ich war dreiundzwanzig, ein Jahr jünger als McCandless, als er in die Wildnis von Alaska auszog. Die Überlegungen, die ich dabei anstellte – falls man sie denn so nennen kann –, waren ebenso konfus wie die jugendliche Leidenschaft, an der sie sich entzündet hatten. Ich verschlang damals gerade im Übermaß die Werke von Nietzsche, Kerouac und John Menlove Edwards. Bei dem letzteren handelt es sich um einen zutiefst verstörten Schriftsteller und Psychiater, der, bevor er sich 1958 mit einer Kapsel Zyankali das Leben nahm, einer der herausragenden britischen Bergsteiger seiner Zeit war. Edwards betrachtete Bergsteigen als eine »psychoneurotische Neigung«. Er kletterte nicht um des Sports willen, sondern um vor der quälenden inneren Unruhe Zuflucht zu finden, die ihn zeitlebens beherrschte.

Noch während ich an dem Plan bastelte, den Thumb zu besteigen, ahnte ich dunkel, daß die Sache vielleicht eine Nummer zu groß für mich sei. Aber das machte das Projekt nur noch reizvoller. Daß die Sache kein Kinderspiel werden würde – darum ging's ja gerade.

Ich hatte ein Buch, in dem der Devil's Thumb abgebildet war. Die Schwarzweiß-Aufnahme stammte von Maynard Miller, einem bedeutenden Glaziologen. In Millers Luftaufnahme wirkte der Berg besonders bedrohlich: eine riesige, schuppige Gesteinsflosse, dunkel und eisverschmiert. Das Bild übte eine beinahe pornografische Faszination auf mich aus. Was für ein Gefühl das wohl sein muß, fragte ich mich, auf diesem schmalen, klingenförmigen Gipfelkamm zu stehen? Sich zusammengekauert gegen den Wind zu stemmen, der klirrenden Kälte zu trotzen? In der Ferne drohen die Sturmwolken, links und rechts nur der jähe Abgrund. Konnte ein einzelner Mensch das Entsetzen, das einen bei so was packt, überhaupt aushalten, bis er rauf- und wieder runtergeklettert war?

Und was wäre, wenn ich es tatsächlich schaffte ... Ich hatte Angst, mir den Triumph danach vorzustellen, und wollte das Schicksal nicht herausfordern. Aber ich zweifelte keine Sekunde lang daran, daß die Besteigung des Devil's Thumb mein Leben von Grund auf verändern würde. Wie könnte es anders sein?

Ich arbeitete damals vorübergehend als Schreiner auf einer Baustelle in Boulder für drei Dollar fünfzig die Stunde. Wir zogen Grundgerüste für Apartmenthäuser hoch. Eines Nachmittags, nachdem ich neun Stunden lang Balken geschleppt und Zwanzig-Zentimeter-Nägel ins Holz gehämmert hatte, sagte ich zu meinem Boß, daß ich den Job schmeißen würde. »Nein, nicht in ein paar Wochen, Steve. Ich meine, jetzt gleich.« Innerhalb von ein paar Stunden hatte ich meine Werkzeuge und meine Sachen aus dem klapprigen Bauwagen geholt, in dem ich gehaust hatte. Dann stieg ich in meinen Wagen und brach nach Alaska auf. Ich war wie immer überrascht davon, wie leicht es letztlich war, einen Schlußstrich unter etwas zu ziehen, und wie gut man sich dabei fühlte. Die Welt mit all ihren Möglichkeiten stand mir plötzlich wieder offen.

Der Devil's Thumb markiert die Grenze zwischen Alaska und British-Columbia. Er liegt östlich von Petersburg, einem Fischerdorf, das nur mit dem Schiff oder per Flugzeug zu erreichen ist. Es gab zwar einen Pendelflugverkehr dorthin, aber außer meinem 1960er Pontiac Star Chief besaß ich nur zweihundert Dollar in bar, was nicht einmal für einen einfachen Hinflug reichte. Ich fuhr also bis Gig Harbor, ließ den Wagen stehen und erschnorrte mir eine Fahrt auf einem Lachsfischerboot.

Die *Ocean Queen* war ein robustes Arbeitsboot ohne viel Schnickschnack. Aus den dicken, gelben Planken der Alaska-Zeder gebaut, war sie für Schleppnetzfahrten und für Sacknetzfang getakelt. Um mir meine Fahrt nach Norden zu verdienen, mußte ich lediglich in regelmäßigem Turnus das Steuerrad bewachen – alle zwölf Stunden eine Vier-Stunden-Wache. Außerdem half ich, die endlos langen Kurrleinen des Heilbuttfanggeschirrs einzuholen. Wir durchquerten in gemächlichem Tempo die *Inside Passage,* und die Fahrt verging in einem phantastisch-verschwommenen Gefühl der Vorfreude. Ich war unterwegs, ein inneres Gebot befolgend, dem ich mich nicht entziehen konnte, das ich nicht einmal verstand.

Wir tuckerten die Straße von Georgia hoch, und das Wasser glitzerte in der Sonne. Steilwände säumten die Küste, dicht bewachsen von düster schimmernden Schierlingen, Igel-Aralien und Zedern, über uns kreisten die Möwen. Vor Malcolm Island teilte das Boot einen Schwarm von sieben Schwertwalen. Ihre mannshohen Rückenflossen durchschnitten die kristallene Oberfläche, und sie kamen so nah, daß man von der Reling aus auf sie spucken konnte.

Als ich während unserer zweiten Nacht auf See mit dem Steuer in der Hand auf der Brücke stand, tauchte im Scheinwerferkegel des Schiffes plötzlich ein Großohrhirsch auf. Das Tier befand sich mitten im Fitz Hugh Sund. Es schwamm durch das kalte schwarze Wasser, mehr als eine Meile von der kanadischen Küste entfernt. Die Augen des Hirsches glühten rot im Scheinwerferlicht. Er schien am Ende seiner Kräfte, wahnsinnig vor Angst. Ich riß das Steuerrad nach Steuerbord, und das Boot glitt vorbei. Der Hirsch wurde von der Dünung des Kielwassers zweimal auf und nieder gewogen und verschwand schließlich in der Dunkelheit.

Der größte Teil der *Inside Passage* besteht aus schmalen, fjordähnlichen Kanälen. Als wir aber Dundas Island hinter uns ließen, öffnete sich vor uns plötzlich der Horizont. Nach Westen hin war das Meer nun offen auf die ganze Weite des Pazifik. Das Boot hüpfte und rollte auf einer schweren, drei Meter hohen Westdünung. Wellen brachen über die Reling herein. Steuerbord voraus tauchte in der Ferne ein Gewirr von niedrigen, schroffen Felsgipfeln auf. Ich spürte, wie mein Puls schneller ging. Jene Berge blickten mich verheißungsvoll an. Hinter ihnen lag das Ziel meiner Träume. Wir waren in Alaska angekommen.

Fünf Tage, nachdem wir Gig Harbor verlassen hatten, gingen wir in Petersburg vor Anker, um zu tanken und die Wasservorräte aufzufüllen. Ich überquerte das Schanzdeck, nahm meinen schweren Rucksack und ging den Kai hinunter. Es regnete. Ohne zu wissen, wie es weitergehen würde, suchte ich unter dem Vordach der Stadtbücherei Zuflucht und setzte mich auf mein Gepäck.

Petersburg ist ein kleines, für alaskanische Verhältnisse recht sauberes, schmuckes Städtchen. Eine große, schlaksige Frau kam vorbei und sprach mich an. Sie hieß Kai, sagte sie, Kai Sandburn. Sie war fröhlich und aufgeschlossen, und es war leicht, mit ihr ins Gespräch zu kommen. Ich erzählte ihr von meinem großen Vorhaben, und zu meiner Erleichterung lachte sie mich weder aus, noch wirkte sie befremdet. »Bei klarem Wetter«, sagte sie nur, »kann man den Thumb von hier aus sehen. Sieht schön aus. Er ist gleich da drüben, auf der anderen Seite vom Frederick Sund.« Sie wies mit dem Arm nach Osten, in Richtung einer niedrighängenden Wolkenfront.

Kai lud mich zu sich nach Hause zum Essen ein. Später nahm ich meinen Schlafsack und rollte ihn auf dem Boden aus. Noch lange nachdem sie eingeschlafen war, lag ich im Nebenzimmer wach und lauschte ihrem ruhigen, regelmäßigen Atem. Monatelang hatte ich mir eingeredet, daß mir die fehlende Wärme und Intimität in meinem Leben und der Mangel an einer echten menschlichen Verbindung nichts ausmachen würde. Aber bei der Freude, die ich in der Gegenwart dieser Frau verspürte – dem Klang ihres Lachens oder einer ihrer harmlosen Berührungen, wenn sie zum Beispiel ihre Hand auf meinen Arm legte –, dämmerte es mir langsam, daß ich mir da offensichtlich selbst etwas vormachte. Ich fühlte mich leer und verlassen.

Petersburg liegt auf einer Insel, der Devil's Thumb auf dem Festland. Er erhebt sich aus einem kahlen, vereisten Plateau, dem sogenannten Stikine-Gletscherplateau, dessen Eismassen weit über die Kammlinie der Boundary Ranges hinausreichen. Von weitem wirkt er wie ein labyrinthähnliches, von Einkerbungen übersätes Rückenschild einer Schildkröte. Zahlreiche blaugefärbte Gletscherzungen schieben sich unter der riesigen Last der

Jahrtausende Zentimeter um Zentimeter zum Meer vor. Zwischen mir und dem Fuß des Berges lagen fünfundzwanzig Meilen Salzwasser und der Baird, ein dreißig Meilen langes Gletschertal. Ich mußte also nur eine Überfahrt organisieren und dann auf Skiern das Gletschertal durchwandern, das, wie ich vermutete, schon seit vielen, vielen Jahren von keinem Menschen mehr betreten worden war.

Drei Baumpflanzer nahmen mich an den Rand der Thomas Bay mit und setzten mich an einem Kiesstrand an Land. Eine Meile vor mir konnte ich den breiten, von Eisschutt übersäten Gletscher erkennen. Eine halbe Stunde später arbeitete ich mich mühsam das Zungenende hoch und trat meinen langen Marsch auf den Thumb an. Der Gletscher trug keinen Schnee und war in eine Mulde aus grobem Kies gebettet, der unter den Zacken meiner Steigeisen knirschte.

Nach drei oder vier Meilen erreichte ich die Schneelinie und tauschte die Steigeisen gegen Skier aus. Mit den Brettern an den Füßen verringerte sich meine Gepäcklast um fünf Kilo. Es ging nun schneller voran. Unter dem Schnee lauerten jedoch tückische Gletscherspalten.

Auf der Hinreise hatte ich in weiser Voraussicht an einer Eisenwarenhandlung in Seattle haltgemacht und zwei dicke, je drei Meter lange Vorhangstangen aus Aluminium gekauft. Ich band die Stangen über Kreuz zusammen und befestigte sie an dem Hüftgürtel meines Rucksacks. Die Stangen hingen horizontal an meinem Körper über dem Schnee. Ich kam mir wie ein seltsamer Büßermönch vor, schwerbeladen, mit einem lächerlichen Metallkreuz, das an mir baumelte. Falls ich jedoch über einer dieser tückischen Gletscherspalten durch die Schneedecke brach, würden die Vorhangstangen – wie ich inständig hoffte – sich über den Schlitz legen und mich davor bewahren, von den eisigen Tiefen des Baird verschluckt zu werden.

Zwei Tage lang stapfte ich beharrlich das Gletschertal hoch. Das Wetter war schön, und mein Weg lag gerade vor mir, frei von nennenswerten Hindernissen. Da ich aber allein war, gewannen mit der Zeit auch die banalsten Umstände eine tiefe, mysteriöse Bedeutung. Das Eis wirkte kälter und geheimnisvoller, der Himmel schien von einem klareren Blau. Die namenlosen, über dem Gletscher hochaufragenden Gipfel wirkten höher, anmutiger und unendlich bedrohlicher. Und auch meine Gefühlsregungen waren von doppelter Intensität: die Hochgefühle waren höher, Verzweiflungsphasen um so dunkler und abgründiger. Auf einen bis zum Letzten entschlossenen jungen Mann, trunken von dem Drama seines Lebens, übte all dies eine enorme Anziehungskraft aus.

Drei Tage, nachdem ich Petersburg verlassen hatte, kam ich am Fuße des Stikine-Gletscherplateaus an, wo der lange Arm des Baird in den Eiskuchen des Hauptgletschers übergeht. Der Gletscher kommt über den scharfkantigen Rand eines Hochplateaus gezüngelt und fällt wie in einer Phantasmagorie aus zertrümmertem Eis in eine von zwei Steilhängen flankierte Schlucht hinab. Als ich eine Meile entfernt wie gebannt auf dieses tumultartige Schauspiel starrte, überkam mich zum ersten Mal, seit ich Colorado verlassen hatte, wirkliche Angst.

Der Eisfall war kreuzweise von Gletscherspalten und den wankenden Pfeilern eines Eisbruchs durchschnitten. Von weitem fühlte ich mich an die Trümmerhaufen nach einem schweren Zugunglück erinnert, so als wären am Gletschersaum gespenstische weiße Waggons entgleist und einfach den Hang hinuntergepurzelt. Je näher ich kam, desto unfreundlicher wirkte das Ganze. Angesichts von fünfzehn Meter breiten und Hunderte von Metern tiefen Gletscherspalten kam ich mir mit meinem selbstgebastelten Stangenkreuz ein wenig verloren vor. Noch bevor ich mir Gedanken über eine gangbare Route durch den Eisfall machen konnte, kam ein heftiger Wind auf, und es fing an zu schneien. Der Schnee blies mir ins Gesicht und brannte auf meiner Haut. Die Sichtweite reduzierte sich auf ein Minimum.

Himmel und Erde schienen ineinanderzufließen, und den größten Teil des Tages tappte ich blind in dem Labyrinth umher, verfolgte meine Schritte von einer Sackgasse in die nächste zurück. Immer wieder glaubte ich, einen Weg ins Freie gefunden zu haben, nur um in einer weiteren tiefblauen Sackgasse hängenzubleiben oder auf dem Scheitel eines alleinstehenden Eisblocks zu landen. Meinen Bemühungen war schon bald eine gewisse, nicht zu leugnende Dringlichkeit eigen, die von den Geräuschen unter meinen Füßen herrührte. Ein mehrstimmiges Madrigal aus Knirschlauten und anderen versteckten, dissonanten Andeutungen – es klang wie das Bersten eines Tannenasts kurz vor dem Abbrechen – ließ mich nie vergessen, daß es in der Natur eines Gletschers liegt, sich zu bewegen, und Eisbrüche gerne aneinanderkrachen.

Ich brach mit einem Fuß in eine Schneebrücke ein. Die Gletscherspalte darunter klaffte so tief, daß man den Grund nicht sehen konnte. Wenig später brach ich bis zur Hüfte durch eine weitere Schneebrücke. Die Stangen bewahrten mich davor, vierzig Meter in die Tiefe zu fallen. Als ich mich wieder befreit hatte, würgte und krümmte ich mich. Mir war kotzübel. Die Vorstellung, mit zertrümmerten Knochen dort unten auf dem Grund der Gletscherspalte zu liegen und auf den Tod zu warten, ließ mich nicht mehr los. Niemand hätte jemals erfahren, wie oder wo mein Schicksal mich ereilt hätte.

Als ich das obere Ende des Eisbruchhangs erreichte und auf das windgepeitschte Gletscherplateau hinaustrat, war es bereits dunkel. Der Schrecken saß mir noch in allen Gliedern, und ich stellte mich sofort wieder auf meine Skibretter und fuhr weiter, nur um endlich das Rumpeln und Knirschen des Eisbruchs nicht mehr hören zu müssen. Ich schlug das Zelt auf, kroch in meinen Schlafsack und zitterte mich in einen von Angstträumen duchzuckten Schlaf.

Mein Plan sah einen drei- bis vierwöchigen Aufenthalt auf dem Gletscherplateau vor. Um nicht den Proviant für vier Wochen den Baird hochschleppen zu müssen – meine Kletter- und Campingausrüstung war schwer genug –, hatte ich einem Piloten in Petersburg hundertfünfzig Dollar dafür gezahlt, daß er mir sechs Kartons mit Proviant aus dem Flugzeug abwirft, sobald ich am Fuße des Thumb angelangt wäre. Es war mein letztes Geld. Ich hatte dem Piloten auf seiner Karte genau gezeigt, wo ich ihn erwarten würde, und ihm gesagt, daß er drei Tage rechnen sollte, bis ich die Stelle erreicht hätte. Er versprach, den Abwurf zu erledigen, sobald das Wetter es zuließ.

Am 6. Mai errichtete ich ein Stück nordöstlich des Thumb ein Basislager und wartete auf den Fallschirmabwurf. Während der nächsten vier Tage schneite es, was jede Möglichkeit eines Abwurfs zunichte machte. Ich hatte immer noch eine Heidenangst vor Gletscherspalten und verbrachte deshalb die meiste Zeit liegend im Zelt – zum Sitzen war es zu niedrig – und kämpfte gegen einen ganzen Chor von Zweifeln an.

Mit jedem Tag wurden meine Schrecken größer. Ich hatte weder ein Funkgerät noch irgendeine andere Möglichkeit, mit der Außenwelt Kontakt aufzunehmen. Diese Gegend des Gletscherplateaus war seit Jahren nicht mehr betreten worden, und es war davon auszugehen, daß sich dies in nächster Zukunft nicht ändern würde. Ich hatte kaum noch Gas für meinen kleinen Brenner, und an Proviant war mir nur ein Stück Käse, eine japanische Nudelsuppe und eine halbvolle Schachtel Kokosnußgebäck geblieben. Drei, vier Tage, länger konnte ich damit nicht überleben. Und was dann? Zur Thomas Bay zurück waren es nur zwei Tage, auf Skiern, den Baird hinunter. Bevor ich dort jedoch einen Fischkutter Richtung Petersburg aufgetan hätte, konnte locker eine Woche vergehen (die drei Baumpflanzer, mit denen ich gekommen war, hatten ihr Lager fünfzehn Meilen südlich von mir inmitten des zerklüfteten Vorgebirges an der Küste aufgeschlagen. Sie waren praktisch nur mit dem Boot oder per Flugzeug zu erreichen).

Als ich mich am Abend des 10. Mai zum Schlafen legte, herrschte immer noch heftiges Schneetreiben. Ein paar Stunden später hörte ich kurz ein schwaches Surren, kaum lauter als das Summen eines Moskitos. Ich riß die Zeltklappe auf. Die Wolkendecke hatte sich größtenteils aufgelöst, von einem Flugzeug war jedoch nichts zu sehen. Das Surren kehrte zurück, diesmal lauter, anhaltender. Dann sah ich es: hoch oben am westlichen Himmel brummte ein winziger, rot-weißer Fleck auf mich zu.

Ein paar Minuten später flog die Maschine direkt über mich hinweg. Der Pilot kannte sich jedoch in Gletscherflügen nicht aus. Er hatte sich grob verschätzt, was die Ausmaße des Terrains anging. Aus Angst, zu niedrig zu fliegen und in unerwartete Turbulenzen zu geraten, hielt er sich mindestens dreihundert Meter über mir – in dem Glauben, sich knapp über dem Plateau zu befinden. Es war später Abend, und in dem fahlen Licht war mein Zelt für ihn nicht erkennbar. Alles Winken und Rufen war vergebens. Von dort oben war ich ungefähr so groß wie ein Kieselstein auf einem Felsen. Eine Stunde lang umkreiste er das Plateau und suchte vergeblich die kahlen Umrisse ab. Doch es muß dem Piloten hoch angerechnet werden, daß er den Ernst der Lage begriff und nicht aufgab. Ich wurde langsam panisch. Ich fummelte meinen Schlafsack an das Ende einer der Vorhangstangen und wedelte damit krampfhaft umher. Das Flugzeug legte sich scharf in die Kurve und kam direkt auf mich zu.

Der Pilot brummte dreimal in rascher Folge dicht über mein Zelt hinweg und warf jeweils zwei Kartons ab. Minuten später verschwand das Flugzeug hinter einem Bergkamm, und ich war wieder allein. Über den Gletscher legte sich wieder völlige Stille, und ich fühlte mich plötzlich verloren, schutzlos ausgesetzt. Ich merkte, daß ich weinte, schämte mich meiner Tränen, und um der ganzen Flennerei ein Ende zu bereiten, fing ich an zu fluchen und mir mit Obszönitäten die Kehle wund zu schreien.

Am Morgen des 11. Mai erwachte ich unter einem strahlend blauen Himmel, und mit nur sechs Grad minus war es relativ warm. Das schöne Wetter scheuchte mich förmlich aus meinem Schlafsack. Ich war zwar seelisch nicht darauf vorbereitet, bereits mit dem Aufstieg zu beginnen, packte aber in aller Eile meinen Rucksack, legte die Skier an und brach in Richtung Thumb auf. Zwei vorangegangene Alaska-Touren hatten mich gelehrt, daß Schönwetterperioden rar und von kurzer Dauer sind und daß man es sich nicht leisten konnte, sie ungenutzt verstreichen zu lassen.

Am Rande des Gletscherplateaus kommt einem ein schmaler Hängegletscher entgegen. Wie eine Rampe führt er zur Nordwand hoch und schlängelt sich quer über sie hinweg. Mein Plan sah vor, dieser Rampe bis an einen großen, schiffsbugartig gewölbten Vorsprung auf mittlerer Höhe zu folgen und dadurch einen Bogen um die bedrohliche, ständig von Lawinen überrollte untere Hälfte der Wand zu schlagen.

Die Rampe stellte sich als eine Serie von im Fünfzig-Grad-Winkel ansteigenden Eisfeldern heraus, die von Gletscherspalten durchzogen und mit knietiefem Pulverschnee bedeckt sind. Durch den Schnee kam ich nur mühsam voran. Als ich mich drei, vier Stunden später mit meinen Eispickeln die überhängende Wand des Bergschrunds hocharbeitete, war ich bereits am Ende meiner Kräfte. Und dabei lag die eigentliche Kletterarbeit noch vor mir. Direkt über mir ging der Gletscher in eine vertikale Felswand über.

Ein Blick nach oben war wenig ermutigend. Das Felsgestein war von einer bröckeligen, fünfzehn Zentimeter dikken Schicht Rauhfrost überzogen und zeichnete sich vor allem durch den Mangel an Griffen und Tritten aus. Gleich links der großen gewölbten Ausbuchtung entdeckte ich jedoch eine flache Nische. Sie war mit einem Eisband aus gefrorenem Schmelzwasser überzogen, das in gerader Linie hundert Meter weit nach oben führte. Wenn das Eis sich als fest genug erwies und nicht gleich unter der Wucht meiner Eispickel zerbröckelte, wäre dies vielleicht eine gangbare Route. Ich schob mich zu einer Stelle unterhalb der Nische vor und stach einen Eispickel vorsichtig in das fünf Zentimeter dicke Eis. Es war fest und von guter Konsistenz, etwas dünner, als ich es mir gewünscht hätte, aber insgesamt vielversprechend.

Ich war der Nordwand nun schutzlos ausgeliefert, und der Aufstieg war dermaßen steil, daß mir schwindlig wurde. Unter meinen Vibram-Sohlen fiel die Wand eintausend Meter tief in das schmutzige, von Lawinen zerrissene Kar des Witches-Cauldron-Gletschers. Über mir wölbte sich der Fels in wuchtigem Schwung zum Gipfelkamm hinauf. Bis dahin waren es jedoch noch achthundert senkrechte Meter. Mit jedem Schwung meiner Eispikkel verkürzte sich diese Distanz um fünfzig Zentimeter.

Alles, was mich vor dem Abgrund bewahrte und mich in dieser Welt hielt, waren zwei kleine Spitzen aus Chrom-Molybdänstahl, etwa zwei Zentimeter tief in Schmelzeis gehauen. Dennoch, je höher ich stieg, desto sicherer fühlte ich mich. Zu Beginn einer schwierigen Besteigung, insbesondere einer schwierigen Alleinbesteigung, sitzt einem ständig dieser furchterregende Abgrund im Nacken. Um sich der Sogwirkung, die er ausübt, zu entziehen, darf der Kletterer in seiner Konzentration nicht einen Augenblick nachlassen. Der Sirenengesang der Leere zermürbt einen, läßt einen in den Knien weich werden. Den Bewegungen fehlt noch der nötige Fluß, und man zögert oft. Aber dann, im Laufe des Aufstiegs, gewöhnt man sich an den schwindelerregenden Abgrund, an die eigene Schutzlosigkeit und daran, Schulter an Schulter mit dem Tod zu stehen. Man beginnt seinen Händen und Füßen zu vertrauen und verläßt sich zunehmend auf seinen Verstand. Das Zutrauen in die eigene Körperbeherrschung wächst, je weiter man vorankommt.

Nach und nach versinkt man so tief in die sich wiederholenden Bewegungsabläufe, daß man die blutigen Fingerknöchel, die von Krämpfen durchzuckten Oberschenkel, den Druck der pausenlosen Anspannung nicht mehr bemerkt. Das ganze Schinden und Schuften geht in einem tranceähnlichen Zustand auf, und der Aufstieg wird zu einem kristallklaren Wachtraum. Stunden scheinen im Minutentakt zu vergehen. Der angestaute Frust des Alltags – die kleinen Mißverständnisse, die unbezahlten Rechnungen, die verpatzten Gelegenheiten, der Staub unterm Sofa, das unentrinnbare Gefängnis der eigenen

Gene –, all dies ist für kurze Zeit wie weggeblasen. Es verschwindet vor der überwältigenden Klarheit des Ziels und dem Ernst der zu bewältigenden Aufgabe.

In solchen Momenten spürt man tatsächlich so etwas wie Glück in sich aufsteigen, ein Gefühl, auf das man sich jedoch nicht allzusehr verlassen sollte. Eine Alleinbesteigung wird vor allem von einer gehörigen Portion Chuzpe zusammengehalten, nicht gerade das verläßlichste Bindemittel. Spät am Nachmittag spürte ich, wie sich jener Klebstoff unter einem einzigen Schwung eines Eispickels auflöste.

Seit ich den Hängegletscher hinter mir gelassen hatte, hatte ich fast zweihundertfünfzig Meter an Höhe gewonnen, und zwar lediglich mit den Steigeisen unter den Schuhen und den Schwüngen meiner Eispickel. Das Eisband ging nach einhundert Metern in eine bröckelige Schicht aus angereimtem Rauhfrost über, der in etwa die Festigkeit von Gips hatte, also kaum körpergewichttauglich war. Die Anreimschicht war jedoch gut siebzig, achtzig Zentimeter dick, und so schuftete ich mich weiter nach oben. Die Wand war jedoch unmerklich steiler geworden, und je steiler sie anstieg, desto dünner wurde der Anreim. Ich war in einen langsamen, tranceartigen Rhythmus verfallen – hacken, hacken; treten, treten; hacken, hacken; treten, treten. Plötzlich schlug mein linker Eispickel auf das Dioritgestein des Felsens, nur wenige Zentimeter unter dem Rauhfrost.

Ich versuchte es weiter links, dann rechts, aber wohin ich meinen Eispickel auch schlug, überall traf ich auf harten Fels. Der Anreim, auf dem ich mich hielt, war anscheinend nur noch zehn Zentimeter dick und hatte in etwa die Festigkeit einer vertrockneten Scheibe Maisbrot. Unter mir tat sich ein Abgrund von über einhundert Metern Tiefe auf, und ich turnte auf einem Kartenhaus herum.

Meine Angst wurde immer größer, und ich spürte einen sauren Geschmack im Mund. Ich sah alles nur noch verschwommen, mein Atem wurde kürzer, und ich verspürte ein unkontrollierbares Zittern in den Schenkeln. Ich schob mich einen halben Meter nach rechts, hoffte, daß das Eis dort dicker war, verbog mir aber nur einen meiner Eispickel an hartem Felsgestein.

Mit ungelenken Bewegungen fing ich an, mich nach unten zu hangeln, wie gelähmt vor Angst. Der Anreim wurde wieder dicker. Nach etwa fünfzehn Metern Abstieg erreichte ich wieder einigermaßen festes Terrain. Ich blieb dort lange Zeit stehen, versuchte, mich zu beruhigen. Nach einer Weile lehnte ich mich an meinen Eispikkeln zurück und blickte nach oben. Irgendwo mußte es doch so was wie festes, solides Eis geben. Ich suchte die Wand nach irgendeiner Variation im Felsgestein ab, nach irgend etwas, das mich nach oben führen würde. Ich suchte, bis mir der Nacken schmerzte, konnte aber nichts entdecken. Die Besteigung war vorbei. Es blieb nur der Rückzug.

Das Stikine-Gletscherplateau

KAPITEL FÜNFZEHN

Bevor wir jedoch das Wagnis nicht eingegangen sind, können wir nicht wissen, wieviel von jener Unbändigkeit in uns steckt. Sie ist es, die uns über Gletscher und durch reißende Ströme zwingt, die uns die gefährlichsten Gipfel erklimmen läßt, und mag es uns auch noch so unvernünftig erscheinen.

JOHN MUIR,
»THE MOUNTAINS OF CALIFORNIA«

Hast du eigentlich bemerkt, wie Sam II die Mundwinkel verzieht, wenn er dich ansieht? Es bedeutet erstens, daß er nicht damit einverstanden ist, daß du ihn Sam II genannt hast, und zweitens bedeutet es, daß er eine abgesägte Schrotflinte in seinem linken Hosenbein stecken hat und einen fiesen Stahlhaken im rechten. Er wartet nur auf eine Gelegenheit, um dich mit einem von beiden zu massakrieren. Der Vater ist verblüfft. Wenn sein Sohn sich mit ihm anlegt, sagt er in der Regel: »Ich hab dir mal die Windeln gewech-

selt, du kleiner Rotzbengel.« Das ist wirklich unfair. Erstens entspricht es nicht der Wahrheit (neun von zehn Windeln werden von Müttern gewechselt), und zweitens erinnert es Sam II sofort an den Grund seiner unbändigen Wut. Er ist so wütend, weil er klein war, als du groß warst, nein, Moment, das ist es nicht, er ist so wütend, weil er hilflos war, als du stark und mächtig warst, nein, Moment, das auch nicht, er ist so wütend, weil er nebensächlich war, als du lebenswichtig warst, nicht ganz, er ist rasend vor Wut, weil er dich einmal geliebt hat und du es nicht einmal bemerkt hast.

DONALD BARTHELME,
»THE DEAD FATHER«

❖

Wieder unten am Fuße des Devils Thumb angelangt, geriet ich in heftige Schneestürme und saß drei Tage lang in meinem Zelt fest. Die Stunden vergingen quälend langsam. Um die Zeit totzuschlagen, zündete ich eine Zigarette nach der anderen an – solange der Vorrat reichte – und las Bücher. Als mir auch noch der Lesestoff ausgegangen war, war ich dazu verdammt, in die Zeltdecke mit ihrem eingewebten Riffelmuster zu starren. Dies tat ich Stunde um Stunde, flach auf dem Rücken liegend – ich starrte Löcher in die Decke und überlegte hin und her, was ich nun tun sollte: zur Küste aufbrechen, sobald das Wetter es erlaubte, oder bleiben und mich dem Berg ein zweites Mal stellen?

Soweit war mir mein Nordwand-Abenteuer ganz schön an die Nieren gegangen, das war nicht zu leugnen. Ich verspürte nicht die geringste Lust, mich noch einmal an den Thumb zu wagen. Aber der Gedanke, mich geschlagen zu geben und geknickten Hauptes nach Boulder zurückzukehren, war ebenfalls nicht sehr verlockend. Ich konnte mir schon jetzt die süffisanten Beileidsbekundungen all jener vorstellen, die mein Scheitern vorausgesagt hatten.

Als es am Nachmittag des dritten Tages immer noch schneite, hielt ich es nicht mehr aus: die Eishöcker, die mir beim Liegen in den Rücken stachen, die feuchten Nylon-Wände, die mir bei jeder Bewegung ins Gesicht fuhren, und der entsetzliche Gestank, der mir aus den Untiefen meines Schlafsacks entgegenwehte. Ich wühlte in dem Durcheinander zu meinen Füßen, bis ich fand, wonach ich suchte: einen kleinen grünen Beutel, in dem sich ein Filmdöschen aus Metall befand. Es enthielt die Zutaten zu dem, das einmal meine Siegeszigarre werden sollte. Ursprünglich hatte ich es bis zu meiner Rückkehr vom Gipfel des Thumb aufbewahren wollen, aber was machte das jetzt noch – es sah nicht danach aus, als würde ich bald dort oben stehen. Ich schüttete den größten Teil des Döscheninhalts in ein Blättchen Zigarettenpapier, rollte es zu einem krummen Joint zusammen und paffte ihn mit ein paar kräftigen Zügen bis auf den Stumpen auf.

Das Marihuana bewirkte natürlich nur, daß das Zelt noch beengter, erdrückender und unerträglicher erschien. Außerdem wurde ich plötzlich von einem Riesenhunger überwältigt. Ich fand, daß eine Portion Haferbrei jetzt genau das richtige wäre. Sie zuzubereiten, war jedoch eine langwierige, nahezu lächerlich umständliche Angelegenheit: Zuerst mußte man draußen im Sturm einen Topf voll Schnee holen, dann mußte der Brenner zusammengesetzt und angezündet werden. Als nächstes mußten die Haferflocken und der Zucker ausfindig gemacht und außerdem noch die Reste des Abendessens vom Vortag aus meinem Schälchen gekratzt werden. Als der Brenner schließlich brannte und der Schnee vor sich hin schmolz, merkte ich plötzlich, daß es nach Verbranntem roch. Eine gründliche Überprüfung des Brenners und der

Stelle, an der ich ihn aufgebaut hatte, verlief ergebnislos. Völlig perplex wollte ich den Gestank schon meiner chemisch angeheizten Vorstellungskraft zuschreiben, als ich es plötzlich hinter mir knistern hörte.

Ich wirbelte herum und sah gerade noch, wie der Müllbeutel – in den ich das Streichholz für den Brenner geworfen hatte – in Flammen aufging. Ich schlug mit den Händen auf das Feuer ein und hatte es auch innerhalb von ein paar Sekunden gelöscht, allerdings erst, nachdem ein großes Stück der Innenwand des Zeltes sich vor meinen Augen in Rauch aufgelöst hatte. Die zweite, eingenähte Zeltwand entkam jedoch den Flammen. Das Zelt war also immer noch wasserdicht, allerdings war es drinnen jetzt ungefähr fünfzehn Grad kälter.

Meine Hand fing an zu schmerzen. Ich untersuchte sie und bemerkte eine rosafarbene Brandverletzung. Aber das Schlimmste war, daß es gar nicht mein Zelt war: Ich hatte das gute und teure Stück von meinem Vater geborgt. Es war nagelneu – das Preisschild hatte noch drangehangen –, und er hatte es mir nur ungern geliehen. Die ersten Minuten saß ich wie gelähmt da und starrte auf das, was von dem einst so würdevollen Zelt noch übrig war. Es stank penetrant nach verbrannten Haaren und geschmolzenem Plastik. Eins mußte man mir lassen, dachte ich: Ich war ein wahres Genie darin, meinen Vater in seinen schlimmsten Befürchtungen zu bestätigen.

Mein Vater war ein impulsiver, äußerst schwieriger Mensch. Er hatte eine forsche Art, hinter der er aber nur seine tiefe Unsicherheit verbarg. Falls er jemals in seinem Leben einen Irrtum zugegeben haben sollte, habe ich nichts davon mitbekommen. Aber er – selbst ein Wochenend-Bergsteiger – war es, der mir das Klettern beibrachte. Als ich acht war, kaufte er mir mein erstes Seil und meinen ersten Eispickel. Er führte mich in die Cascade Range, und ich durfte mich an die South Sister wagen, einen sanft ansteigenden, dreitausend Meter hohen Vulkan, der nicht allzu weit entfernt von unserem Wohnort in Oregon lag. Er wäre nie darauf gekommen, daß die Kletterei eines Tages mein Lebensinhalt werden würde.

Lewis Krakauer war ein liebenswürdiger und großzügiger Mensch, der seine fünf Kinder – auf autokratisch-väterliche Art – aufrichtig liebte, aber seine Sicht der Dinge war von einem unbarmherzigen Konkurrenzdenken geprägt. Das Leben, so wie er es sah, war ein Wettkampf. Er las immer wieder die Werke von Stephen Potter – dem englischen Schriftsteller, der in seinen Büchern Begriffe wie »Kampf um die Spitze« und »ehrlicher Betrug« geprägt hatte –, und zwar nicht im Sinne einer Sozialsatire, sondern als Handbuch mit praktischen Lebensstrategien. Mein Vater war ehrgeizig bis zum Äußersten, und ganz wie bei Walt McCandless setzte sich sein Ehrgeiz in seinen Kindern fort.

Noch bevor ich meinen ersten Kindergartenplatz bekam, bereitete er mich auf eine glänzende Medizinerkarriere vor. Falls das schiefgehen sollte, hätte er sich, als schwachen Trost, vielleicht auch mit einer Laufbahn als Anwalt abgefunden. Zu Weihnachten und zu meinen Geburtstagen bekam ich Dinge wie ein Mikroskop, eine Chemielaborausrüstung und die »Encyclopaedia Britannica« geschenkt. Von der Grundschule bis zur High-School wurden meine Geschwister und ich darauf getrimmt, Klassenbeste zu sein, auf wissenschaftlichen Nachwuchsveranstaltungen Medaillen zu gewinnen, zur Abschlußballkönigin erkoren und zum Schulsprecher gewählt zu werden. So und nur so, wurde uns beigebracht, würde es uns gelingen, in das richtige College aufgenommen zu werden, wodurch wir wiederum auf die

Harvard Medical School kämen: der Ausgangspunkt zu einem glücklichen, erfolgreichen Leben.

Mein Vater ließ sich in seinem Glauben an diesen einen vorgezeichneten Weg durch nichts erschüttern. Denn schließlich war es ja der Weg, der ihm zu Wohlstand verholfen hatte. Aber ich war nicht der Klon meines Vaters. Als ich mir als Jugendlicher dieser Tatsache bewußt wurde, wich ich vom vorgegebenen Kurs ab, erst ganz zögernd, dann im Neunzig-Grad-Winkel. Mein Aufstand führte zu jeder Menge Geschrei im Haus. Die Wände unseres Hauses wackelten unter dem Donner von Ultimaten. Schließlich verließ ich Corcallis, Oregon, und schrieb mich an einer abgelegenen Universität ein, ohne Efeu an altehrwürdigen Mauern. Mit meinem Vater sprach ich zu diesem Zeitpunkt, wenn überhaupt, nur noch mit zusammengebissenen Zähnen. Als ich vier Jahre später mein Grundstudium abschloß und weder nach Harvard noch an sonst irgendeine Medizinfakultät ging und statt dessen Schreiner und mittelloser Klettermaxe wurde, wuchs die tiefe Kluft zwischen uns ins Unermeßliche.

Man hatte mir sehr früh ungewöhnlich viel Freiheit zugestanden und Verantwortung übertragen, wofür ich außerordentlich dankbar hätte sein sollen, aber ich war's nicht. Statt dessen fühlte ich mich von den Erwartungen meines alten Herrn erdrückt. Es war mir eingebleut worden, daß nur der Sieg zählte und alles andere Versagen war. Als leicht zu beeindruckender Sohn faßte ich seine Sprüche und Maximen nicht etwa rhetorisch auf; ich nahm sie wörtlich. Und dies war der Grund, weshalb ich später, als lang gehütete Familiengeheimnisse ans Licht kamen und ich merkte, daß diese Gottheit, die nur unbedingte Perfektion zufriedenstellte, selber alles andere als perfekt war, daß er in Wirklichkeit gar keine Gottheit war – tja, ich konnte dies nicht einfach so mit einem Achselzucken abtun. Im Gegenteil, ich verzehrte mich vor Wut. Die Erkenntnis, daß er bloß ein Mensch war, und zwar durch und durch, war zu grausam für mich, um zu verzeihen.

Zwei Jahrzehnte später merkte ich plötzlich, daß meine Wut verraucht war, und zwar seit Jahren. Sie hatte sich in Beklommenheit und Mitgefühl verwandelt, in etwas, das an Zuneigung rankam. Mir wurde klar, daß ich meinen Vater ebensosehr vor den Kopf gestoßen und zur Verzweiflung getrieben hatte wie er mich. Ich begriff, daß ich egoistisch und verbohrt und eine fürchterliche Nervensäge gewesen war. Er hatte mir eine Brücke der Privilegien gezimmert, einen in liebevoller Kleinarbeit gefertigten Steg in eine lebenswerte Zukunft, und ich revanchierte mich, indem ich den Steg niederhackte und auf die Trümmer schiß.

Aber diese Einsicht kam mir erst mit den Jahren und nach einer traurigen Wende im Leben unserer Familie. Die selbstzufriedene Existenz, die mein Vater geführt hatte, brach ihm unter den Füßen weg. Es begann mit seinem körperlichen Verfall: Dreißig Jahre nachdem er einen Anfall von Kinderlähmung überstanden hatte, flammten die Symptome völlig unerklärlicherweise wieder auf. Gelähmte Muskelgruppen verfielen weiter, Nervenverbindungen versagten ihren Dienst, verkrüppelte Beine gehorchten nicht mehr. Medizinischen Fachzeitschriften entnahm er, daß er an einer neu entdeckten Krankheit litt, dem sogenannten posterioren Polio-Syndrom. Schmerzen, die zeitweise von geradezu unerträglicher Heftigkeit waren, füllten seine Tage wie ein schrilles, anhaltendes Geräusch.

Um den Verfall aufzuhalten, ging er unklugerweise dazu über, sich selbst zu behandeln. Der kleine Kunstlederkoffer, der randvoll war mit Dutzenden von Pillendosen aus orangefarbenem Plastik, wurde sein ständiger

Begleiter. Alle ein, zwei Stunden wühlte er in dem Medizinköfferchen herum, blickte kurz auf die Etiketten und schüttelte Dexedrin-, Percodan-, Prozac- oder Deprenyltabletten heraus. Er schluckte die Tabletten gleich dutzendweise, mit schmerzverzerrter Grimasse, ohne Wasser. Auf dem Waschbecken im Badezimmer tauchten immer häufiger gebrauchte Spritzen und leere Ampullen auf. Sein Leben drehte sich in zunehmendem Maße um ein riesiges Arsenal an Medikamenten, die er sich selbst verabreichte: Steroide, Amphetamine, Anti-Depressiva und verschiedene Schmerzmittel. Die Medikamente verwirrten seinen einst so beeindruckenden Verstand.

Als sein Verhalten immer irrationaler und besessener wurde, wandten sich auch die letzten Freunde von ihm ab. Meiner Mutter, die sich ihrem Schicksal lange Zeit geduldig ergeben hatte, blieb schließlich keine andere Wahl mehr, als auszuziehen. Mein Vater überschritt die Grenze zum Wahnsinn. Beinahe wäre es ihm gelungen, sich das Leben zu nehmen – und er wußte dafür zu sorgen, daß dies in meiner Gegenwart geschah.

Nach dem Selbstmordversuch wurde er in eine psychiatrische Klinik in der Nähe von Portland eingeliefert. Als ich ihn dort besuchte, war er an Armen und Beinen ans Bett geschnallt. Er schimpfte unzusammenhängendes Zeug vor sich hin und hatte ins Bett defäkiert. Seine Augen wirkten irre. Erst trotzig aufflackernd, im nächsten Moment von unschuldigem Entsetzen erfüllt, rollten sie weit zurück und gaben einen bestürzend klaren Einblick in seine gequälte Seele. Als die Krankenschwestern versuchten, die Bettwäsche zu wechseln, zerrte er an seinen Fesseln und verfluchte sie, verfluchte mich und verfluchte sein Schicksal. Daß sein Lebensplan mit eingebauter Erfolgsgarantie ihn schließlich hierher, auf diese alptraumhafte Krankenstation, geführt hatte, war eine Ironie, an der ich keinen Gefallen finden konnte, die ihm jedoch völlig entging.

Es gab noch eine weitere ironische Wendung, die er nicht zu würdigen wußte: Seine unablässigen Bemühungen, mich nach seinem Bilde zu formen, waren letztendlich erfolgreich gewesen. Das alte Walroß hatte es tatsächlich geschafft, mir einen starken, brennenden Ehrgeiz einzutrichtern, der sich allerdings in Zielvorstellungen niederschlug, die nie auf seinem Plan gestanden hatten. Er begriff nie, daß der Devils Thumb das gleiche war wie ein Medizinstudium, nur anders.

Ich denke, es war wohl dieser ererbte, abnorme Ehrgeiz, der mich nach dem ersten, gescheiterten Besteigungsversuch davon abhielt, aufzugeben, selbst nachdem ich beinahe mein Zelt abgebrannt hatte. Drei Tage nach meinem ersten Versuch ging ich die Nordwand ein weiteres Mal an. Diesmal kam ich nur bis etwa vierzig Meter über dem Bergschrund, bis mir beim Klettern die nötige Gelassenheit ausging und ein heftiges Schneetreiben mich schließlich zum Rückzug zwang.

Anstatt jedoch ins Basislager auf dem Gletscherplateau zurückzukehren, beschloß ich, die Nacht auf dem seitlichen Steilhang des Berges zu verbringen, genau unterhalb des Gipfels. Dies erwies sich als schwerwiegender Fehler. Am späten Nachmittag hatte sich das Schneetreiben zu einem tobenden Blizzard ausgewachsen. Riesige Schneemengen, etwa zwei bis drei Zentimeter pro Stunde, fielen vom Himmel, Staubschneelawinen zischten die Bergwand herunter und spülten wie Meereswellen über den Rand des Bergschrunds hinweg, unter dem ich in meinem Biwak-Sack kauerte. Nach und nach begrub der Staubschnee auch meine kleine Nische.

Nach zwanzig Minuten war es dann soweit. Der Schnee reichte bis an den Atemschlitz meines Biwak-Sacks – einer dünnen Nylon-Umhüllung, die aussah wie eine Sandwich-Verpackung. Dies geschah insgesamt viermal, und viermal schaufelte ich mich wieder frei. Nach dem fünften Begräbnis hatte ich die Nase voll. Ich stopfte meine komplette Ausrüstung in meinen Rucksack und floh ins Basislager.

Der Abstieg geriet zum Alptraum. Wegen der Wolken, des Bodenblizzards und des fahlen, schwindenden Lichts tappte ich blind in der Gegend umher. Ich hatte die alles andere als unbegründete Angst, danebenzutreten und von der Spitze eines Eisblocks in den Witches Cauldron zu fallen, achthundert Meter in die Tiefe. Als ich schließlich das Plateau erreichte, mußte ich feststellen, daß meine Spuren längst verweht waren. Ich hatte nicht die geringste Ahnung, wie ich mein Zelt finden sollte. Das Gletscherplateau war eine riesige einförmige Fläche und bot keinerlei Orientierungshilfen. In der Hoffnung, irgendwann durch Zufall auf mein Lager zu stoßen, kreiste ich auf meinen Skiern eine Stunde lang umher – bis ich mit einem Fuß in eine kleine Gletscherspalte rutschte. Mir wurde klar, daß das der reine Wahnsinn war. Ich sollte mich einfach hinhocken und das Ende des Sturms abwarten.

Ich hob eine kleine Mulde aus, wickelte den Biwak-Sack fest um mich und setzte mich in dem Schneetreiben auf meinen Rucksack. Um mich herum türmte sich der Schnee auf. Meine Füße wurden taub. Staubschnee war in meinen Parka geweht und hatte mein Hemd durchnäßt. Ein feuchtes Kältegefühl kroch mir vom Hals abwärts die Brust hinunter. Wenn ich nur eine Zigarette hätte, dachte ich, eine einzige Zigarette, dann könnte ich dieser beschissenen Situation ganz anders ins Auge blicken, oder überhaupt dieser ganzen beschissenen Reise. Ich zog den Biwack-Sack fester um meine Schultern. Windböen schlugen von hinten auf mich ein. Jenseits jeglichen Schamgefühls vergrub ich den Kopf in den Händen und versank in einer Orgie des Selbstmitleids.

Ich war mir der Tatsache vollkommen bewußt, daß Bergsteiger bisweilen den Tod finden. Aber ich war dreiundzwanzig Jahre alt und die eigene Sterblichkeit – der Gedanke, selbst sterben zu müssen – überstieg mein Vorstellungsvermögen. Als ich von Boulder aus nach Alaska aufgebrochen war, den Kopf voll großartiger Visionen von Ruhm und Erlösung auf dem Devils Thumb, war es mir nicht in den Sinn gekommen, daß ich unter Umständen demselben Prinzip von Ursache und Wirkung unterlag wie jeder andere Mensch auch. Meine Sehnsucht, den Berg zu besteigen, war zu groß; zu lange schon hatte der Thumb meine Gedanken beherrscht, und nie hätte ich gedacht, daß solche Banalitäten wie das Wetter, Gletscherspalten oder die zu dünne Anreimschicht auf dem Felsen mir einen Strich durch die Rechnung machen konnten.

Bei Sonnenuntergang hatte sich der Sturm gelegt, und als auch die Wolkendecke sich um etwa fünfzig Meter über den Gletscher gehoben hatte, fand ich endlich mein Basislager. Ich kam zwar unversehrt am Zelt an, mußte mir aber endlich eingestehen, daß der Thumb meine Pläne vereitelt hatte. Ich mußte einfach zur Kenntnis nehmen, daß mich der Wille allein, mochte er auch noch so fest und ausgeprägt sein, nicht die Nordwand hochbringen würde. Ja, daß es nichts gab, was mich je da hochbringen würde.

Es gab jedoch eine Möglichkeit, die Expedition zu retten. Eine Woche zuvor hatte ich auf Skiern die Südostseite des Berges umkurvt, um mir die Abstiegsroute anzusehen, die ich nach der Bezwingung der Nordwand hatte nehmen wollen. Es war die Route, auf der Fred Beckey, der legendäre Alpinist, den Thumb 1946 zum ersten Mal bestiegen hatte. Auf meinem Erkundungsausflug war mir eine offensichtlich unbestiegene Längsachse des Berges, links von der Beckey-Route, aufgefallen – ein zerklüftetes Geflecht aus Eis, das die Südostwand umgab –, die mir zunächst als relativ einfacher Weg zum Gipfel erschienen war. Damals hielt ich diese Route jedoch für meiner unwürdig. Jetzt, nach meiner enttäuschend verlaufenen Liaison mit der Nordwand, war ich bereit, meine Ansprüche zurückzuschrauben.

Als der Schneesturm sich am Nachmittag des 15. Mai schließlich gelegt hatte, kehrte ich an die Südostseite zurück und kletterte einen schmalen Grat hinauf, der dem Gipfel wie der Strebebogen einer gotischen Kathedrale vorsteht. Ich beschloß, dort, auf dem beengten Kamm sechshundert Meter unterhalb des Gipfels, die Nacht zu verbringen. Der Abendhimmel war von kaltem, wolkenlosem Glanz. Ich konnte bis an die Küste und weiter sehen. Als die Dämmerung hereinbrach, blickte ich nach Westen und beobachtete gebannt, wie in Petersburg Lichter erschimmerten. Seit dem Proviantabwurf war dies der erste Kontakt zu meinen Mitmenschen, wenn auch nur von weitem. Das ferne Lichterspiel löste in mir eine Flut von Gefühlen aus. Unwillkürlich dachte ich an Menschen, die vor dem Fernseher saßen und sich ein Baseballspiel ansahen, Menschen, die gebratene Hähnchen in hellerleuchteten Küchen aßen, die Bier tranken oder sich liebten. Als ich mich schlafen legte, spürte ich eine quälende Einsamkeit in mir aufsteigen und mir den Hals zuschnüren. Niemals in meinem Leben hatte ich mich je so einsam gefühlt.

In dieser Nacht wurde ich von Alpträumen heimgesucht. Ich träumte von einer Polizeirazzia, Vampiren und einer Unterweltexekution und hörte jemanden flüstern: »Ich glaube, er ist da drin ...« Wie von der Tarantel gestochen fuhr ich hoch und riß die Augen auf. Es war kurz vor Sonnenaufgang. Der Himmel glühte rot und war immer noch klar und wolkenlos. Nur hoch oben hatte sich eine dünne, flaumige Zirrusschicht ausgebreitet, und weit hinten über dem westlichen Horizont war eine dunkle Silhouette von Quellwolken erkennbar. Ich schlüpfte in meine Stiefel und schnallte meine Steigeisen an. Fünf Minuten später verließ ich mein Nachtlager.

Ich hatte weder ein Seil noch ein Zelt, weder meinen Biwak-Sack noch, abgesehen von zwei Eispickeln, irgendwelche Kletterutensilien dabei. Mein Plan war, ohne viel Gepäck so schnell wie möglich den Gipfel zu erreichen und vor dem Wetterumschwung wieder zurück zu sein. Immer wieder trieb ich mich an, keuchend, außer Atem. Ich eilte links hoch über kleine Schneefelder, dic durch eisverstopfte Felsspalten und kurze, treppenähnliche Partien untereinander verbunden waren. Das Klettern war beinahe angenehm – der Fels war voller Griffe und Tritte. Das Eis war zwar dünn, aber die verschiedenen Partien waren nie steiler als siebzig Grad. Meine einzige Sorge galt der Gewitterfront, die vom Pazifik her heranzog und den Himmel verdunkelte.

Ich hatte keine Uhr, aber schon nach kurzer Zeit – jedenfalls kam es mir so vor – erreichte ich das unverkennbar letzte Eisfeld. Mittlerweile war der ganze Himmel von dunklen Wolken übersät. Der leichtere Weg führte links herum, geradeaus weiter zu klettern erschien mir jedoch schneller. Um nicht schutzlos von einem Unwetter hoch oben auf dem Gipfel überrascht zu werden, wählte ich die direktere Route. Der Fels wurde steiler und das Eis dünner. Ich schwang meinen linken Eispickel und stieß auf Stein. Ich versuchte es an einer anderen Stelle, und wieder prallte er mit dumpfem, metallischem Klingen am harten Diorit ab. Und wieder und wieder. Es war wie eine Wiederholung meines ersten Versuchs an der Nordwand. Ich sah zwischen meinen Beinen nach unten und erhaschte einen flüchtigen Blick auf den Gletscher knapp siebenhundert Meter unter mir. Mir drehte sich der Magen um.

Fünfzehn Meter über mir ging die Wand in den flachen Gipfelhang über. Wie gelähmt vor Entsetzen und Unentschiedenheit klammerte ich mich an meine Eispickel. Wieder blickte ich nach unten auf den Gletscher, dann nach oben. Dann kratzte ich etwas oberhalb von mir die Eisschicht vom Fels. Ich hakte die Spitze meines linken Eispickels an einem pfennigbreiten Vorsprung im Fels ein und testete mit meinem Gewicht die Festigkeit. Es hielt. Ich zog meinen rechten Pickel aus dem Eis, streckte mich und wand den Pickel in eine gekrümmte, knapp zwei Zentimeter tiefe Ritze hinein, bis er feststak. Ich wagte kaum zu atmen, zog meine Füße hoch, scharrte mit meinen Steigeisen über das glasige Eis. Ich langte mit dem linken Arm so hoch, wie ich konnte, und stach mit sanftem Schwung in die milchig schimmernde Oberfläche. Ich hatte keine Ahnung, was meinen Eispickel dort erwartete. Ich hörte ein kräftiges »Schschupp«, und der Pickel stak fest! Ein paar Minuten später stand ich auf einem breiten Felsvorsprung. Der eigentliche Gipfel, ein schmaler Felsgrat, dessen grotesk geformte Eisschicht an Schaumgebäck erinnerte, lag nur fünf, sechs Meter über mir.

Die weiche, trügerische Rauhfrostschicht sorgte dafür, daß auch jene letzten Meter strapaziöse, nervenaufreibende Kletterarbeit blieben. Doch plötzlich ging es nicht mehr höher. Ich spürte, wie meine aufgesprungenen Lippen sich zu einem schmerzhaften Grinsen weiteten. Ich stand auf dem Gipfel des Devils Thumb.

Auch hier oben blieb der Berg sich treu: Der Gipfel war ein surrealer, feindseliger Ort, ein furchterregend schmaler Keil aus Felsgestein und Anreim, nicht breiter als ein

Aktenschrank. Er lud keineswegs zum Verweilen ein. Ich setzte mich rittlings auf den höchsten Punkt. Unter meinem rechten Schuh brach die Südwand in einen achthundert Meter tiefen Abgrund weg; unter meinem linken Schuh fiel die Nordwand etwa doppelt so tief. Ich machte ein paar Fotos zum Beweis, daß ich wirklich dort war, und bemühte mich noch ein paar Minuten lang, einen verbogenen Eispickel zu richten. Dann stand ich auf, drehte mich vorsichtig um und machte mich auf den Heimweg.

Eine Woche später kampierte ich an der Küste. Es regnete in Strömen, und ich gab mich staunend dem Anblick von Moos, Weidenbäumen und Moskitos hin. Die salzgeschwängerte Luft stank nach dem Formenreichtum des Meeres. Ein kleines Skiff kam in die Thomas-Bucht getukkert und legte nicht weit von meinem Zelt am Strand an. Der Mann auf dem Boot war ein Holzfäller aus Petersburg. Er hieß Jim Freeman und erzählte mir, es sei sein freier Tag und er sei hierhergefahren, um seiner Familie den Gletscher zu zeigen und nach Bären zu suchen. Er fragte mich, ob ich »jagen war oder was?«

»Nein«, erwiderte ich verlegen. »Ich habe gerade den Devils Thumb bestiegen. Ich bin schon seit zwanzig Tagen hier draußen.«

Freeman fummelte an einer Klampe herum und sagte nichts. Es war offensichtlich, daß er mir nicht glaubte. Außerdem behagten ihm weder mein zerzaustes, schulterlanges Haar noch der Gestank, den ich verströmte. Ich hatte drei Wochen lang weder gebadet noch die Kleider gewechselt. Als ich ihn jedoch fragte, ob er mich in die Stadt mitnehmen könne, brummte er ein mißmutiges: »Warum nicht?«

Das Wasser war bewegt, und die Fahrt durch den Frederick-Sund dauerte zwei Stunden. Wir unterhielten uns, und Freeman taute langsam auf. Er war zwar immer noch nicht gänzlich davon überzeugt, daß ich den Devils Thumb bestiegen hatte, aber als er das Skiff schließlich durch die Wrangell-Meerenge manövrierte, tat er zumindest so. Nachdem er am Kai angelegt und das Boot vertaut hatte, bestand er darauf, mir einen Cheeseburger zu kaufen. Es war Abend geworden, und er bot mir an, in einem ausrangierten Lieferwagen im Garten hinter seinem Haus zu übernachten.

Ich legte mich eine Weile lang hinten in die alte Kiste, konnte aber nicht einschlafen. Ich stand auf und ging in eine Bar, die sich *Kito's Kave* nannte. Die Euphorie, das überwältigende Gefühl der Erleichterung, das mich bei meiner Rückkehr nach Petersburg begleitet hatte, klang allmählich ab und machte einer merkwürdigen Melancholie Platz. Die Leute, mit denen ich mich in Kitos Laden unterhielt, schienen zwar nicht daran zu zweifeln, daß ich auf dem Gipfel des Devils Thumb gestanden hatte, aber es interessierte sie einfach nicht besonders. Als es später wurde, leerte sich der Laden und ich war allein, abgesehen von einem alten, zahnlosen Tlingit-Indianer an einem der hinteren Tische. Ich trank mutterseelenallein meinen Drink, fütterte die Jukebox mit Vierteldollar-Stücken und spielte immer wieder die gleichen fünf Songs. Schließlich rief das Barmädchen genervt: »Heh, Kleiner, jetzt laß es langsam mal gut sein!« Ich murmelte eine Entschuldigung, schob mich zur Tür und taumelte zu Freemans Lieferwagen zurück. Ich legte mich hinten auf den Boden, den süßen Duft von Motoröl in der Nase, und pennte schließlich neben einem ausgeschlachteten Getriebe ein.

Knapp einen Monat, nachdem ich auf dem Gipfel des Thumb gesessen hatte, war ich wieder in Boulder und zimmerte Grundgerüste für Apartmenthäuser in der Spruce Street zusammen. Es waren die gleichen Hütten, an denen ich bereits vor meiner Alaskareise gearbeitet hatte. Ich bekam eine Gehaltserhöhung und verdiente nun vier Dollar die Stunde. Und Anfang Herbst zog ich von dem Bauwagen in eine billige Einzimmerwohnung in der Nähe der Einkaufsstraße im Stadtzentrum um.

Als junger Mann erliegt man allzuleicht dem Irrtum, daß Wollen und Haben eins seien. Man lebt in dem Glauben, daß man, wenn man etwas unbedingt haben will, auch das verdammte Recht hat, es zu kriegen. Als ich in jenem April genau wie Chris McCandless beschloß, nach Alaska aufzubrechen, war ich ein ungestümer Jüngling, der Leidenschaft mit Klarblick verwechselte und den Regeln einer obskuren, fehlerhaften Logik gehorchte. Ich ging davon aus, daß mit der Besteigung des Devils Thumb alle meine Probleme mit einem Schlag gelöst wären. Letztendlich aber änderte sich natürlich so gut wie gar nichts. Doch immerhin kam ich zu der Einsicht, daß man seine Träume besser nicht auf Berge projiziert – die Moral meiner Geschichte. Und ich habe überlebt, um sie weiterzuerzählen.

Als junger Mann war ich in vielerlei Hinsicht anders als McCandless. Vor allem besaß ich weder seinen Intellekt noch seine hochfliegenden Ideale. Ich glaube jedoch, daß wir ähnlich stark von komplizierten, verkorksten Vater-Beziehungen geprägt waren. Und ich vermute, daß wir von ähnlicher Intensität und ähnlicher Unbesonnenheit beherrscht waren, angetrieben von einer ähnlichen inneren Unruhe.

Die Tatsache, daß ich im Unterschied zu McCandless mein Alaska-Abenteuer überlebt habe, war vor allem auf mein Glück zurückzuführen. Wenn ich 1977 nicht vom Stikine-Gletscherplateau zurückgekehrt wäre, hätten die Leute natürlich von mir gesagt – wie sie es jetzt von ihm behaupten –, ich sei von Todessehnsucht erfüllt gewesen. Achtzehn Jahre nach der Besteigung ist mir klar, daß ich vielleicht an Hybris litt und ganz sicher auch an einem geradezu erschreckenden Maß an Naivität – aber Selbstmordabsichten hatte ich nicht.

Zu jener Zeit blieb der Tod für mich ein ebenso abstraktes Konzept wie die Nicht-Euklidische Geometrie oder das Heiraten. Ich hatte keinen blassen Schimmer von seiner entsetzlichen Endgültigkeit oder von der Verheerung, die er in den Herzen derer anrichtete, die den Verstorbenen liebten. Vergänglichkeit und Sterblichkeit waren ein finsteres Geheimnis, das mich zutiefst beunruhigte. Ich konnte der Versuchung nicht widerstehen, mich an den Rand des Abgrundes zu schleichen und in die Tiefe zu spähen. Allein die Andeutung dessen, was in jenen dunklen Nischen und Schatten verborgen lag, erfüllte mich mit Entsetzen. Doch ich hatte einen Blick erheischt von etwas, das mir bisher verschlossen geblieben war, ich war zu einem Verbot vorgestoßen, einem elementaren Rätsel, das von ebenso großer Anziehungskraft war wie die süßen, verborgenen Blütenblätter der Scham einer Frau.

In meinem Fall – und ich schätze auch im Falle von Chris McCandless – hatte dies ganz und gar nichts mit Todessehnsucht zu tun.

Im Herzen Alaskas

KAPITEL SECHZEHN

Ich strebte danach, mir die Einfachheit, die natürlichen Gefühle und die Tugenden eines Lebens in der Wildnis anzueignen; mich der künstlichen, zur zweiten Natur gewordenen Gewohnheiten, der Vorurteile und Unvollkommenheiten der Zivilisation zu entledigen… und inmitten der Einsamkeit und Erhabenheit der westlichen Wildnis genauere Einsichten über die menschliche Natur und die wahre Bestimmung des Menschen zu gewinnen. Die Zeit der Schneefälle war mir am liebsten, damit ich in den Genuß des Leidens und dem so erfrischenden Gefühl der Gefahr kam.

ESTWICK EVANS,
»A PEDESTRIOUS TOUR, OF FOUR THOUSAND MILES, THROUGH THE WESTERN STATES AND TERRITORIES, DURING THE WINTER AND SPRING OF 1818«

Die Wildnis übte vor allem auf jene eine starke Anziehungskraft aus, die angesichts der Taten und Werke der Menschheit Langeweile oder gar Ekel empfanden. Sie ermöglichte nicht nur die Flucht aus der Gesellschaft, sondern bot dem romantisch veranlagten Menschen eine ideale Bühne, auf der er den Kult ausleben konnte, den er so häufig um sein Seelenleben macht. Die Einsamkeit und absolute Freiheit der Wildnis lieferten einen geradezu idealen Hintergrund sowohl für Melancholie als auch für triumphierenden Jubel.

RODERICK NASH,
»WILDERNESS AND THE
AMERICAN MIND«

❖

Am 15. April 1992 verließ Chris McCanderless Carthage, South Dakota. Er saß in der Fahrerkabine eines schweren Mack-Lasters, der Sonnenblumenkerne geladen hatte. Seine »große Alaska-Odyssee« war in vollem Gang. Drei Tage später überquerte er bei Roosville, British Columbia, die kanadische Grenze. Von dort aus trampte er durch Skookumchuck und Radium Junction, Lake Louise und Jasper, Prince George und Dawson Creek – wo er im Stadtzentrum ein Foto von dem Straßenschild machte, das den offziellen Anfang des Alaska Highway markiert. »Meile 0« steht dort, und »Fairbanks 1523 Meilen«.

Per Anhalter zu fahren ist auf dem Alaska Highway ein hartes Brot. Am Stadtrand von Dawson Creek stehen oft ein Dutzend und mehr verdrossen dreinblickende Männer und Frauen mit ausgestrecktem Daumen an der Straße. Wer Pech hat, wartet eine Woche oder noch länger auf die nächste Fahrt. McCandless jedoch kam zügig voran. Am 21. April – Carthage lag nur sechs Tage hinter ihm – erreichte er die Thermalquellen am Liard River, die Schwelle zum Yukon Territory.

Am Liard River gibt es einen öffentlichen Campingplatz, von dem aus ein Holzsteg eine halbe Meile weit durch ein Sumpfgelände zu einer Reihe von natürlichen Thermalquellen führt. Der Ort ist der beliebteste Rastplatz am Alaska Highway, und McCandless beschloß, eine Pause einzulegen, um sich in den warmen Quellen zu aalen. Als er sein Bad beendet hatte und sich wieder daran machte, weiterzutrampen, mußte er jedoch feststellen, daß sein Glück ihn verlassen hatte. Niemand nahm ihn mit. Zwei Tage nach seiner Ankunft war er immer noch in Liard River und stand sich die Beine in den Bauch.

An einem kühlen Donnerstagmorgen um halb sieben – der Boden war immer noch steinhart vom Nachtfrost – stolzierte Gaylord Stuckey über den Holzsteg zu dem größten Thermalbecken. Er hatte erwartet, dort noch eine Weile allein zu sein, und war überrascht, als er jemanden in dem dampfenden Wasser antraf. Der junge Mann stellte sich als Alex vor.

Stuckey, ein glatzköpfiger, fröhlicher Dreiundsechzigjähriger mit fleischigem Gesicht, stammt aus Indiana. Er war damals unterwegs nach Fairbanks, wo er bei einem Wohnwagenhändler einen Hauscaravan abzuliefern hatte, ein Teilzeitjob, den er nach vierzigjähriger Tätigkeit in der Gastronomie nebenbei erledigte. Als er McCandless sein Ziel verriet, rief der Junge aus: »Hey, da muß ich auch hin! Aber ich sitze hier schon tagelang fest, weil mich keiner mitnimmt. Kann ich nicht vielleicht mitfahren?«

»O je«, erwiderte Stuckey. »Ich würd dich ja liebend gerne mitnehmen, mein Junge, aber es geht leider nicht. Die Firma, für die ich arbeite, hat uns strikt verboten, Tramper mitzunehmen. Da bin ich meinen Job los.«

Doch als er sich dann weiter mit McCandless durch den schwefeligen Dunst hindurch unterhielt, überlegte er sich es noch einmal: »Alex war frisch rasiert und hatte kurze

Haare. Ich hab gleich an den Worten, die er benutzt hat, gemerkt, daß er ein richtig kluger Bursche war. So wie man sich einen typischen Anhalter vorstellt, war er jedenfalls nicht. Ich bin sonst schon mißtrauisch bei denen. Ich denk mir, da kann irgendwas nicht stimmen mit 'nem Typen, der sich nicht mal 'ne Busfahrkarte kaufen kann. Jedenfalls, nach ungefähr einer halben Stunde sagte ich: ›Weißt du was, Alex: Liard ist tausend Meilen von Fairbanks weg. Ich nehm dich fünfhundert Meilen mit, bis Whitehorse. Von da kommst du bestimmt weiter.‹«

Anderthalb Tage später jedoch, als sie in Whitehorse ankamen – die Hauptstadt von Yukon Territory und die größte und lebendigste Stadt am Alaska Highway –, hatte Stuckey solchen Geschmack an der Gesellschaft des Jungen gefunden, daß er seine Meinung änderte und einverstanden war, ihn bis nach Fairbanks mitzunehmen. »Alex hat am Anfang kaum was gesagt«, berichtet Stuckey. »Aber es ist eine lange Fahrt, die nur schleppend vorangeht. Wir haben insgesamt drei Tage zusammen verbracht, und die Straßen waren so glitschig wie Waschbretter. Am Ende war er nicht mehr so mißtrauisch und hat frei von der Leber weg erzählt. Ich sag Ihnen was: Er war'n lieber Junge. Richtig höflich, und er hat gar nicht geflucht und so Ausdrücke und so was gebraucht. Man hat gleich gemerkt, der kommt aus einer guten Familie. Die meiste Zeit hat er von seiner Schwester erzählt. Ich glaub, mit seinen Eltern hat er sich nicht gut verstanden. Sein Dad ist ein Genie bei der NASA, hat er mir erzählt, ein Raketenspezialist, der aber mal ein Bigamist gewesen ist – und so was ging Alex gegen den Strich. Er hat gemeint, daß er seine Eltern schon seit mehreren Jahren nicht mehr gesehen hat, seit er mit der Uni fertig ist.«

McCandless erzählte Stuckey ganz offen, daß er den

Sommer allein in der Wildnis verbringen und sich nur von dem ernähren wolle, was die Natur abwarf. »Er hat gemeint, daß er das immer schon mal tun wollte, schon seit er ein kleiner Junge war«, erzählt Stuckey. »Daß er keine Menschenseele sehen will, keine Flugzeuge, nichts, was an die Zivilisation erinnert. Er hat sich selber beweisen wollen, daß er sich allein durchschlagen kann, ohne irgendwelche Hilfe von anderen.«

Am Nachmittag des 25. April kamen Stuckey und McCandless in Fairbanks an. Der ältere Mann ging mit dem Jungen zu einem Lebensmittelgeschäft, wo McCandless sich einen großen Sack Reis kaufte, »und dann hat Alex gemeint, daß er jetzt zur Universität raus will und nachschlagen, was für Pflanzen er essen kann. Beeren und so 'n Zeugs. Ich hab zu ihm gesagt: ›Alex, du bist zu früh dran. Da draußen liegen immer noch siebzig, achtzig Zentimeter Schnee. Da wächst noch gar nichts.‹ Aber er war fest entschlossen. Er hat richtig drauf gebrannt, endlich unterwegs zu sein und loszulegen.« Stuckey fuhr zum Campus der University of Alaska am Westrand von Fairbanks und setzte McCandless dort abends um halb sechs ab.

»Bevor ich ihn rausgelassen hab«, erzählt Stuckey, »hab ich zu ihm gesagt: ›Alex, ich hab dich jetzt eintausend Meilen im Wagen gehabt. Ich hab dich drei Tage hintereinander durchgefüttert. Schick mir wenigstens eine Karte, wenn du aus Alaska zurück bist, das bist du mir schuldig.‹ Und er hat es versprochen.

Ich hab ihn auch angefleht und auf ihn eingeredet, daß er seine Eltern anruft. Ich kann mir nichts Schlimmeres vorstellen, als einen Sohn irgendwo da draußen rumlaufen zu haben und jahrelang nicht zu wissen, wo er abgeblieben ist, nicht mal zu wissen, ob er tot ist oder lebendig. ›Hier hast du meine Kreditkartennummer‹, hab ich zu ihm gemeint. ›*Bitte* ruf sie an!‹ Aber er hat nur gesagt: ›Vielleicht, vielleicht auch nicht.‹ Als er weg war, hab ich gedacht, Mann, warum hast du dir denn nicht die Nummer von seinen Eltern geben lassen und sie selbst angerufen? Aber irgendwie ging alles so schnell.«

Nachdem er McCandless an der Uni abgesetzt hatte, fuhr Stuckey zurück in die Stadt, um den Caravan bei dem vereinbarten Händler abzuliefern. Als er dort ankam, erfuhr er, daß der für Fahrzeugeingänge zuständige Angestellte schon heimgegangen war und erst Montag früh wieder da sein würde. Stuckey mußte also zwei Tage lang in Fairbanks die Zeit totschlagen, bevor er nach Indiana zurückfliegen konnte. Am Sonntag morgen kehrte er zur Universität zurück. »Ich hab gehofft, daß ich Alex finde und noch einen Tag mit ihm verbringen kann, ihm die Stadt zeigen oder so was. Ich hab ein paar Stunden lang gesucht, hab mit dem Wagen die ganze Gegend abgeklappert, aber keine Spur von ihm. Er war bereits weg.«

Nachdem er sich Samstagabend von Stuckey verabschiedet hatte, verbrachte McCandless noch zwei Tage und drei Nächte in der Umgebung von Fairbanks. Die meiste Zeit war er an der Uni. In der Buchhandlung auf dem Campus, im untersten Regal der Alaska-Abteilung versteckt, stieß er auf einen anspruchsvollen, penibel recherchierten Führer über die eßbaren Pflanzen der Region: »Tanaina Pflanzenkunde/Dena'ina K'et'una. Eine Ethnobotanik der Dena'ina-Indianer im südlichen Zentrum Alaskas« von Priscilla Russell Kari. An einem Postkartenständer in der Nähe der Kasse suchte er sich zwei Eisbärkarten aus, auf die er seine letzten Nachrichten an Wayne Westerberg und Jan Burres schrieb. Die Karten wurden vom Postamt der Universität aus abgeschickt.

Er sah die Kleinanzeigen der Zeitungen durch und stieß auf eine Anzeige für eine gebrauchte halbautomatische .22er Remington mit einem 4x-20er-Zielfernrohr und einem Plastikschaft. Wegen seiner Verläßlichkeit und des geringen Gewichts war das Modell mit der Bezeichnung Nylon 66, das nicht mehr hergestellt wird, besonders unter Trappern beliebt. Er schloß den Handel auf einem Parkplatz ab und wird für das Gewehr wohl an die einhundertfünfundzwanzig Dollar gezahlt haben. In einem Waffengeschäft in der Nähe kaufte er sich noch vier mal einhundert Schuß Hohlspitzgeschoß-Munition für Langwaffen.

Als er alles erledigt hatte, packte er seine Sachen und brach von der Universität aus in Richtung Westen auf. Als er das Uni-Gelände verließ, kam er am Geophysikalischen Institut vorbei, einem hohen Glas- und Betonbau, der von einer großen Satellitenschüssel gekrönt wird. Die Schüssel ragt über die Skyline von Fairbanks hinaus und ist zu einem der augenfälligsten Wahrzeichen der Stadt geworden. Sie dient dazu, Daten von Satelliten zu sammeln, die mit einem synthetischen Blendenradar, den Walt McCandless entworfen hatte, ausgerüstet sind. Walt war in Fairbanks gewesen, als die Empfängerstation in Betrieb genommen wurde, und hatte einen Teil der Software erstellt. Falls das Geophysikalische Institut Chris an seinen Vater erinnert haben sollte, so erwähnte er in seinen Notizen nichts davon.

Vier Meilen westlich der Stadt schlug McCandless sein Zelt auf. In der Abenddämmerung war es merklich kühler geworden, und der Boden war hartgefroren. Sein Lagerplatz war von Birken umgeben und lag etwas unterhalb eines Hügelkamms, von dem aus man auf Gold Hill Gas & Liquor sah. Zur anderen Seite hin, etwa fünfzig Meter entfernt, verlief eine riesige, in die Wildnis geschlagene Schneise: der George Parks Highway, die Straße, die ihn zum Stampede Trail bringen würde. Am Morgen des 20. April wachte er früh auf und stieg im Zwielicht der Dämmerung zum Highway hinab. Zu seiner angenehmen Überraschung hielt gleich der erste Wagen an und nahm ihn mit. Es war ein grauer Ford Pick-up mit einem Aufkleber auf der hinteren Stoßstange. *Ich fische, also bin ich. Petersburg, Alaska,* stand dort geschrieben. Am Steuer saß ein Elektriker auf dem Weg nach Anchorage, der nicht viel älter war als McCandless. Er hieß Jim Gallien.

Drei Stunden später bog Gallien vom Highway ab und fuhr, so weit er konnte, einen unbefestigten kleinen Pfad hinunter. Als er McCandless am Stampede Trail absetzte, war es ungefähr null Grad kalt – nachts würde die Temperatur auf minus zehn Grad sinken –, und der Boden war von matschigem, fünfzig Zentimeter hohem Frühlingsschnee bedeckt. Der Junge konnte seine Aufregung kaum verbergen. Endlich war er allein in der unermeßlichen Weite von Alaskas Wildnis.

Er stapfte in seinem mit Kunstpelz gefütterten Parka den Pfad hinab, das Gewehr über die Schulter geschlungen, fiebrig gespannt. An Verpflegung hatte er nur einen Fünf-Kilo-Sack mit Langkorn-Reis dabei – und den Maiskuchen und die beiden Sandwiches, die Gallien beigesteuert hatte. Ein Jahr zuvor hatte er am Golf von Kalifornien über einen Monat lang von nur zweieinhalb Kilo Reis und ein paar Fischen gelebt, die er mit einer billigen Angel gefangen hatte; eine Erfahrung, die ihn zuversichtlich machte, daß er genügend Nahrung finden würde, um auch einen längeren Aufenthalt in der Wildnis Alaskas durchzustehen.

Den größten Teil des Gewichts in seinem halbvollen Rucksack machten seine Bücher aus: neun oder zehn Taschenbücher, die ihm größtenteils Jan Burres in Niland geschenkt hatte. Darunter befanden sich Werke von Thoreau, Tolstoi und Gogol. McCandless war jedoch kein literarischer Snob: Er hatte einfach nur das mit, was ihm irgendwie interessant vorkam, so auch Bestsellertitel von Michael Crichton, Robert Pirsing und Louis L'Amour. Da er vergessen hatte, Papier einzupacken, schrieb er seine kurzgefaßten Tagebuchnotizen auf ein paar Leerseiten am Ende der »Tanaina-Pflanzenkunde«.

Während der Wintermonate wird das Healy-Ende des Stampede Trail von einigen Hundeschlittenfahrern, Skilangläufern und Schneemobilfans aufgesucht, allerdings nur bis Ende März, Anfang April, wenn das Eis der Flüsse zu tauen beginnt. Als McCandless sich auf den Weg machte, waren die meisten der größeren Flüsse bereits aufgebrochen, und seit zwei, drei Wochen war niemand mehr sehr weit auf dem Trail vorgedrungen. Er fand nur noch die verwehten Furchen einer Schneemobilloipe vor.

Am zweiten Tag erreichte er den Teklanika River. Die Ufer waren noch von herangespülten Eistrümmern gesäumt, ansonsten hatte das Wasser sich jedoch freigebrochen, und er mußte den Fluß durchwaten. Anfang April hatte kurze Zeit Tauwetter geherrscht, und die Eisschmelze hatte 1992 relativ früh eingesetzt. Dann war es jedoch wieder kälter geworden, daher war der Wasserstand des Teklanika noch recht niedrig, als McCandless ihn durchquerte – wahrscheinlich reichte er ihm kaum bis an die Schenkel. McCandless ahnte nicht, daß er damit seinen Rubikon überquerte. In zwei Monaten, wenn der Sommer einkehrte und die Gletscher und Schneefelder im Quellgebiet des Teklanika zu schmelzen begannen, würde sich die Wassermenge des Flusses verneun- oder verzehnfachen und ihn in einen tiefen, reißenden Strom verwandeln, der mit dem sanften Bächlein, das McCandless so fröhlich durchwatet hatte, nichts mehr gemein hat.

Er war jedoch viel zu unerfahren, um sich dessen bewußt zu sein.

Aus seinem Tagebuch geht hervor, daß er am 29. April irgendwo durchs Eis brach, wahrscheinlich, als er hinter dem Westufer des Teklanika eine Reihe von Biberteichen überquerte. Doch nichts weist darauf hin, daß er sich dabei verletzte. Als ihn der Trail einen Tag später zu einem Hügelkamm hinaufführte, erhaschte er zum erstenmal einen Blick auf die mächtigen, blendend weißen Felsgruppen des Mount McKinley. Einen Tag später, am 1. Mai, stieß er auf den alten Bus am Sushana River. Er stand etwa zwanzig Meilen von der Stelle entfernt, an der Gallien ihn abgesetzt hatte. Der Bus war mit Pritschen und einem einfachen Holzofen ausgestattet. Es gab einen ganzen Vorrat an Streichhölzern, Insektenspray und anderen nützlichen Kleinigkeiten, die sich über die Jahre dort angesammelt hatten. »Magic Bus Day«, schrieb er in sein Tagebuch. Er beschloß, sich in dem alten Gefährt ein paar Tage lang auf die faule Haut zu legen und den bescheidenen Komfort zu genießen.

Er war überglücklich, dort zu sein. Auf eine verwitterte Sperrholzplatte, die von innen über ein kaputtes Fenster genagelt war, kritzelte McCandless seine schwärmerische Unabhängigkeitserklärung:

Zwei Jahre lang durchstreift er zu Fuß die Welt. Kein Telefon, keine liebgewonnenen Haustiere, keine Zigaretten. Freiheit total. Ein Extremreisender. Ein ästhetischer Wanderer der Welten, der nur die Straße sein Heim nennt, denn »The West is the Best.« Und nun, nach zwei Jahren der Wanderschaft, kommt das ultimative und größte Abenteuer. Es gilt, die letzte Schlacht zu schlagen, die zur zweiten Natur gewordene Falschheit auszumerzen und die spirituelle Wallfahrt siegreich zu beenden. Zehn Tage und Nächte auf Güterzügen und per Anhalter bringen ihn in den großen weißen Norden. Auf der Flucht vor dem

Gift der Zivilisation durchschreitet er allein das Land, um sich in der Wildnis zu verlieren.

Alexander Supertramp, Mai 1992

Die harte Realität sollte McCandless jedoch schon bald einholen und aus seiner Träumerei herausreißen. Es gelang ihm nicht, genügend Wild zu erlegen, und die täglichen Tagebucheinträge enthalten Kommentare wie »krank und schwach«, »eingeschneit«, und »Katastrophe«. Am 2. Mai bekam er einen Grizzly zu Gesicht, schoß aber nicht; am 4. Mai schoß er auf ein paar Enten, verfehlte sie aber; am 5. Mai schließlich erlegte und aß er ein Rebhuhn. Erst am 9. Mai erlegte er sein nächstes Wild, ein einziges, kleines Eichhörnchen. Da hatte er jedoch in seinem Tagebuch bereits den »4. Hungertag« notiert.

Doch schon kurze Zeit später sollte sich sein Schicksal zum Besseren wenden. Mitte Mai kreiste die Sonne bereits hoch am Himmel und ihre Strahlen überfluteten die Taiga. Wenn sie schließlich am westlichen Horizont verschwand, dann nur für knapp vier Stunden. Um Mitternacht war es stets noch hell genug zum Lesen. Außer an den nach Norden gewandten Hängen und in verborgenen Schluchten schmolz überall der Schnee. Das Tauwetter legte die Hagebutten und Preiselbeeren vom letzten Jahr frei. McCandless pflückte und aß sie in rauhen Mengen.

Auch als Jäger hatte er mehr Erfolg als zu Anfang und während der nächsten sechs Wochen stand bei ihm regelmäßig Eichhörnchen, Rebhuhn, Ente, Gans und Stachelschwein auf dem Speiseplan. Am 22. Mai löste sich an einem seiner Backenzähne eine Krone, aber er schien sich dadurch nicht weiter beirren zu lassen. Bereits am nächsten Tag kletterte er einen alleinstehenden, höckerförmigen Berg hinauf, der direkt nördlich vom Bus tausend Meter hochragt. Oben angekommen, blickte er auf die vereisten Felsschwünge der Alaska Range und unzählige Meilen von unbewohntem Land. Sein Tagebucheintrag für jenen Tag ist zwar von typischer Knappheit, dennoch ist der darinliegende Jubel unverkennbar:

»BERG BESTIEGEN!«

McCandless hatte Gallien erzählt, er wolle während seines Aufenthalts in den Wäldern ständig unterwegs sein. »Ich werd einfach losziehen und immer weiter in Richtung Westen wandern«, hatte er gesagt. »Vielleicht schaffe ich es ja sogar bis zum Beringmeer.« Nachdem er sich vier Tage lang in und um den Bus ausgeruht hatte, nahm er am 5. Mai seine Wanderungen wieder auf. Oberhalb des Busses verliert sich der Stampede Trail ein wenig, und aus den mit der Minolta sichergestellten Fotos geht hervor, daß McCandless den Pfad aus den Augen verlor (oder absichtlich davon abwich). Er wanderte nach Nordwesten durch das Hügelgebiet oberhalb des Sushana River. Unterwegs bemühte er sich immer wieder zu jagen und sich so gut wie möglich mit Wild einzudecken.

Er kam nur mühsam voran. Jeden Tag verbrachte er viele Stunden damit, sich an Wild heranzupirschen. Darüber hinaus taute nun auch der Boden auf, und seine Wanderwege verwandelten sich in einen Irrgarten aus Sümpfen und undurchdringlichen Erlenbüschen. McCandless lernte einen der wichtigsten (wenn auch scheinbar widersprüchlichen) Grundsätze des Nordens schätzen: der Winter, nicht der Sommer, ist die beste Jahreszeit, um über Land zu wandern.

Bis an die Küste des Beringmeers waren es noch gut und gerne fünfhundert Meilen, und als McCandless klar wurde, welch einen Schwachsinn er sich da ausgedacht hatte – daß er dort nie und nimmer ankommen würde –, änderte er seine Pläne. Als er am 19. Mai den gerade einmal fünfzehn Meilen entfernten Toklat River erreichte, kehrte er wieder um. Eine Woche später stand er wieder vor der alten Busruine, offensichtlich ohne seinen Entschluß zu bedauern. Er war zu der Ansicht gelangt, daß das Abflußgebiet um den Sushana River Wildnis genug sei, zumindest für seine Zwecke, und daß Bus Nr. 142 der Fairbanker Verkehrsgesellschaft für den Rest des Sommers ein großartiges Basislager abgeben würde.

Ironischerweise ist das Gebiet um den Bus – das kleine, von üppigem Pflanzenwuchs bedeckte Fleckchen, auf dem McCandless sich »in der Wildnis verlieren« wollte – kaum als Wildnis anzusehen, zumindest nicht für alaskanische Verhältnisse. Keine dreißig Meilen östlich davon verläuft eine der Hauptverkehrsadern Alaskas, der George Parks Highway. Nur sechzehn Meilen entfernt, hinter einem Ausläufer der Outer Range, rollen täglich Hunderte von Touristen über eine von den Forstbehörden kontrollierte Straße in den Denali-Park. Und – was der ästhetische Wanderer der Welten nicht wußte – im Radius von sechs Meilen um dem Bus herum liegen vier Blockhütten verstreut (die allerdings im Sommer '92 alle unbewohnt waren).

Aber auch wenn der Bus von Zivilisation umgeben war, so war McCandless im Grunde vom Rest der Welt abgeschnitten. Er verbrachte alles in allem vier Monate allein in der Wildnis, und in dieser Zeit traf er nicht einen einzigen Menschen. Letztlich war die Gegend um den Sushana River abgelegen genug, um McCandless das Leben zu kosten.

Nachdem er in der letzten Maiwoche seine wenigen Habseligkeiten in den Bus verfrachtet hatte, fertigte McCandless auf einem pergamentähnlichen Stück Birkenrinde eine Liste mit zu erledigenden Hausarbeiten an: Eisstücke vom Fluß herbeitragen und lagern, um das Fleisch zu konservieren, die kaputten Fenster mit Plastikfolien abdecken, einen Vorrat an Brennholz anlegen, die Asche vom Vortag aus dem Ofen leeren. Und unter der Überschrift »Längerfristig« listete er seine ehrgeizigeren Projekte auf: eine Karte der Gegend anfertigen, eine Badewanne bauen, Felle und Federn zu Kleidungsstücken vernähen, verschiedene Reparaturen, eine Brücke über einen nahegelegenen Bach bauen, ein Wegenetz für die Jagd anlegen.

Die Tagebucheinträge nach seiner Rückkehr zum Bus zeugen von einem üppigen Speiseplan. 28. Mai: »Gourmet-Ente!« 1. Juni: »5 Eichhörnchen.« 2. Juni: »Stachelschwein, Schneehuhn, 4 Eichhörnchen, grauer Vogel.« 3. Juni: »Wieder ein Stachelschwein! 4 Eichhörnchen, 2 graue Vögel, aschgrauer Vogel.« 4. Juni: »STACHELSCHWEIN NUMMER DREI!, Eichhörnchen, grauer Vogel.« Am 5. Juni schoß er eine Kanadagans von den Ausmaßen eines Weihnachtstruthahns. Dann, am 9. Juni, landete er seinen großen Coup: »ELCH!« schrieb er in sein Tagebuch. Er kniete sich freudestrahlend über seine Trophäe und machte ein Foto von sich, das Gewehr triumphierend über den Kopf geschwungen, ganz der stolze Jäger. Wie er so dasitzt, mit ekstatischer Freude in den Gesichtszügen und dem kindlichen Erstaunen in den Augen, wirkt er wie irgendein arbeitsloser Pförtner, der nach Reno gefahren ist und dort gleich den Jackpot mit einer Million Dollar geknackt hat.

McCandless war zwar pragmatisch genug, um zu wissen, daß, wer in und von der Wildnis leben will, zwangsläufig auch auf die Jagd angewiesen ist. Dennoch stand er dem Töten von Tieren von jeher skeptisch gegenüber. Diese Zwiespältigkeit sollte sich schon bald, nachdem er den Elch erlegt hatte, in eindeutige Reue verwandeln. Der Elch war zwar mit sechs-, siebenhundert Pfund relativ klein, dennoch war es eine riesige Menge Fleisch. McCandless war der festen Überzeugung, daß es moralisch unvertretbar ist, einen noch so geringen Teil von Tierfleisch verkommen zu lassen. Der Elch war schließlich zu Ernährungszwecken geschossen worden, und er verbrachte sechs Tage harter Arbeit damit, sein Fleisch vor dem Verderben zu bewahren. Er schlachtete den Kadaver unter einem Schwarm umhersurrender Fliegen und Moskitos aus und verarbeitete die Innereien zu einem Eintopf. Dann mühte er sich damit ab, an dem steinigen Flußufer unterhalb vom Bus eine Höhle auszuheben, um darin die riesigen, dunkelroten Fleischbrocken durch Räuchern haltbar zu machen.

In Alaska weiß jeder Jäger, daß Fleisch am einfachsten zu konservieren ist, wenn man es in dünne Scheiben schneidet und auf einem improvisierten Gestell lufttrocknet. In seiner Naivität verließ McCandless sich jedoch auf die Ratschläge von Jägern, die er in South Dakota befragt hatte. Dort hatte man ihm empfohlen, das Fleisch zu räuchern, was unter den hiesigen Bedingungen alles andere als einfach war.

»Schlachten sehr schwierig«, schrieb er am 10. Juni in sein Tagebuch. »Fliegen- und Moskitoschwärme. Gedärme, Leber, Nieren, eine Lunge, Steaks entfernt. Hinterviertel und Bein zum Fluß gebracht.«

11. Juni: »Herz und andere Lunge entfernt. Vorderbeine und Kopf. Den Rest zum Fluß gebracht. Zur Höhle geschleppt. Versucht, mit Räuchern zu konservieren.«

12. Juni: »Halben Brustkorb und Steaks entfernt. Kann nur nachts arbeiten. Räucherstellen in Gang gehalten.«

13. Juni: »Rest von Brustkorb, Schulter und Hals zur Höhle gebracht. Mit Räuchern angefangen.«

14. Juni: »Maden! Räuchern scheint nichts zu bringen. Ratlos, sieht nach Fiasko aus. Ich hätte den Elch nicht schießen dürfen. Einer der schlimmsten Irrtümer meines Lebens.«

McCandless gab es nun auf, die Fleischmassen zu konservieren, und überließ den Kadaver den Wölfen. Obwohl er sich bittere Vorwürfe machte, ein Leben genommen und achtlos verschwendet zu haben, schien er am nächsten Tag wieder neuen Mut gefaßt zu haben. In sein Tagebuch schreibt er: »Von nun an werde ich lernen, mit meinen Fehlern und Irrtümern zu leben, wie schlimm sie auch sein mögen.«

Kurz nach dem Vorfall mit dem Elch begann McCandless, Thoreaus »Walden« zu lesen. In dem mit »Höhere Gesetze« überschriebenen Kapitel, in dem Thoreau über die Ethik des Essens nachsinnt, strich McCandless folgende Passage an: »... wenn ich meine Fische gefangen, gereinigt, gekocht und gegessen hatte, dann fühlte ich mich nicht sonderlich gesättigt. Es erschien mir als etwas Überflüssiges und Unnötiges, das soviel Mühe nicht wert war.«

»DER ELCH«, schrieb McCandless an den Rand. Und in dem gleichen Passus strich er an:

Die Abneigung gegen animalische Nahrung ist nicht aus einer Erfahrung herzuleiten, sondern als Instinkt zu begreifen. Es erschien mir richtiger, einfach und in mancher Hinsicht dürftig zu leben; wenn es mir auch praktisch nie ganz gelang, so hielt ich dieses Ziel doch hoch. Ich glaube, daß jeder Mensch, der ernstlich Wert darauf legt, seine höheren und dichterischen Fähigkeiten in ihrem besten Zustande zu bewahren, animalische Kost und größere Nahrungsmengen irgendwelcher Art überhaupt vermeidet ...

Die Beschaffung und Zubereitung einer Diät, die so einfach und zuträglich ist, daß sie die Sinne nicht beleidigt, ist schwierig; aber diese, so denke ich, sollten mit dem Körper zugleich ernährt werden. Sie sollten beide von derselben Tafel speisen. Wäre das unmöglich? Essen wir in mäßiger Weise Früchte, so brauchen wir uns unseres Appetites nicht zu schämen und auch nicht zu befürchten, daß wir unsere höheren Ziele aus den Augen verlieren. Füge jedoch deiner Speise ein Extragewürz bei, so wirst du dich vergiften!

»JA«, schrieb McCandless, und zwei Seiten später: »Sich der Ernährung bewußt sein. Sich beim Kochen und Essen konzentrieren... Essen = heilig.« Auf der Rückseite des Buches, das ihm als Tagebuch diente, verkündete er:

Ich bin wiedergeboren. Dies ist mein Morgengrauen. Das wahre *Leben hat jetzt erst begonnen.*

Mit Besonnenheit leben: bewußte Aufmerksamkeit den elementaren Dingen des Lebens gegenüber, und eine ständige Aufmerksamkeit dem direkten Umfeld gegenüber und dem, was es einem abverlangt, Beispiel → Ein Job, eine zu erledigende Aufgabe, ein Buch; alles, was nachhaltige Konzentration erfordert (die äußeren Umstände an sich sind unwichtig. Wichtig ist die eigene Einstellung zu einem Ereignis. Der wahre Sinn liegt in dem persönlichen Verhältnis zu einem Phänomen, was es einem bedeutet.)

Die Große Heiligkeit von **Lebensmitteln***, das lebensspendende Feuer.*

Positivismus, die unübertreffbare Glückseligkeit der Lebensästhetik.

Absolute Wahrheit und Ehrlichkeit.

Wirklichkeit.

Unabhängigkeit.

Entschiedenheit – innere Festigkeit – Kontinuität.

McCandless vergaß allmählich die Verschwendung des Elches, und die Zufriedenheit, die ihn seit Mitte Mai erfüllte, umfing ihn wieder und schien bis Anfang Juli anzuhalten. Dann wurde er jedoch durch den ersten von zwei folgenschweren Rückschlägen jäh aus dieser Idylle herausgerissen.

McCandless hatte nun bereits zwei Monate allein in der Wildnis gelebt. Offenbar zufrieden mit dem, was er in dieser Zeit gelernt hatte, beschloß er, in die Zivilisation zurückzukehren: Es war an der Zeit, sein »letztes und größtes Abenteuer« zu beenden und sich wieder in die Welt der Männer und Frauen zu begeben, wo man ein Bier trinken, philosophieren oder seine Zuhörer mit Geschichten von seinen Abenteuern fesseln konnte. Er schien nicht mehr das Bedürfnis zu haben, weiter so unerbittlich auf seiner Unabhängigkeit zu beharren und sich von seinen Eltern zu lösen. Vielleicht war er ja gewillt, ihnen ihre Unzulänglichkeiten zu verzeihen; vielleicht war er sogar gewillt, die eine oder andere eigene Unzulänglichkeit zu verzeihen. McCandless schien, eventuell, bereit, heimzukehren.

Vielleicht aber auch nicht. Wir können nur darüber spekulieren, was er sich für die Zeit nach seiner Rückkehr aus der Wildnis vornahm. Es steht jedoch zweifelsfrei fest, daß er zurückkehren wollte.

Auf ein Stück Birkenrinde schrieb er eine Liste von Dingen, die er vor seiner Abreise noch zu erledigen hatte: »Jeans flicken, Rasieren! Packen ...«

Kurze Zeit später stellte er seine Minolta auf eine Öltonne und schoß ein Selbstporträt – sauber rasiert, die schmutzstarrende Jeans an den Knien mit Fetzen aus einer Armeedecke geflickt, grinst er in die Kamera und wedelt mit einem Einweg-Rasierer umher. Er sieht gesund aus, ist allerdings auch stark abgemagert. Die Wangen sind bereits eingefallen. Die Nackensehnen stehen wie zwei gespannte Telefondrähte heraus.

Am 2. Juli las McCandless Tolstois »Familienglück« zu Ende, in dem er einige Passagen angestrichen hatte, die ihn besonders berührten:

Mit Recht sagte Sergeej Michailowitsch, daß es im Leben nur ein unzweifelhaftes Glück gebe: für einen anderen zu leben.

Ich habe viel erlebt, und glaube, daß ich jetzt das gefunden habe, was ich zu meinem Glück brauche. Ein stilles, zurückgezogenes Leben in unserer ländlichen Einsamkeit, mit der Möglichkeit, den Menschen Gutes zu tun, denen man so leicht Gutes tun kann und die so wenig daran gewöhnt sind; ferner Arbeit, eine Arbeit, von der man sich einen Nutzen verspricht; ferner Erholung, die Natur, Bücher, Musik, die Liebe zu einem geliebten Menschen, das ist mein Glück, das höchste, das ich mir denken kann. Und nun zu alldem noch eine Lebensgefährtin wie Sie und vielleicht eine Familie – das ist alles, was ein Mensch sich nur wünschen kann.

Am 3. Juli warf er sich seinen Rucksack über und trat den zwanzig Meilen langen Marsch zum befestigten Teil des Stampede Trail an. Zwei Tage später erreichte er auf halbem Weg bei strömendem Regen die Biberteiche, die den Zugang zum Teklanika River versperrten. Im April, als sie noch zugefroren waren, hatten sie kein Hindernis dargestellt. Jetzt aber muß er mit Entsetzen registriert haben, daß die Teiche zu einem drei Hektar großen See angeschwollen waren. Um nicht durch das schlammige, brusttiefe Wasser waten zu müssen, erklomm er einen steil ansteigenden Hügel, umging die Teiche auf der Nordseite und stieg am Ausgang der Schlucht wieder zum Fluß hinab.

Als er den Fluß vor siebenundsechzig Tagen in der eisigen Aprilkälte durchquert hatte, war das Wasser zwar eiskalt, aber nur knietief gewesen, ein zahmer Bach, den er mühelos durchwatet hatte. Am 5. Juli jedoch war der Teklanika durch den Regen und die Schneeschmelze auf den Gletschern der Alaska Range zu einem mächtigen, reißenden Strom angeschwollen.

Wenn er das andere Ufer erreichen könnte, wäre das restliche Stück zum Highway ein Kinderspiel, aber um dort hinzukommen, mußte er eine über dreißig Meter breite Flußbarriere überwinden. Das Wasser war durch die Glazialsedimente ganz trüb und hatte die Farbe von nassem Zement. Es war nur ein paar Grad wärmer als das Eis, aus dem es sich speiste, und viel zu tief, um durchwaten zu können. Der Fluß donnerte vorbei wie ein Güterzug. Die mächtige Strömung würde ihn rasch umreißen und forttragen.

McCandless war kein guter Schwimmer, und er hatte einigen Leuten gegenüber zugegeben, daß er sogar Angst vor Wasser habe. Ans andere Ufer zu schwimmen oder den Fluß auf irgendeinem behelfsmäßigen Floß zu überqueren war bei dieser unbändigen, betäubend kalten Flut viel zu riskant, um auch nur einen Gedanken daran zu verschwenden. Ein Stück stromabwärts von der Stelle, an der der Trail auf den Fluß stieß, zwängte sich der Teklanika durch eine enge Schlucht und entlud sich in brodelnde, wild aufschäumende Gischt. An Schwimmen und Paddeln war da gar nicht zu denken. Er würde sofort in diese Stromschnellen gerissen werden und ertrinken.

In seinem Tagebuch schrieb er dazu: »Katastrophe ... Strömender Regen. Kann nicht weiter. Fluß unmöglich zu überqueren. Fühle mich einsam, habe Angst.« Er ging zu Recht davon aus, daß die Fluten ihn wohl in den Tod reißen würden, zumindest wenn er es an jener Stelle und zu diesem Zeitpunkt versuchte. Es wäre glatter Selbstmord; es war ganz einfach unmöglich.

Wenn McCandless ungefähr eine Meile weiter stromaufwärts gewandert wäre, hätte er gesehen, wie der Fluß sich in ein weitläufiges Geflecht aus zahllosen kleinen Rinnen teilt. Wenn er dann noch sorgfältig gesucht hätte, hätte er durch Herumprobieren vielleicht sogar eine Stelle gefunden, wo diese Rinnen nur brusttief waren. Die

Strömung hätte ihn zwar auch dann noch umgerissen, aber er hätte zumindest mit den Armen weiterpaddeln und sich hüpfend immer wieder gegen die Strömung stemmen können. Es ist gut möglich, daß er es so bis ans andere Ufer geschafft hätte, bevor er in die Schlucht gerissen worden oder an Unterkühlung zugrunde gegangen wäre.

Es wäre jedoch immer noch eine riskante Angelegenheit gewesen, und zu diesem Zeitpunkt sah McCandless keinen Grund, ein solches Risiko einzugehen. Er hatte sich hier draußen auf dem Land bisher sehr gut alleine durchgeschlagen. Wahrscheinlich war ihm klar, daß es nur eine Frage der Zeit war, bis der Wasserstand sich normalisieren und der Fluß wieder passierbar würde. Nachdem er eine Weile abgewägt hatte, entschied er sich für die klügere Lösung. Er kehrte um und wanderte in Richtung Bus zurück, zurück in das launische, unberechenbare Herz der Wildnis.

Der Stampede Trail

KAPITEL SIEBZEHN

Die Natur hier war zwar ungezähmt und schrecklich, doch wunderschön. Mit Ehrfurcht betrachtete ich den Grund, auf dem ich gewandelt war, um zu sehen, was die Mächte geschaffen hatten, die Form, das Wesen und die Beschaffenheit ihrer Arbeit. Das war die Erde, von der wir gehört haben, die entstanden ist aus dem Chaos und der Ewigen Nacht. Das hier ist nicht der Garten des Menschens, sondern einfach der unberührte Globus. Das war kein Rasen, keine Weide, keine Wiese, kein Wald, keine Aue, kein Acker, keine Wüste. Es war die frische und natürliche Oberfläche des Planeten Erde, gemacht wie für alle Ewigkeit – sozusagen als Zuhause für den Menschen –, von der Natur geschaffen, um vom Menschen nach Möglichkeit genutzt zu werden. Sonst war dem Menschen dort keine Rolle zugewiesen. Dies war Materie, unermeßlich, und kolossal; es war nicht des Menschen Mutter Erde, von der wir häufig gehört haben, nicht die Erde, auf der er herumläuft oder in der er begraben wird – nein, sogar seine Knochen dort hineinzulegen wäre zu vertraulich –, dies war das Zuhause von Notwendigkeit und Schicksal. Die Anwesenheit einer Macht, die dem Menschen keinen Gefallen schuldet, war deutlich zu spüren. Dies war der Ort von Barbarei und abergläubischen Riten – den Menschen als Lebensraum vorbehalten, die näher mit Felsen und wilden Tieren verwandt sind als wir … Was hat man davon, in ein Museum eingelassen zu werden, um unzählige ausgefallene Dingen zu sehen, im Vergleich dazu, die Oberfläche mancher Sterne und Urgestein an seinem Herkunftsort betrachten zu können! Ich stehe ehrfürchtig vor meinem eigenen Körper, dieses Material, das zu mir gehört, ist mir so fremd geworden. Ich habe keine Angst vor Geistern und Gespenstern, zu denen ich zähle – oder davor, daß mein Körper zu ihnen zählen könnte –, doch ich habe Angst vor Menschen, und ich zittere bei dem Gedanken, ihnen zu begegnen. Wer ist dieser Titan, der von mir Besitz ergriffen hat? Man rede von Geheimnissen! Man denke an unser Leben in der Natur und an die Stoffe, die wir täglich sehen und spüren – Felsen, Bäume, Wind auf unseren Wangen! die feste Erde! die wirkliche Welt! der gemeine Menschenverstand! Kontakt! Kontakt! Wer sind wir? Wo sind wir!

HENRY DAVID THOREAU,
»KTAADN«

❖

Ein Jahr und eine Woche, nachdem Chris McCandless beschloß, den Teklanika nicht zu überqueren, stehe ich am gegenüberliegenden Ufer – dem Ostufer, der Highway-Seite – und blicke in die brodelnde Flut. Auch ich hoffe den Fluß zu überqueren. Ich möchte mir den Bus ansehen. Ich möchte sehen, wo McCandless starb, um besser zu begreifen, warum es geschah.

Es ist ein heißer, schwüler Nachmittag. Der Fluß ist fahl und trüb von den rasch schmelzenden Schneemassen, die immer noch die Gletscher in den höheren Lagen der

Alaska Range bedecken. Der Wasserstand sieht heute erheblich niedriger aus als auf den Fotos, die McCandless vor zwölf Monaten machte. Dennoch ist nicht daran zu denken, den Fluß hier in dieser donnernden hochsommerlichen Flut zu überqueren. Das Wasser ist zu tief, zu kalt, zu reißend. Als ich so in den Fluß blicke, höre ich über den Grund rumpelnde Gesteinsbrocken, so groß wie Bowlingkugeln, die von der reißenden Strömung stromabwärts gerollt werden. Nach wenigen Metern würde es mich umreißen, und ich würde in die enge Schlucht weiter unten gerissen, die den Fluß in eine Flut von schäumenden Stromschnellen zwängt, die sich fünf Meilen fortsetzen.

Anders als McCandless habe ich in meinem Rucksack jedoch eine Geländekarte im Maßstab 1:63.360 dabei (auf dieser Karte stellt ein Inch, also zweieinhalb Zentimeter, eine Meile dar). In ihrer Detailgenauigkeit zeigt sie sogar eine Wasserstandmeßstation an, die eine halbe Meile weiter stromabwärts in dem Nadelöhr der Schlucht vom Staatlichen Geologischen Vermessungsamt errichtet wurde. Anders auch als McCandless bin ich mit drei Begleitern hier: den beiden Alaskanern Roman Dial und Dan Solie sowie Andrew Liske, einem Freund von Roman aus Kalifornien. Die Meßstation ist von der Stelle, wo der Stampede Trail auf das Flußufer stößt, nicht zu sehen, doch nachdem wir uns zwanzig Minuten lang durch das dichte Unterholz der Fichten und Zwergbirken gekämpft haben, ruft Roman: »Ich sehe sie! Da vorne! Hundert Meter weiter.«

Als wir dort ankommen, finden wir ein fast drei Zentimeter dickes Drahtseil vor, das zwischen einen fünf Meter hohen, begehbaren Turm auf unserer Seite und einen knapp einhundertfünfzig Meter entfernten Felsvorsprung am anderen Ufer gespannt worden ist. Das Drahtseil war 1970 aufgespannt worden, um die jahreszeitlich bedingten Schwankungen des Teklanika tabellarisch zu erfassen. Hydrologen konnten wie mit einer Seilbahn über den Fluß hin und her fahren und von einem Transportkorb aus ein Senkblei hinablassen, um den Wasserstand zu messen. Die Meßstation wurde vor neun Jahren wegen Geldmangels geschlossen. Aus Sicherheitsgründen sollte der Korb an den Turm auf unserer Seite des Flusses – der Highway-Seite – festgekettet werden. Doch als wir den Turm bestiegen, war von einem Korb nichts zu sehen. Ich blickte über den reißenden Strom hinweg und entdeckte ihn am gegenüberliegenden Ufer, der Bus-Seite.

Wie sich später herausstellte, hatten ein paar einheimische Jäger die Kette aufgeschnitten, waren mit dem Korb hinübergefahren und hatten ihn dort befestigt. Zweck der Aktion war es, Fremden zu erschweren, den Teklanika zu überqueren und in ihr Jagdrevier einzudringen. Als McCandless vor einem Jahr und einer Woche aus der Wildnis zurückkehren wollte, befand sich die Gondel genau dort, wo sie sich jetzt befindet, auf der anderen Seite der Schlucht. Wenn er dies gewußt hätte, wäre es für ihn ein leichtes gewesen, den Teklanika zu überqueren. Da er aber keine Geländekarte besaß, konnte er nicht ahnen, daß die Rettung so nah war.

Andy Horowitz, einer von McCandless' Freunden aus dem Dauerlaufteam auf der Woodson High School, hatte einmal die Bemerkung gemacht, daß »Chris im falschen Jahrhundert geboren ist. Er hat sich nach mehr Abenteuer und Freiheit gesehnt, als die heutige Gesellschaft bietet.« Bei seinem Alaska-Trip sehnte McCandless sich danach, Gegenden zu durchwandern, die in keiner Landkarte verzeichnet waren. 1992 jedoch gab es solche Gegenden nicht mehr – weder in Alaska noch sonst irgendwo. Aber Chris, mit seiner verqueren Logik, wußte einen eleganten Ausweg aus diesem Dilemma: Er entledigte sich einfach der

Karte. In seiner eigenen Vorstellung – und nur dort – blieb die *terra* dadurch *incognita*.

Da er keine gute Karte hatte, blieb auch das Drahtseil mit dem Transportkorb incognito. Nachdem er sich also eine Weile lang die reißende Strömung angeschaut hatte, schloß McCandless fälschlicherweise, daß es unmöglich war, ans gegenüberliegende Ufer zu gelangen. In der Annahme, der Rückweg sei ihm versperrt, kehrte er zum Bus zurück – in Anbetracht seiner mangelnden topographischen Kenntnisse eine vernünftige Entscheidung. Aber warum harrte er dann im Bus aus und verhungerte? Warum versuchte er nicht, den Teklanika im August zu überqueren, wenn die Flut wieder zurückgegangen wäre und der Fluß gefahrlos überquert werden konnte?

Diese Fragen verwirren mich und lassen mir keine Ruhe, und ich hoffe, daß das vor sich hin rostende Wrack des Fairbanker Bus Nr. 142 mir dabei hilft, die Antworten zu finden. Um dorthin zu gelangen, muß jedoch auch ich den Fluß überqueren, und der Aluminium-Korb ist immer noch am gegenüberliegenden Ufer festgekettet.

Von der Plattform des Meßturms aus befestige ich mich mit Bergsteiggerät an dem Drahtseil und arbeite mich ans andere Ufer vor, indem ich mich mit beiden Händen am Seil entlanghangele; Bergsteiger bezeichnen dies als Tiroler Quergang. Die Unternehmung stellte sich als wesentlich anstrengender heraus, als ich angenommen hatte. Zwanzig Minuten später schleppe ich mich schließlich auf den kleinen Felsvorsprung am gegenüberliegenden Ufer; ich bin am Ende meiner Kräfte und so erschöpft, daß ich kaum noch einen Arm heben kann. Nachdem ich wieder einigermaßen Atem geschöpft habe, klettere ich in den Korb – eine rechteckige, etwa sechzig Zentimeter tiefe und einen Meter zwanzig breite Aluminiumgondel –, löse die Kette und mache mich wieder auf den Rückweg, um meine Gefährten hinüberzufahren.

Das Seil hängt in der Mitte stark durch, daher gewinnt die Gondel unter ihrem eigenen Gewicht rasch an Geschwindigkeit, als ich mich von dem Felsvorsprung abstoße. Immer schneller rollt sie am Stahlseil entlang, auf den niedrigsten Punkt zu – eine aufregende Fahrt. Als ich mit zwanzig, dreißig Meilen die Stunde über die Stromschnellen hinwegrausche, entfährt mir unwillkürlich ein Angstschrei. Mir wird jedoch sofort klar, daß ich nicht in Gefahr bin, und ich beruhige mich wieder.

Schließlich sind wir alle vier auf der Westseite der Schlucht angelangt. Wir schlagen uns dreißig Minuten lang durch dichtes Ufergebüsch, um wieder auf den Stampede Trail zurückzukehren. Die zehn Meilen lange Strecke, die wir bereits hinter uns haben – das Stück zwischen der Stelle, wo wir unsere Autos geparkt haben, und dem Fluß – war frei von Hindernissen, übersichtlich und verhältnismäßig viel begangen. Doch die zehn Meilen, die vor uns liegen, sind schon von anderem Kaliber.

Da sich während der Frühlings- und Sommermonate nur sehr wenige Leute über den Teklanika wagen, ist der Weg von Sträuchern überwuchert, und der Trail verliert sich oft im Dickicht. Gleich hinter dem Fluß schwenkt er nach Südwesten ab und führt an einem kleinen sprudelnden Gebirgsbach entlang. Da Biber in diesen Bach eine ganze Reihe miteinander verbundener Dämme gebaut haben, führt der Weg direkt durch einen sumpfigen, drei Hektar großen See. Die Biberteiche sind zwar schlimmstenfalls nur brusttief, aber das Wasser ist eiskalt. Als wir hindurchwaten, verwandelt der von unseren Füßen aufgewühlte Schlamm den Teich in ein übelriechendes Miasma aus verfaulendem Schleim.

Hinter den Biberteichen geht es einen Hügel hoch, und

der Trail schließt wieder zu dem steinigen, gewundenen Gebirgsbach auf, bevor er sich weiter oben erneut im Dikkicht der Vegetation verliert. Die Strecke ist im Grunde nicht allzu beschwerlich, und doch wirkt das fünf Meter hohe Erlengestrüpp, das einen von beiden Seiten bedrängt, düster, klaustrophobisch und bedrückend. In der stickigen Hitze tauchen immer wieder Moskitoschwärme auf. Alle paar Minuten wird ihr nervenzermürbendes Surren vom entfernten Donnern eines Gewitters übertönt. Am Horizont zieht eine mächtige, dunkle Wolkenfront über die Taiga herauf.

Struppiges Unterholz hinterläßt auf meinen Schienbeinen ein Gitterwerk blutiger Striemen. Mehrere Haufen Bärenkot und dann eine Reihe frischer Grizzlyspuren – jeder Tatzenabdruck eineinhalbmal so groß wie Schuhgröße 44 – machen mich nervös. Keiner von uns hat eine Waffe dabei. »Hey, Griz!« rufe ich ins Gebüsch, um eine Zufallsbegegnung auszuschließen. »Hey, Bär! Wir müssen hier nur kurz durch! Brauchst dich also nicht aufzuregen!«

Ich war in den letzten zwanzig Jahren ungefähr zwanzigmal in Alaska – mal zum Bergsteigen, mal um als Schreiner, Lachsfischer oder Journalist zu arbeiten, mal einfach so, um mich umzusehen. Im Laufe meiner vielen Reisen hierher habe ich eine Menge Zeit allein im Landesinnern verbracht und dies für gewöhnlich sehr genossen. Ehrlich gesagt hatte ich vor, allein zu dem Bus zu wandern, und war verstimmt, als mein Freund Roman sich selbst einlud und zwei andere gleich dazu. Jetzt bin ich jedoch sehr dankbar dafür, daß sie mich begleitet haben. Irgend etwas an dieser schaurigen, überwucherten Gegend ist zutiefst beunruhigend. Sie wirkt feindseliger, bösartiger als andere abgelegene, mir bekannte Landstriche Alaskas – die von Tundra bedeckten Hänge der Brooks Range, die Wolkenwälder des Alexanderarchipels und sogar die eisbedeckten, windgepeitschten Höhen des Denali-Massivs. Ich bin verdammt froh, daß ich nicht allein hier bin.

Es ist neun Uhr abends. Der Trail macht eine Biegung, und dort, am Rand einer kleinen Lichtung, steht der Bus. Rosafarbenes Berufkraut wuchert in den Radausbuchtungen bis zu den Achsen hoch. Der Bus steht zehn Meter vom Rand eines steilen Abhangs entfernt, neben einem Espenwäldchen auf einer kleinen Anhöhe, von wo aus es den Zusammenfluß des Sushana River mit einem kleineren Nebenfluß überblickt.

Der Platz ist hübsch und anheimelnd, voller Licht. Es ist leicht verständlich, warum McCandless beschloß, den Bus zu seinem Basislager zu machen.

Wir bleiben in einiger Entfernung vor dem Bus stehen und fixieren ihn eine Weile lang schweigend. Die Lackierung ist spröde und blättert ab. Mehrere Fenster fehlen. Der Boden um den Bus ist mit Hunderten von kleinen, dünnen Knochen und Tausenden von Stachelschweinstacheln übersät: die Überreste des Kleinwilds, das den größten Teil von McCandless' Ernährung ausmachte. Und am Rande dieses Knochenfriedhofs liegt ein ungleich größeres Skelett: das des Elchs, den er geschossen hatte und dessentwegen er sich solche Vorwürfe gemacht hatte.

Als ich Gordon Samel und Ken Thompson befragte, kurz nachdem sie McCandless' Leiche gefunden hatten, bestanden beide hartnäckig darauf, daß das große Skelett von einem Karibu stammt. Sie machten sich noch über die Ahnungslosigkeit des Jungen lustig, einen Elch mit einem Karibu verwechselt zu haben. »Durch die Wölfe waren dic Knochen ein wenig verstreut«, hatte Thompson mir gesagt, »aber es war offensichtlich, daß das mal ein

Karibu war. Der Junge hat einfach von Tuten und Blasen keine Ahnung gehabt.«

»Es war auf jeden Fall ein Karibu«, hatte Samel in spöttischem Ton hinzugefügt. »Als ich in der Zeitung gelesen hab, daß er einen Elch geschossen haben will, da hab ich gleich gedacht, daß der Junge nicht aus Alaska ist. Zwischen Elch und Karibu gibt es einen großen Unterschied. Einen Riesenunterschied. Da muß man schon ziemlich blöd sein, wenn man die nicht auseinanderhalten kann.«

Im Vertrauen darauf, daß Samel und Thompson – zwei erfahrene alaskanische Jäger, die zusammen schon eine Menge Elche und Karibus erlegt haben – sich schon nicht irren werden, berichtete ich in meinem *Outside*-Artikel ordnungsgemäß von McCandless' Irrtum. Damit bestätigte ich die Ansicht von zahllosen Lesern, daß McCandless für die Reise geradezu lachhaft schlecht vorbereitet gewesen sei, daß er in der Wildnis nichts zu suchen hatte, und schon gar nicht in den allein Könnern vorbehaltenen Wäldern der Last Frontier. McCandless starb nicht nur an seiner eigenen Dummheit, wie ein Alaska-Korrespondent bemerkte, darüber hinaus »war sein selbstgebasteltes Abenteuer von solch bescheidenen Dimensionen, daß es schon wieder bemitleidenswert ist – in einem Bus ein paar Meilen von Healy entfernt zu hocken, Eichelhäher und Eichhörnchen aus den Bäumen zu schießen, ein Karibu mit einem Elch zu verwechseln (dazu gehört schon was)... Für den Jungen gibt's nur ein Wort: Unfähig.«

Die Briefe, die ich erhielt und die McCandless in Grund und Boden verdammten, gingen buchstäblich alle auf die Verwechslung von Elch und Karibu ein. Dies sei der definitive Beweis, daß McCandless keinen blassen Schimmer davon hatte, was es bedeutet, im Hinterland zu überleben. Was jene wütenden Briefeschreiber jedoch nicht wußten, war, daß das Huftier, das McCandless erlegte, genau das war, für was er es hielt. Im Gegensatz zu dem, was ich in *Outside* berichtet hatte, handelte es sich tatsächlich um einen Elch, wie eine genauere Untersuchung des Skelettes nun ergab. Mehrere Fotos, die McCandless gemacht hatte, räumten später auch noch die letzten Zweifel aus. Der Junge hatte auf dem Stampede Trail zwar so einige Fehler begangen, aber ein Karibu mit einem Elch zu verwechseln gehörte nicht dazu.

Ich gehe auf den Bus zu, lasse die Elchknochen hinter mir, und steige hinten durch den Notausgang ein. Noch in der Tür stoße ich auf die Matratze, auf der McCandless starb: ein halbzerissenes, fleckiges, schimmeliges Teil. Ich bin irgendwie unangenehm berührt, als ich auf dem groben Matratzendrillich verstreut eine Sammlung seiner Besitztümer vorfinde: eine grüne Plastikfeldflasche, ein winziges Fläschchen mit Wasserreinigungstabletten, ein leeres Röhrchen Lippenbalsam, eine dickgefütterte Fliegerhose von der Art, wie sie in Armeerestbestandsläden verkauft werden, eine Taschenbuchausgabe des Bestsellers »O Jerusalem!« mit zerfleddertem Buchrücken, Wollhandschuhe, eine Flasche Insektenspray, eine volle Schachtel Streichhölzer, ein Paar brauner, robuster Gummistiefel, auf deren Stulpen in verblichener Schrift der Name »Gallien« steht.

Trotz fehlender Fensterscheiben ist die Luft hier im Innern des Fahrzeugwracks modrig und abgestanden. »Wow«, entfährt es Roman. »Hier stinkt's nach toten Vögeln.« Gleich darauf stoße ich auf den Auslöser dieses penetranten Gestanks: ein Plastiksack randvoll mit Federn, Daunen und den abgetrennten Flügeln mehrerer Vögel. Allem Anschein nach hat McCandless sie aufbewahrt, um seine Kleidung zu füttern oder vielleicht auch, um ein Kopfkissen daraus zu machen.

Auf einem behelfsmäßigen Sperrholztisch im vorderen

Teil des Busses sind neben einer Kerosinlampe McCandless' Töpfe und sein Geschirr aufgestapelt. Eine lange, große Lederscheide ist in raffiniert geprägten Schriftzügen mit den Initialen R. F. geschmückt: die Machetenscheide, die Ronald Franz McCandless bei seinem Aufbruch aus Salton City zum Geschenk machte.

Neben der blauen Zahnbürste des Jungen liegen eine halbleere Tube Colgate-Zahnpasta, eine Packung Zahnseide und die goldene Backenzahnkrone, die sich, wie in seinem Tagebuch vermerkt, drei Wochen nach seiner Ankunft vom Zahn gelöst hatte. Ein paar Zentimeter weiter befindet sich ein Schädel von der Größe einer Wassermelone. Aus dem schneeweißen Kiefergerüst ragen elfenbeinfarbene Fangzähne. Der Schädel gehörte einem Bär, es ist der sterbliche Überrest eines Grizzlys, der wohl die Beute eines früheren Gastes war, viele Jahre, bevor McCandless hier Quartier machte. Das Einschußloch wird von einer kleinen Botschaft umrahmt. Es ist unverkennbar Chris' saubere Handschrift: *Es lebe der Phantom-Bär, das Tier, das in uns allen steckt. Alexander Supertramp. Mai 1992.*

Die Blechwände des Busses sind voll mit Graffitis von den zahllosen Besuchern, die den Bus über die Jahre hinweg aufgesucht haben. Roman macht mich auf eine Botschaft aufmerksam, die er vor vier Jahren beim Durchqueren der Alaska Range gekritzelt hatte: *Nudelesser unterwegs nach Lake Clark 8/89.* Die meisten Leute haben sich wie Roman auf eine kurze Mitteilung mit Namen und Datum beschränkt. Die längste und aussagekräftigste Äußerung stammt von McCandless, der gleich mehrere hinterlassen hat. Ein Ausruf des Jubels, der mit einer Anspielung auf seinen Lieblingssong von Roger Miller beginnt: *Zwei Jahre lang durchstreift er zu Fuß die Welt. Kein Telefon, keine liebgewonnenen Haustiere, keine Zigaretten.*

Freiheit total. Ein Extremreisender. Ein ästhetischer Wanderer der Welten, der nur die Straße *sein Heim nennt ...*

Direkt unterhalb dieses Manifestes steht der Ofen, der aus einem rostigen Ölfaß zusammengebastelt wurde. Aus seiner Öffnung ragt ein vier Meter langer Fichtenstamm heraus. Über dem Stamm liegen zwei zerschlissene Jeans, die dort allem Anschein nach zum Trocknen ausgebreitet wurden. Eine davon – Größe dreißig/zweiunddreißig – ist notdürftig mit silbernem Isolierband geflickt. Das andere Paar ist sorgfältiger repariert worden, mit Flicken aus einer verblichenen Bettdecke, die über riesige Löcher an den Knien und am Hosenboden genäht wurden. Durch die Gürtelschlaufen der letzteren ist noch eine Art Gürtel gezogen, ein schmaler langer Stoffstreifen aus einer Wolldecke. Wie mir plötzlich klar wird, hatte McCandless sich diesen Gürtel wahrscheinlich deshalb gemacht, weil er so stark abgemagert war und ihm ständig die Hose herunterrutschte.

Ich setze mich auf eine Stahlkoje gegenüber vom Ofen und grübele weiter über den gespenstischen Anblick nach, der sich mir bietet. Wo immer ich auch hinsehe, überall macht sich McCandless' Anwesenheit bemerkbar. Hier sein Nagel-Clipper, da drüben sein grünes Nylon-Zelt, das eins der herausgebrochenen Fenster der Vordertüre notdürftig zudeckt. Seine Wanderschuhe stehen fein säuberlich unter dem Ofen, so als würde er gleich zurückkehren, um hineinzusteigen und sich auf den Weg zu machen. Mir ist richtig mulmig zumute; ich komme mir vor wie ein Eindringling, wie ein Voyeur, der sich in McCandless' Schlafzimmer gestohlen hat, während er kurz weg ist. Plötzlich ist mir ganz übel. Ich wanke aus dem Bus und gehe ein paar Schritte am Fluß entlang, um frische Luft zu schnappen.

Eine Stunde später machen wir in der Abenddämmerung ein Lagerfeuer. Die Regenwolken mit ihren kurzen, windigen Schauern haben den schwülen Dunstschleier aus der Luft gespült und sind weitergezogen. In der Ferne setzen sich Hügelketten in all ihren Einzelheiten gegen den leuchtenden Abendhimmel ab. Am nordwestlichen Horizont, hinter den letzten Wolken, erstrahlt ein weißglühender Streifen Himmel. Roman packt ein paar Steaks aus, die noch von einem Elch stammen, den er letzten September in der Alaska Range erlegt hat, und legt sie auf den rußigen Grill übers Feuer, auf denselben Rost, auf dem McCandless gegrillt hat. Elchfett spritzt zischend in die Glut. Mit den Fingern essen wir das knorpelige Fleisch, schlagen nach Moskitos und unterhalten uns über diesen so sonderbaren Menschen, den keiner von uns kannte. Wir überlegen, auf welche Weise McCandless letztlich den Tod fand, und auch, warum die Leute ihn so sehr dafür verachten, daß er hier an diesem Ort gestorben ist.

Als McCandless in diese Gegend kam, hatte er absichtlich eine unzureichende Menge an Proviant dabei, und in seiner Ausrüstung fehlten gewisse Dinge, die viele Alaskaner für unentbehrlich halten: ein großkalibriges Gewehr, Karte und Kompaß, und eine Axt. Dies wurde immer wieder als Beweis herangezogen, und zwar nicht nur für seine Dummheit, sondern für die ungleich schlimmere Sünde der Arroganz. Einige Kritiker haben McCandless sogar mit der zugleich berüchtigsten und tragischsten Figur der Arktis verglichen: Sir John Franklin, einem britischen Marineoffizier des neunzehnten Jahrhunderts, der in seinem blasierten Hochmut den Tod von ungefähr einhundertvierzig Menschen, seinen eigenen eingeschlossen, mitzuverantworten hatte.

Die britische Admiralität hatte Franklin 1819 damit beauftragt, eine Expedition in die Wildnis von Nordwestkanada anzuführen. Zwei Jahre, nachdem es England verlassen hatte, wurde sein kleines Expeditionskorps vom Wintereinbruch überrascht, während er und seine Männer sich gerade durch ein weitläufiges Tundragebiet kämpften. Das Gebiet war so unermeßlich und bar jeden Lebens, daß sie ihm den Namen »The Barrens« – Ödland – gaben, unter dem es bis heute bekannt ist. Schon bald war ihnen der Proviant ausgegangen. Da es kaum Wild gab, blieb Franklin und seinen Männern nichts anderes übrig, als sich von Flechten, die sie von Felsblöcken kratzten, von abgeflammter Rehhaut, Tierkadaverknochen, ihrem eigenen Stiefelleder und schließlich sogar von dem Fleisch ihrer eigenen Gefährten zu ernähren. Bevor das Martyrium ein Ende nahm, waren mindestens zwei Leute ermordet und verspeist worden. Der Mordverdächtige war im Schnellverfahren hingerichtet worden, acht Männer waren durch Krankheit verendet oder verhungert. Franklin selbst hätte höchstens noch ein, zwei Tage überlebt, als er und die anderen Überlebenden von einer Gruppe umherziehender Mestizen gerettet wurden.

Franklin, einem freundlichen viktorianischen Gentleman, wurde nachgesagt, ein gutmütiger Dilettant zu sein, der ebenso stur wie ahnungslos war. Seine Vorstellungen und Ideale waren von kindlicher Naivität, und er betrachtete es unter seiner Würde, sich mit den Überlebenstechniken in der Wildnis vertraut zu machen. Er war auf eine geradezu jämmerliche Weise unvorbereitet auf die Reise gegangen und hätte nie und nimmer eine Expedition in die Arktis anführen dürfen. Nach seiner Rückkehr nach England war er nur noch als »Der Mann, der seine Schuhe aß« bekannt – ein Spitzname, der allerdings meist mit mehr Bewunderung als Spott ausgesprochen wurde. Er wurde als Volksheld gefeiert, zum Kapitän der Admiralität befördert und für einen Bericht über sein Martyrium großzügig entlohnt. 1825 wurde ihm erneut das Kommando für eine Expedition in die Arktis übertragen.

Diese Reise verlief ohne nennenswerte Vorkommnisse. Franklin war es jedoch immer noch nicht gelungen, die sagenhafte Nordwest-Durchfahrt zu finden, und im Jahre 1845 beging er den Fehler, ein drittes Mal in die Arktis zurückzukehren. Er und die einhundertachtundzwanzig Männer unter seinem Kommando verschwanden spurlos. Es wurden etwa vierzig Suchtrupps nach ihnen ausgesandt, bis schließlich aufgrund gewisser Anhaltspunkte feststand, daß alle ausnahmslos tot waren: sie waren nach unbeschreiblichen Qualen verhungert oder an Skorbut verendet.

Als McCandless tot aufgefunden wurde, wurde er nicht nur deshalb mit Franklin verglichen, weil beide verhungerten, sondern weil man von beiden annahm, daß es ihnen an der nötigen Demut gefehlt habe. Bei beiden meinte man einen mangelnden Respekt gegenüber dem Land, der Natur zu erkennen. Ein Jahrhundert nach Franklins Tod wies der große Forschungsreisende Vilhjalmur Stefansson darauf hin, daß sein englischer Kollege sich damals nie die Mühe gemacht hatte, sich die Überlebenstechniken der Indianer und Eskimos anzueignen – Völkern, die es in dem gleichen unwegsamen Land, das Franklin zum Verhängnis wurde, zu hoher Blüte gebracht haben und »es seit Generationen schafften, ihre Kinder großzuziehen und ihre Ältesten zu pflegen«. (Stefansson übersah geflissentlich die Tatsache, daß auch unter den Indianern und Eskimos viele ihr Leben lassen mußten, weil sie ganz einfach verhungerten.)

McCandless' Arroganz war jedoch ganz anderer Art. Franklin sah in der Natur immer ein widerspenstiges Hindernis, das sich letztlich menschlicher Kraft, angesehener Herkunft und viktorianischer Disziplin beugen würde.

Statt im Einklang mit der Natur zu leben und sich wie die Einheimischen auf das zu verlassen, was das Land abwarf, versuchte er, mit ungeeigneter militärischer Ausrüstung und ebensolchen Gepflogenheiten gegen die nördlichen Gegebenheiten anzugehen. McCandless wiederum praktizierte genau das Gegenteil und schoß dabei ebensoweit übers Ziel hinaus. Er versuchte, sich ausschließlich von der Natur und dem, was das Land hergab, zu ernähren – und er unternahm diesen Versuch, ohne sich vorher in essentiellen Überlebenstechniken geübt zu haben.

Es wäre jedoch verfehlt, McCandless dafür zu kritisieren, daß er schlecht vorbereitet war. Er war noch grün hinter den Ohren, und er überschätzte seine Kräfte. Aber er hatte es immerhin geschafft, sechzehn Wochen lang mit wenig mehr als seinem Verstand und zehn Pfund Reis zu überleben. Und als er in die Wildnis auszog, war ihm vollkommen bewußt, daß er sich gefährlich nahe am Abgrund bewegte. Er wußte genau, welches Risiko er einging.

Es ist alles andere als ungewöhnlich, wenn ein junger Mann nach etwas strebt, das die Erwachsenen als leichtsinnig betrachten. Das Risiko zu suchen ist – in unserer Kultur wie auch in den meisten anderen – eine Art Initiationsritual. Die Gefahr hatte schon immer ihren Reiz. Dies ist einer der Hauptgründe, weshalb so viele Jugendliche zu schnell fahren, zu viel trinken und zu viele Drogen nehmen; und aus demselben Grund war es seit jeher so leicht, junge Menschen dafür zu gewinnen, in den Krieg zu ziehen. Man kann sogar soweit gehen und behaupten, daß jugendliches Draufgängertum auf einen evolutionären Anpassungsprozeß zurückzuführen ist und ein Verhaltensmuster aufzeigt, das sich in verschlüsselter Form bereits in unseren Genen befindet. McCandless hat die dem Menschen innewohnende Risikobereitschaft einfach bis zum Äußersten geführt.

Er hatte das Bedürfnis, sich selbst auf die Probe zu stellen, und zwar dort, wo, wie er es gerne ausdrückte, »es zählte«. Er hatte große – manche würden sagen zu große – spirituelle Ansprüche. Innerhalb des moralischen Absolutismus, der McCandless auszeichnete, ist eine Herausforderung, deren erfolgreicher Ausgang von vornherein feststeht, nicht der Mühe wert.

Es ist natürlich nicht nur die Jugend, die dem Reiz der Gefahr erliegt. John Muir ist uns vor allem als nüchterner Naturschützer, Gründungsmitglied und Präsident des Sierra Clubs bekannt, aber er war auch ein kühner Abenteurer und furchtloser Kletterkünstler, der sich sein Leben lang an Gipfeln, Gletschern und Wasserfällen versuchte. Sein bekanntester Essay erzählt unter anderem von einer Besteigung des Mount Ritter im Jahr 1872, bei der er um ein Haar in den Tod gestürzt wäre. In einem anderen Essay beschreibt er ganz verzückt, wie er einmal – freiwillig – einen wildtobenden Sierra-Sturm in den höchsten Wipfeln einer dreißig Meter hohen Douglastanne überstand:

Nie zuvor erlebte ich einen solch edlen Rausch der Bewegung. Die zarten Wipfel schwangen und schlugen im tobenden Sturm hin und her, krümmten sich vor und zurück oder drehten sich immer wieder im Kreise, so als spürten sie unbeschreiblichen Kombinationen aus vertikalen und horizontalen Kurven nach. Und ich umklammerte mit letzter Kraft den Stamm, wie ein Paperling ein Schilfrohr.

Er war damals sechsunddreißig Jahre alt. Es ist nicht anzunehmen, daß Muir McCandless' Aktion für besonders seltsam oder töricht gehalten hätte.

Selbst der betuliche Thoreau, der bekanntermaßen erklärte, daß es genügte »in Concord viel umhergekommen zu sein«, spürte den Drang, die viel wilderen und furchterregenderen Landstriche im Maine des neunzehnten Jahrhunderts aufzusuchen und den Gipfel des Mount Katahdin zu erklettern. Die Besteigung der »zerklüfteten, angsteinflößenden und dennoch wunderschönen« Felswände erschütterte und ängstigte ihn und erfüllte ihn doch gleichzeitig mit einer fast trunkenen Ehrfurcht. Einige seiner eindringlichsten und besten Schriften sind der Unruhe zu verdanken, die ihn auf den Granitgipfeln des Katahdin durchströmte und einen tiefen Eindruck auf seine Sicht der Welt in ihrem nackten, ungezähmten Zustand hinterließ.

Anders als Muir und Thoreau zog McCandless nicht in erster Linie in die Wildnis aus, um über die Natur oder die Welt im allgemeinen nachzusinnen. Sein Ziel war vielmehr, das weite Land seiner Seele zu erkunden. Er sollte dabei jedoch rasch eine Entdeckung machen, die für Muir und Thoreau längst selbstverständlich war: Ein längerer Aufenthalt in der Wildnis lenkt die Aufmerksamkeit in gleichem Maße auf die Außenwelt wie auch auf das Innenleben. Es ist unmöglich, von dem Land, der Flora und Fauna zu leben, ohne sowohl ein eingehendes Verständnis als auch eine starke emotionale Bindung zu dem Land und allem, was darauf wächst und gedeiht, zu entwickeln.

McCandless' Tagebucheinträge enthalten wenig theoretische Überlegungen über die Wildnis, genaugenommen überhaupt nur wenig an Allgemein-Philosophischem. Umgebung und Landschaft finden darin ebenfalls kaum Erwähnung. Tatsächlich geht es in diesen Einträgen, wie Romans Freund Andrew Liske beim Lesen einer Kopie des Tagebuchs bemerkt, »beinahe ausschließlich um das, was er gegessen hat. Er hat fast ausschließlich übers Essen geschrieben.«

Andrew übertreibt nicht: Das Tagebuch ist nicht viel mehr als eine Aufzählung der Pflanzen, die er aufgestöbert, und dem Wild, das er erlegt hat. Es wäre jedoch ungerecht, daraus zu schließen, daß McCandless die Schönheit der Landschaft, die ihn umgab, nicht zu schätzen wußte, daß ihn die überwältigende Kraft der Natur kalt ließ. Der Kulturökologe Paul Shepard bemerkte:

Der nomadische Beduine ergeht sich nicht in langen Schwärmereien über die Landschaft. Weder malt er sie, noch käme es ihm in den Sinn, eine für das alltägliche Leben nutzlose naturgeschichtliche Abhandlung zu schreiben ... Sein Leben und Tun greifen so eng mit der Natur ineinander, daß es für Abstraktion, Ästhetik oder einer über den Alltag hinausgehende »Naturphilosophie« keinen Platz gibt ... Die Natur und seine Beziehung zu ihr sind eine todernste Angelegenheit, die ihm durch Konvention, Mysterium und die tägliche Gefahr auferlegt wird. Seine Mußestunden verbringt er nicht mit eitlen Vergnügungen, noch würde er sich anmaßen, in die Vorgänge, die sich in der Natur abspielen, einzugreifen. Sein Leben ist jedoch von einem starken Bewußtsein geprägt für diese Kraft der Natur, das Land, das launische Wetter und den schmalen Grat, auf dem er sich bewegt, um zu überleben.

Vieles davon trifft auch auf McCandless während der Monate zu, die er am Sushana River verbrachte.

Man würde es sich zu einfach machen, wollte man McCandless auf das Klischee des allzu überschwenglichen Jünglings reduzieren, der zuviel Zeit mit Bücherlesen verschwendete und nicht einmal ein Minimum an gesundem Menschenverstand besaß. Aber dieses Klischee paßt nicht zu ihm. McCandless war nicht irgendein hohler Traumtänzer, ziel- und orientierungslos und von einer existentiellen Hoffnungslosigkeit befallen. Im Gegenteil: Er wollte leben, und zwar so intensiv wie irgend möglich, und er wußte auch, wofür. Aber was er dem Leben an Sinn abgerungen hatte, war nicht auf dem

Weg des geringsten Widerstands zu erreichen: Alles, was zu einfach war, war McCandless von vornherein suspekt. Er verlangte sich sehr viel ab – mehr als er am Ende in der Lage war, zu geben.

Manche Leute versuchen, McCandless' unkonventionelles Verhalten damit zu erklären, daß er wie John Waterman von kleiner Statur war und daher vielleicht an einem Minderwertigkeitskomplex litt, einem grundlegenden Mangel an Selbstvertrauen, der ihn dazu zwang, seine Männlichkeit durch extreme physische Belastungsproben ständig unter Beweis zu stellen. Eine andere Theorie besagt, daß ein schwärender ödipaler Konflikt die Ursache seiner verhängnisvollen Odyssee gewesen sei. Auch wenn beide Hypothesen irgendwo zutreffen, so ist diese Art der posthumen Fernanalyse ein fragwürdiges, höchst spekulatives Unterfangen, das den Analysanden zwangsläufig herabwürdigt und trivialisiert. Es erscheint von fraglichem Nutzen, McCandless' sonderbares spirituelles Streben auf ein paar ins Bild passende psychische Störungen zu reduzieren.

Roman, Andrew und ich blicken abwesend in die Glut und unterhalten uns bis spät in die Nacht über McCandless. Roman ist zweiunddreißig, hat Biologie studiert und in Stanford promoviert. Er ist von Natur aus wißbegierig, sagt ungeschminkt seine Meinung und ist von jeher mißtrauisch gegenüber konventionellen Wahrheiten. Seine Jugend brachte er wie McCandless in den Washingtoner Villenvierteln zu und erlebte sie in jeder Hinsicht als ebenso erdrückend wie Chris. Nach Alaska kam er zum erstenmal als Neunjähriger, um ein Onkeltrio zu besuchen, das auf einer Zeche von Usibelli arbeitete, einem großen Bergwerkskonzern mit Tagebaugruben östlich von Healy. Hals über Kopf verliebte er sich in den Norden und alles, was damit zusammenhing. In den folgenden

Jahren kehrte er immer wieder in den neunundvierzigsten Bundesstaat zurück. 1977 – da war er sechzehn und hatte gerade als Klassenbester die High-School abgeschlossen – zog er nach Fairbanks und machte Alaska zu seiner Wahlheimat.

Derzeitig unterrichtet Roman in Anchorage an der Alaska Pacific University und ist im ganzen Staat für eine Reihe langer, draufgängerischer Touren durch das Landesinnere bekannt: Er hat – neben anderen Bravourstücken – zu Fuß und mit dem Kajak die eintausend Meilen lange Brooks Range durchquert, ist im Winter bei Temperaturen um minus zwanzig Grad auf Skiern zweihundertfünfzig Meilen durch das Staatliche Wildreservat der Arktis gefahren, durchmaß die siebenhundert Meilen langen Kammlagen der Alaska Range und brachte über dreißig Erstbesteigungen alaskanischer Berg- und Felsgipfel zuwege. Und Roman sieht keinen Unterschied zwischen seinen allgemein bewunderten Leistungen und McCandless' Abenteuer, außer daß McCandless das Pech hatte, umzukommen.

Ich bringe McCandless' Hybris und die dummen Fehler, die er sich leistete, zur Sprache – die zwei, drei leicht vermeidbaren Schnitzer, die ihn schließlich das Leben kosteten. »Klar, er hat's vermasselt«, antwortet Roman, »aber ich bewundere ihn für das, was er versucht hat. Nur von dem zu leben, was die Natur an Nahrung hergibt, und das über Monate, ist irrsinnig schwer. Ich hab's nie versucht. Und ich wette, von denen, die McCandless als unfähig verschreien, hat es ebenfalls kaum einer versucht, jedenfalls nicht länger als ein, zwei Wochen. Sich über einen längeren Zeitraum in der Wildnis aufzuhalten und sich allein auf das zu verlassen, was man erjagt oder an Früchten und Pflanzen sammeln kann – die meisten Leute haben ja gar keine Ahnung, wie schwierig das in Wirklichkeit ist. Und McCandless hätt's beinahe hingekriegt.

Ich schätze, ich komm nicht drum 'rum, mich mit diesem Typen zu identifizieren«, gesteht Roman, während er mit einem Zweig in der Glut herumstochert. »Ich geb's nur ungern zu, aber es ist noch gar nicht mal so lang her, da hätte mir das gleiche passieren können. Ganz am Anfang, als ich gerade in Alaska war, war ich, glaub ich, ganz genauso: genauso grün und übereifrig. Und ich bin sicher, daß es hier in Alaska eine Menge anderer Leute gibt, die damals, als sie hier ankamen, viel mit ihm gemein hatten. Seine Kritiker kann man da getrost miteinschließen. Was vielleicht genau der Grund ist, weshalb sie ihn so streng beurteilen. Vielleicht erinnert McCandless sie zu sehr daran, wie sie früher einmal waren.«

Romans Beobachtung unterstreicht, wie schwierig es für die unter uns ist, die ganz und gar im Alltagstrott des Erwachsenenlebens aufgehen, sich daran zu erinnern, wie überschwenglich und ungestüm wir in unserer Jugend waren. Wie Everett Ruess' Vater Jahre nachdem sein zwanzigjähriger Sohn für immer in der Wüste verschollen ging, es formulierte: »Der erwachsene Mensch nimmt die seelischen Höhenflüge des Heranwachsenden nicht wahr. Ich glaube, wir alle haben kaum verstanden, was wirklich in Everett vorging.«

Roman, Andrew und ich bleiben noch weit über Mitternacht hinaus wach und versuchen, aus McCandless' Leben und Tod irgendwie klug zu werden. Unsere Antworten zielen jedoch irgendwie ins Leere, und das, was ihn wirklich ausmachte, sein Wesen, scheint uns verborgen zu bleiben. Nach und nach gerät die Unterhaltung ins Stocken und kommt schließlich zum Erliegen. Als ich mich vom Feuer abkehre, um nach einem Platz für meinen Schlafsack zu suchen, erblaßt der Nordrand des Himmels bereits im schmutzigen Grau der Morgendämmerung. Obwohl in dieser Nacht überall Moskitoschwärme surren und der Bus bestimmt ein gewisses Maß an Schutz bietet, beschließe ich, mich nicht im Bus schlafen zu legen. Auch die anderen bleiben draußen, fällt mir noch auf, bevor ich in einen traumlosen Schlaf sinke.

Der Stampede Trail

KAPITEL ACHTZEHN

Der heutige Mensch ist kaum mehr fähig, sich auch nur vorzustellen, was es heißt, sich allein von der Jagd zu ernähren. Das Leben eines Jägers besteht in einer einzigen, harten, scheinbar nicht endenwollenden Reise quer durchs Land ... Ein Leben in der ständigen Angst, daß der nächste Schritt fehlschlägt, daß das Fangeisen nicht zuschnappt, daß die Treibjagd ergebnislos verläuft oder daß die großen Herden in diesem Jahr ausbleiben. Das Leben des Jägers ist also vor allem von Entbehrung und dem ständig lauernden Hungertod gekennzeichnet.

JOHN M. CAMPBELL,
»THE HUNGRY SUMMER«

Was ist Geschichte? Sie ist der Beginn einer jahrhundertelangen systematischen Arbeit, die dazu bestimmt ist, das Geheimnis des Todes aufzuklären und endlich den Tod selber zu überwinden. Aus keinem anderen Grund komponieren die Menschen Sinfonien, ent-

decken sie die mathematische Unendlichkeit und die elektromagnetischen Wellen. Um in diese Richtung vorzudringen, braucht man einen gewissen Aufschwung der Seele. Sie können keine Entdeckungen machen ohne das geistige Rüstzeug, das uns in den Evangelien gegeben ist. Da ist als erstes die Nächstenliebe, diese hochentwickelte Form der lebendigen Energie, die das Herz des Menschen bis zum Überfluß erfüllt und nach Hingabe und Verschwendung verlangt. Da sind die zwei wesentlichen Elemente, die für die Existenz des modernen Menschen unerläßlich sind: die Idee der Freiheit der Persönlichkeit und die Vorstellung vom Leben als Opfer.

BORIS PASTERNAK,
»DOKTOR SCHIWAGO«

Angestrichender Absatz in einem der Bücher, die unter Christopher McCandless' Habseligkeiten gefunden wurden; die Unterstreichungen stammen von McCandless.

❖

Nachdem sein Plan, die Wildnis zu verlassen, durch den hohen Wasserstand des Teklanika vereitelt worden war, kehrte McCandless am 8. Juli zum Bus zurück. Man kann nur spekulieren, was zu jenem Zeitpunkt in ihm vorging, da sein Tagebuch nichts verrät. Es ist allerdings gut möglich, daß er sich nicht allzu viele Gedanken darüber machte, daß ihm der Rückweg versperrt war. Warum auch? Zu jener Zeit hatte er kaum Grund zur Sorge: Es war Hochsommer, der Wald strotzte geradezu vor Pflanzen- und Tierleben, und er hatte genug zu essen. Wahrscheinlich hielt er es einfach für das beste, bis August auszuharren und zu warten, bis der Teklanika weit genug zurückgegangen war, um ihn zu überqueren.

Nachdem er sich in dem rostigen Wrack des 142er Busses wieder eingerichtet hatte, nahm er erneut sein Jäger- und Sammlerleben auf. Er las Tolstois »Der Tod des Iwan Iljitsch« und Michael Crichtons »Terminal Man«. In seinem Tagebuch ist zu lesen, daß es eine Woche lang pausenlos regnete. An Wild herrschte kein Mangel: In den letzten drei Juliwochen erlegte er fünfunddreißig Eichhörnchen, vier Rebhühner, fünf Eichelhäher und Spechte sowie zwei Frösche. Dies alles ergänzte er mit Trichterwindenwurzeln, wildem Rhabarber, verschiedenen Beerensorten und jeder Menge Pilze. Obwohl dies alles recht üppig erscheinen mag, war an den Tieren, die er erlegte, nur wenig Fleisch, und er verbrannte mehr Kalorien, als er zu sich nahm. Seit nunmehr drei Monaten schlug er sich mit einem Speiseplan von äußerst geringem Nährwert durch. Er litt mittlerweile unter beträchtlichem Kaloriendefizit, und seine Gesundheit hing an einem seidenen Faden. Ende Juli beging er schließlich den entscheidenden Fehler.

Er hatte gerade »Doktor Schiwago« zu Ende gelesen, ein Buch, das ihm sehr gefiel. Begeistert kritzelte er die Seitenränder mit Anmerkungen voll und hob mehrere Passagen hervor:

Lara ging auf einem Pfade, der an Gleisen entlangführte und von Pilgern und Wallfahrern benutzt wurde. Dann bog sie in eine Wiese ein, die am Waldrand lag. Hier pflegte sie haltzumachen und die Augen halb zu schließen, um die berauschend duftende Luft der unendlichen Waldweite in sich einzusaugen. Diese Luft war ihr mehr verwandt als Vater und Mutter, sie war ihr vertrauter als ihr Geliebter, sie lehrte sie eine tiefere Weisheit als jedes Buch. Für einen Augenblick erschloß sich ihr aufs neue des Lebens Sinn. Sie erkannte, daß sie hier war, um sich in der fast unfaßbaren Schönheit und Herrlichkeit der Erde zurechtzufinden und um allen Dingen einen Namen zu geben.

Wenn dies jedoch ihre Kraft überstieg, so wollte sie, aus Liebe zum Leben, Nachkommen gebären, die an ihre Stelle treten würden.

»NATUR/REINHEIT«, schrieb er in fetten Druckbuchstaben über die Seite.

McCandless versah den Absatz mit Sternchen und Klammern. »Zuflucht in der Natur« kreiste er mit schwarzer Tinte ein.

An den Rand von »And so it turned out…« schrieb er die Bemerkung, »GLÜCK NUR DANN ECHT, WENN GEMEINSAM MIT ANDEREN«.

Die letzte Anmerkung bietet sich an als weiterer Beweis dafür, daß McCandless' lange, einsame Wanderjahre ihn auf tiefgreifende Art verändert hatten. Vielleicht kann sie auch so gedeutet werden, daß er bereit war, den Panzer, den er um sein Herz gelegt hatte, ein wenig zu lockern, daß er sich vornahm, bei seiner Rückkehr in die Zivilisation sein einsames Vagabundenleben aufzugeben und nicht mehr weiter vor Nähe und Intimität die Flucht zu ergreifen, ja sich sogar wieder in die menschliche Gemeinschaft einzugliedern. Wir werden es jedoch nie erfahren, denn »Doktor Schiwago« war das letzte Buch, das McCandless jemals lesen sollte.

Am 30. Juli, zwei Tage nachdem er das Buch zu Ende gelesen hatte, verzeichnet sein Tagebuch einen unheilverkündenden Eintrag: »EXTREM SCHWACH. WEGEN KART.-SAMEN. KANN MICH KAUM AUF DEN BEINEN HALTEN. BIN AM VERHUNGERN. SCHWEBE IN LEBENSGEFAHR.« Vor diesem Eintrag steht in dem Tagebuch nichts, das vermuten ließe, McCandless befände sich in ernster Notlage. Er litt an Hunger und war durch anhaltend schlechte Ernährung bis auf Haut und Knochen abgemagert. Sein Allgemeinzustand schien jedoch alles in allem gut. Dann, nach dem 30. Juli, ging es mit seiner körperlichen Verfassung plötzlich rasant bergab. Am 19. August war er tot.

Es wurde viel darüber gemutmaßt, was die Ursache eines solch rapiden Verfalls gewesen sein könnte. Wayne Westerberg konnte sich in den Tagen nach der Identifizierung der Leiche noch vage daran erinnern, daß Chris sich in South Dakota Saatgut gekauft hatte. Darunter seien möglicherweise auch Kartoffelsamen gewesen. McCandless habe vorgehabt, einen Gemüsegarten anzulegen, nachdem er sich in der Wildnis einigermaßen eingelebt habe. Eine Theorie besagt, daß McCandless nie dazu gekommen sei, den Garten anzulegen (ich habe in der Umgebung des Busses keinen Hinweis auf einen Garten entdecken können). Ende Juli habe der Hunger ihn dann dazu getrieben, die Samen zu essen, was schließlich zu seiner Vergiftung geführt habe.

Nachdem sie zu sprießen begonnen haben, sind Kartoffelsamen in der Tat leicht giftig. Sie enthalten Solanin, ein Gift, das in der Familie der Nachtschattengewächse recht häufig vorkommt. Solanin verursacht kurzfristiges Erbrechen, Durchfall, Kopfschmerzen und Schlafsucht mit Bewußtseinsstörungen. Wenn die Samen dem Körper über einen längeren Zeitraum zugeführt werden, können sie Herzrhythmusstörungen und Probleme mit dem Blutdruck verursachen. Diese Theorie hat jedoch einen Haken: Kartoffelsamen entfalten nämlich nur dann ihre verheerende Wirkung, wenn mehrere Kilo davon verspeist werden. Bedenkt man jedoch, wie leicht McCandless' Gepäck war, als Gallien ihn absetzte, so ist es höchst unwahrscheinlich, daß er, wenn überhaupt, mehr als nur ein paar Gramm dabei hatte.

Andere Deutungen der Geschehnisse, in denen es ebenfalls um Kartoffelsamen, allerdings einer ganz anderen Art, geht, klingen da schon plausibler. Auf Seite 126/127 der »Tanaina-Pflanzenkunde« wird eine Pflanze beschrieben, die die Dena'ina-Indianer »Wilde Kartoffel« nennen und deren karottenähnliche Wurzel sie sammeln. Bei der Pflanze handelt es sich um eine Trichterwinde, die Botanikern als *Hedysarum alpinum* bekannt ist. Sie wächst auf steinigem Grund und ist in der gesamten Region anzutreffen.

Dem Pflanzenkundebuch zufolge ist »die Wurzel der Wilden Kartoffel vermutlich das wichtigste Nahrungsmittel der Dena'ina, abgesehen von wildwachsenden Früchten. Die Dena'ina essen sie auf verschiedene Art – roh, gekocht, gebacken oder gebraten – und tunken sie bevorzugt in Öl oder Schmalz, womit sie sie auch konservieren.« In dem Zitat heißt es weiter, daß die beste Zeit, um Wilde Kartoffeln zu stechen, »der Frühling ist, wenn der Boden auftaut ... Im Sommer trocknen sie offenbar aus und werden hart«.

Priscilla Russel Kari, die Autorin der »Tanaina-Pflanzenkunde«, erklärte mir, daß »der Frühling für das Dena'ina-Volk die härteste Jahreszeit ist, früher noch viel mehr als heute. Das Wild, auf das ihre Ernährung baute, war oft rar, oder die Fische kamen später als erwartet. Deshalb blieb ihnen oft nur die Wilde Kartoffel als Hauptnahrungsmittel, bis im Spätfrühling endlich die Fische kamen. Sie schmeckt sehr süß. Sie war – und ist heute noch – eine ihrer Leibspeisen.«

Über der Erde wächst sich die Wilde Kartoffel zu einem buschigen Strauch aus. Sie kann über einen halben Meter hoch wachsen, und an ihren Stengeln sprießen zarte rosafarbene Blüten, die wie kleine Gartenwicken aussehen. Auf seine Lektüre von Karis Buch hin begann McCandless am 24. Juni damit, Wurzeln der Wilden Kartoffel zu stechen und zu essen, anscheinend ohne Schaden zu nehmen. Am 14. Juli begann er damit, auch die erbsengroßen

Samentriebe der Pflanze zu essen, vermutlich weil die Wurzeln mittlerweile zu hart und zäh waren. Ein Foto, das er in jenen Tagen schoß, zeigt eine große Plastiktüte, die bis zum Rand mit diesen Samen gefüllt ist. Und dann, am 30. Juli, folgt in seinem Tagebuch die Eintragung: »Extrem schwach. Wegen Kart.-Samen ...«

In Karis Pflanzenkundebuch wird auf der Seite nach der Beschreibung der Wilden Kartoffel eine eng verwandte Spezies abgehandelt, die wildwachsende Gartenwicke, *Hedysarum mackenzij*. Obwohl die Pflanze etwas kleiner ist, sieht sie der Wilden Kartoffel zum Verwechseln ähnlich, und selbst ausgewiesene Botaniker finden es oft schwierig, die beiden Pflanzen auseinanderzuhalten. Es gibt nur ein einziges unterscheidendes Merkmal, das absolut verläßlich ist: Die Unterseite der kleinen grünen Blättchen der Wilden Kartoffel ist von deutlich sichtbaren, seitlich verlaufenden Äderchen durchzogen. Auf den Blättern der Gartenwicke fehlen solche Äderchen.

Karis Buch warnt den Leser ausdrücklich vor der wildwachsenden Gartenwicke. Da diese ausgesprochen schwer von der Wilden Kartoffel zu unterscheiden »und angeblich giftig ist, sollte man bei der Bestimmung der beiden Pflanzen sehr sorgfältig vorgehen. Erst dann darf die Wilde Kartoffel zu Ernährungszwecken herangezogen werden.« Der modernen medizinischen Fachliteratur sind keine Berichte über Vergiftungserscheinungen an Menschen bekannt, die auf das Verspeisen der *H. mackenzij* zurückzuführen wären. Die Ureinwohner Alaskas und Kanadas scheinen jedoch seit Menschengedenken gewußt zu haben, daß die Gartenwicke toxisch ist. Sie verwenden auch heute noch große Sorgfalt darauf, die *H. alpinum* nicht mit der *H. mackenzij* zu verwechseln.

Um auf einen dokumentierten Fall einer Gartenwicken-

Vergiftung zu stoßen, mußte ich bis in die Annalen einer Arktis-Expedition des 19. Jahrhunderts zurückgehen. In den Tagebüchern von Sir John Richardson, einem berühmten schottischen Chirurgen, Naturschützer und Forschungsreisenden, wurde ich schließlich fündig. Er war bei Sir John Franklins unseligen ersten beiden Expeditionen dabei und hat beide heil überstanden. Er war es auch, der auf der ersten Expedition den des Mordes und Kannibalismus verdächtigten Mann per Pistolenkugel exekutierte. Richardson ist zufällig auch der Botaniker, der als erster eine Spezifizierung der *H. mackenzij* verfaßte und der Pflanze ihren botanischen Namen gab. Im Jahre 1848, als er auf der Suche des bereits vermißten Franklin eine Expedition durch die Kanadische Arktis leitete, zog er einen botanischen Vergleich zwischen der *H. mackenzij* und der *H. alpinum*. Die letztere, wie er in seinem Tagebuch festhielt,

entwickelt lange, biegsame Wurzeln, die süß wie Lakritze schmecken. Während des Frühlings werden sie viel von den Eingeborenen gegessen. Wenn es wärmer wird, werden sie jedoch hölzern und büßen an Saftigkeit und Frische ein. Die Wurzel der mit weißlichen Härchen besetzten, rankenden und weniger zierlichen, aber mit größeren Blüten versehenen Hedysarum mackenzij *ist giftig und hätte eine alte Indianer-Frau auf Fort Simpson, die sie mit der eingangs erwähnten Spezies verwechselt hatte, beinahe das Leben gekostet. Glücklicherweise stellte sie sich als emetisch heraus, und nachdem die Frau alles, was sie geschluckt hatte, erbrochen hatte, erfreute sie sich erneut bester Gesundheit. Ihre Genesung war jedoch lange Zeit fraglich.*

Die Vermutung drängte sich auf, daß McCandless den gleichen Fehler wie die Indianer-Frau begangen hatte und ähnlich darniederlag. Sämtliche Anhaltspunkte wiesen darauf hin, und es gab kaum Zweifel, daß McCandless – von Natur aus unbedacht und zu überstürzten Entschlüssen neigend – sich einen groben Schnitzer geleistet, eine Pflanze mit der anderen verwechselt hatte und daraufhin gestorben war. In dem *Outside*-Artikel vermeldete ich fest überzeugt, daß *H. mackenzij* dem Jungen zum Verhängnis geworden war. So ziemlich jeder andere Journalist, der über die McCandless-Tragödie schrieb, vertrat dieselbe Meinung.

In den folgenden Monaten hatte ich jedoch Zeit und Muße, mich eingehender mit McCandless' Tod zu befassen, und je mehr ich darüber nachdachte, desto weniger überzeugte mich die allgemeine Übereinstimmung in dieser Frage. McCandless hatte vom 24. Juli an drei Wochen lang Dutzende von Wilden Kartoffelwurzeln gestochen und verspeist, und zwar ohne *H. mackenzij* mit *H. alpinum* zu verwechseln. Warum hätte er also vom 14. Juli an, als er damit begann, Samen anstatt Wurzeln zu sammeln, die beiden Spezies plötzlich durcheinanderbringen sollen?

Immer mehr gelangte ich zu der Überzeugung, daß McCandless penibel darauf geachtet haben muß, nicht an die giftige *H. mackenzij* zu geraten, daß er weder die Samen noch irgendeinen anderen Teil der Pflanze verspeist haben konnte. Er zog sich tatsächlich eine Vergiftung zu, aber die Pflanze, die ihn das Leben kostete, war nicht die Gartenwicke. Das todbringende Agens war die Wilde Kartoffel, *H. alpinum*, also die Spezies, die in dem Pflanzenkundebuch unmißverständlich als ungiftig ausgewiesen wird.

Das Buch informiert den Leser nur darüber, daß die Wurzeln der Wilden Kartoffel eßbar sind. Es steht nichts darüber drin, daß auch die Samen der Pflanze eßbar sind, noch daß sie toxisch wirken. Um McCandless gerecht zu werden, sollte hier fairerweise darauf hingewiesen werden, daß die Samen der *H. alpinum* in wissenschaftlichen Veröffentlichungen bisher noch nie als toxisch beschrieben wurden: Eine umfassende Durchsicht medizinischer und botanischer Fachliteratur ergab keinen einzigen Hinweis darauf, daß irgendein Bestandteil der *H. alpinum* toxisch wirkt.

Die Familie der Hülsenfrüchtler (*Leguminosae*, zu der die *H. alpinum* gehört), ist jedoch reich an Arten, die Alkaloide produzieren – organische Basen, die bei Menschen und Tieren eine starke pharmakologische Wirkung entfalten. (Morphin, Koffein, Nikotin, Kurare, Strychnin und Meskalin sind alles Alkaloide.) Darüber hinaus befindet sich der Giftstoff in vielen alkaloid-produzierenden Arten ausschließlich in den Wurzeln und Endtrieben.

»Ein Phänomen von Hülsenfrüchtlern ist«, erklärt John Bryant, ein Chemie-Ökologe an der University of Alaska in Fairbanks, »daß sich im Spätsommer ihre Samenschalen mit Alkaloiden anreichern, um sich vor pflanzenfressenden Tieren zu schützen. Je nach Jahreszeit wäre es für eine Pflanze mit eßbaren Wurzeln nicht ungewöhnlich, giftige Samen zu haben. Wenn es sich um eine alkaloid-produzierende Spezies handelt, ist das Gift gegen Ende des Sommers am ehesten in den Samen zu finden.«

Ich hatte damals während meines Aufenthalts am Sushana River ein paar Proben der *H. alpinum* gesammelt, die nur ein paar Meter vom Bus entfernt wuchsen. Die Samentriebe schickte ich an Tom Clausen, einen Kollegen von Professor Bryant an der chemischen Fakultät der University of Alaska. Eine abschließende spektrographische Analyse steht noch aus, aber erste durch Clausen und einen seiner Studenten, Edward Treadwell, durchgeführte Tests zeigen, daß die Samen in jedem Falle Spuren von Alkaloiden enthalten. Überdies handelt es sich bei dem nachgewiesenen Alkaloid aller Wahrscheinlichkeit nach um Swainsonin, eine chemische Base, die Ranchern und Viehzüchtern als das toxische Agens im Narrenkraut bekannt ist.

Es gibt ungefähr fünfzig verschiedene Arten von giftigem Narrenkraut. Die meisten davon gehören zur Gattung der *Astragalus* – einer Gattung, die eng verwandt ist mit *Hedysarum*. Die auffälligsten Symptome einer Narrenkrautvergiftung sind neurologischer Art. Einer im *Journal of the American Vetinary Medicine Association* veröffentlichten Studie zufolge ruft eine derartige Vergiftung unter anderem »Niedergeschlagenheit, einen langsamen, schleppenden Gang, glanzloses Fell, einen leeren, starren Blick, starken Gewichtsverlust, Bewegungsstörungen und Nervosität (insbesondere in Momenten größerer Belastung) hervor. Darüber hinaus neigen von einer Vergiftung betroffene Tiere in der Regel zur Bockigkeit. Sie sondern sich ab und lassen sich kaum mehr zur Nahrungsaufnahme oder zum Trinken bewegen.«

Mit Clausens und Treadwells Entdeckung, daß die Samen Wilder Kartoffeln möglicherweise Swainsonin oder eine ähnlich toxische Base speichern, könnte ein schlüssiger Beweis dafür gefunden sein, daß diese Samen McCandless' Tod herbeigeführt haben. In diesem Fall wäre McCandless jedoch nicht der sorglose Traumtänzer, als der er immer hingestellt wurde. Er hat nicht leichtfertig eine Spezies mit der anderen verwechselt. Die Pflanze, die ihm zum Verhängnis wurde, war nicht als toxisch bekannt – in der Tat hatte er sich von ihren Wurzeln wochenlang problemlos ernährt. In seinem Hunger beging er lediglich den Fehler, sich auch die Samentriebe einzuverleiben. Jemand mit einem besseren Verständnis für botanische Zusammenhänge hätte sie wahrscheinlich nicht gegessen. Der Irrtum ist jedoch durchaus verständlich – dennoch kostete er ihn das Leben.

Die Folgen einer Swainsoninvergiftung sind chronischer Natur – das Alkaloid führt nur selten den direkten Tod herbei. Das Toxin ist heimtückisch und wirkt indirekt. Es hemmt ein Enzym, das für den Stoffwechsel von Glykoproteiden unentbehrlich ist. Wie in den Benzinleitungen eines Verbrennungsmotors ruft es in den Nachschubbahnen des Körpers erhebliche Blasenbildung hervor: Der Organismus wird daran gehindert, Nährstoffe in brauchbare Energie umzuwandeln. Wer zuviel Swainsonin zu sich nimmt, verhungert zwangsläufig, egal wieviel Nahrung er in sich hineinstopft.

Ein gesundes, robustes Tier kann es mitunter schaffen, sich von einer Swainsoninvergiftung zu erholen. Das Toxin kann durch den Urin wieder ausgeschieden werden. Dazu muß es sich jedoch zuerst mit einer ausreichenden Anzahl von Glukosemolekülen oder Aminosäuren verbinden. Gleichzeitig bedarf es einer großen Menge an Eiweiß- und Zuckerstoffen, die das Gift aufsaugen und aus dem Körper spülen.

»Das Problem ist«, sagt Professor Bryant, »daß jemand, der geschwächt ist und an starkem Hunger leidet, natürlich keine überschüssigen Eiweiß- und Zuckerstoffe freisetzen kann. Das Gift kann also nicht aus dem Organismus gespült werden. Ein verhungerndes Säugetier wird von einem Alkaloid – selbst einem so harmlosen wie Koffein – viel stärker in Mitleidenschaft gezogen als gewöhnlich. Ohne die nötigen Glukosereserven kann es das Zeugs nicht abbauen. Das Alkaloid speichert sich einfach im Organismus. Falls McCandless eine größere Portion von diesen Samen gegessen hat und bereits in halbverhungertem Zustand war, wäre das der Nagel zu seinem Sarg gewesen.«

Die toxischen Samen hatten McCandless schwer angeschlagen, und ihm wurde plötzlich klar, daß er viel zu geschwächt war, um zum Highway zurückzulaufen und sich zu retten. Er war nun sogar zu schwach, um richtig zu jagen, und wurde daher noch schwächer. Der Hungertod rückte näher und näher. Mit seiner Gesundheit ging es immer steiler bergab, und sein Leben zerrann ihm unter den Fingern.

Für den 31. Juli und 1. August verzeichnet das Tagebuch keine Einträge. Am 2. August steht dort lediglich »Entsetzlicher Wind«. Der Herbst stand vor der Tür. Es wurde kälter, und die Tage wurden merklich kürzer: Jede Erdumdrehung bedeutete sieben Minuten weniger Tageslicht und sieben zusätzliche Minuten Kälte und Dunkelheit. Innerhalb einer einzigen Woche gewann die Nacht fast eine Stunde hinzu.

»der hundertste tag! geschafft!« schrieb er am 5. August, außer sich vor Freude. Er war stolz, einen solchen Meilenstein erreicht zu haben. »Aber total geschwächt. Tod droht. Nicht mehr von der Hand zu weisen. Zu schwach, um hier wegzukommen. Sitze in der Falle. – Kein Wild.«

Wäre McCandless in Besitz einer Geländekarte des Geologischen Vermessungsamtes gewesen, hätte er gewußt, daß sich am Oberlauf des Sushana River eine Forsthütte der Rangers befindet. Sie liegt sechs Meilen Luftlinie vom Bus entfernt, und vielleicht hätte er es bis dorthin sogar in seinem kritischen, geschwächten Zustand geschafft. Die Hütte liegt kurz hinter der Grenze zum Denali-Nationalpark und ist mit ein wenig Notfall-Nahrung, einer Schlafstelle und einem Vorrat an Erste-Hilfe-Medikamenten ausgestattet. Sie dient den Rangers im Winter auf langen Patrouillenfahrten zur Einkehr.

Zwei Meilen näher am Bus liegen – auch wenn sie nicht auf der Karte eingezeichnet sind – zwei private Blockhütten. Die eine gehört den in Healy allgemein bekannten Hundeschlittenfahrern Will und Linda Forsberg, die andere einem Angestellten des Nationalparks, Steve Carwile. In den Hütten hätte sich ebenfalls Nahrung befinden müssen.

McCandless' Rettung schien also, in anderen Worten, nur ein drei Stunden langer Marsch stromaufwärts zu sein. Diese traurige Ironie wurde nach seinem Tode immer wieder zur Sprache gebracht. Aber selbst wenn McCandless von diesen Hütten gewußt hätte, sie hätten ihn nicht vor dem Hungertod bewahrt: Irgendwann in der zweiten Aprilhälfte, als das Hundeschlitten- und Schneemobilfahren wegen der einsetzenden Frühlingsschmelze immer beschwerlicher wurde und die Hütten nicht mehr benutzt wurden, brach ein Unbekannter in alle drei Hütten ein und demolierte sie. Die darin befindlichen Nahrungsmittel waren aufgebrochen worden, und was nicht von den Tieren weggefressen worden war, war nach einer Weile von selbst verdorben.

Der Schaden wurde erst Ende Juni von Paul Atkinson, einem Zoologen, bemerkt. Atkinson hatte gerade vom Highway aus die Outer Range überquert, ein strapaziöser, zehn Meilen langer Trip durch unwegsamstes Gelände. Als er das gedankenlose Zerstörungswerk sah, war er wie vom Schlag getroffen. »Es war ganz eindeutig nicht das Werk eines Bären«, berichtet Atkinson. »Ich habe in meiner praktischen Arbeit sehr viel Umgang mit Bären und weiß, wie die Schäden aussehen, die sie anrichten. Dies sah so aus, als ob jemand mit einem Vorschlaghammer angerückt ist und alles, was ihm in die Quere kam, kurz und klein geschlagen hat. Die Matratzen waren hinausgeworfen und Berufkraut war hindurchgewachsen. An der Höhe des Krauts ließ sich klar erkennen, daß die Sache bereits vor vielen Wochen passiert sein mußte.«

»Sie war total verwüstet«, sagt Will Forsberg von seiner Hütte. »Alles, was nicht niet- und nagelfest war, war runtergerissen und in tausend Stücke zertrümmert worden. Sämtliche Lampen und fast alle Fenster waren kaputt. Das Bettzeug und die Matratzen waren nach draußen gezerrt und alle auf einen Haufen geworfen, Deckenplanken waren runtergerissen, Benzinkanister durchlöchert, und der Holzofen war rausgerissen – sogar ein großer Teppich war nach draußen geschleppt worden und ist verrottet. Und das ganze Essen war weg. Die Hütten hätten Alex also nicht viel genützt, selbst wenn er sie gefunden hätte. Aber vielleicht hat er sie ja gefunden.«

Forsberg hält McCandless für den Hauptverdächtigen. Er glaubt, daß McCandless in der ersten Maiwoche, kurz nachdem er an dem Bus angekommen war, zufällig auf die Hütten stieß. Wutentbrannt darüber, daß die Zivilisation ihm sein geliebtes Wildnisabenteuer verdarb, habe er die Hütten systematisch demoliert. Aber warum zerstörte McCandless dann nicht auch den Bus?

Auch Carwile verdächtigt McCandless. »Ist nur so eine Ahnung«, erklärt er, »aber ich werd das Gefühl nicht los, daß der Junge einer von den Typen war, die ›die Wildnis befreien‹ wollen. Die Hütten zu zerstören wäre seine Art dazu beizutragen. Oder vielleicht war ja seine starke Abneigung gegen die Regierung der Auslöser: Er hat das Schild an der Rangerhütte gesehen und angenommen, daß alle drei Hütten Regierungseigentum sind. Und dann hat er beschlossen, es dem Großen Bruder mal zu zeigen. Möglich ist es in jedem Fall.«

Die Forstbehörden ihrerseits glauben nicht, daß McCandless der Randalierer war. »Wir haben wirklich keinen blassen Schimmer, wer es gewesen sein könnte«, sagt Ken Kehrer, leitender Ranger des Denali Nationalparks. »Aber Chris McCandless wird von den Forstbehörden nicht als Verdächtiger gehandelt.« Tatsächlich gibt es in McCandless' Tagebuch und auf seinen Fotos nichts, das darauf hinweist, daß er in die Nähe der Hütten gekommen wäre. Als McCandless Anfang Mai vom Bus aus erste Exkursionen unternahm, machte er sich, wie die Fotos zeigen, in Richtung Norden auf. Er wanderte stromabwärts am Sushana entlang, in die entgegengesetzte Richtung der Hütten. Und selbst wenn er irgendwie über sie gestolpert wäre, ist es nur schwer vorstellbar, daß er sich mit der vermeintlichen Großtat nicht in seinem Tagebuch brüstete.

Für den 6., 7. und 8. August sind in McCandless' Tagebuch keine Einträge verzeichnet. Am 9. August schrieb er, daß er auf einen Bären schoß, ihn aber verfehlte. Am 10. August sichtete er ein Karibu, das ihm aber entwischte. Es gelang ihm jedoch zumindest, fünf Eichhörnchen zu erlegen. Falls sich in seinem Körper allerdings bereits eine höhere Menge Swainsonin angestaut hatte, wäre auch diese unerwartete Beute kaum ausreichend gewesen, um ihn zu stärken. Am 11. August erlegte und aß er ein Schneehuhn. Am 12. August schleppte er sich aus dem Bus, um Beeren zu sammeln. Zuvor brachte er noch einen Zettel mit einem Hilferuf an der Vordertüre an, falls in seiner Abwesenheit jemand vorbeikommen sollte, was jedoch unwahrscheinlich war. Auf einer aus der Gogol-Erzählung »Taras Bulba« gerissenen Buchseite stand dort in sorgfältiger Blockschrift:

S.O.S. ICH BRAUCHE IHRE HILFE: ICH BIN SCHWER VERLETZT, DEM TODE NAH. ICH BIN ZU SCHWACH, UM HIER WEGZUKOMMEN. ICH BIN GANZ ALLEIN. DIES IST KEIN SCHERZ. IN GOTTES NAMEN, BITTE GEHEN SIE NICHT WEG,

BITTE RETTEN SIE MICH. ICH BIN NICHT WEIT, GEHE JETZT BEEREN SAMMELN. BIN GEGEN ABEND WIEDER DA. DANKE.

Er unterschrieb mit »CHRIS McCANDLESS. AUGUST?« Er war sich dem Ernst seiner Lage vollkommen bewußt und verzichtete deshalb auf seinen großspurigen Spitznamen, Alexander Supertramp, dem er in den letzten Jahren seinem Taufnamen gegenüber den Vorzug gegeben hatte.

Viele Alaskaner haben sich gefragt, warum McCandless in seiner Verzweiflung nicht einen Waldbrand entfachte, als Notsignal. Im Bus befanden sich zwei beinahe volle Vier-Liter-Gasflaschen für den Ofen. Damit wäre es vermutlich ein leichtes gewesen, einen ausreichend großen Brand zu legen, der vorbeifliegende Flugzeuge alar miert hätte. Zumindest hätte er damit ein riesiges SOS-Zeichen in die Sumpflandschaft brennen können.

Anders als jedoch allgemein angenommen, liegt der Bus nicht unterhalb einer offiziellen Flugroute, und nur selten verirrt sich ein Flugzeug dorthin. In den vier Tagen, die ich am Stampede Trail verbrachte, konnte ich, abgesehen von Linienjets, die in Höhen von über achttausend Metern fliegen, kein einziges Flugzeug am Himmel entdecken. Sicherlich kommt es wohl ab und zu vor, daß auch kleinere Flugzeuge in Sichtweite des Busses vorüberfliegen, aber McCandless hätte schon einen sehr großen Waldbrand entfachen müssen, um ihre Aufmerksamkeit zu erregen. Und wie Carine McCandless feststellt: »Chris hätte niemals absichtlich einen Wald niedergebrannt, nicht mal, um sein Leben zu retten. Wer so was denken kann, der kennt meinen Bruder einfach nicht.«

Der Hungertod ist wirklich keine angenehme Art des Ablebens. Im fortgeschrittenen Stadium, wenn der Körper anfängt sich selbst aufzuzehren, stellen sich Muskelschmerzen ein, Herzrhythmusstörungen, Haarausfall,

Schwindel und Atemnot, ferner eine extreme Kälteempfindlichkeit und ein Zustand allgemeiner physischer und geistiger Erschöpfung. Die Haut verfärbt sich. In Ermangelung elementarer Nährstoffe kommt es im Gehirn zu einem starken chemischen Ungleichgewicht, das Schüttelkrampf und Halluzinationen hervorruft. Etliche Menschen, die kurz vor dem Hungertod noch gerettet werden konnten, berichten jedoch, daß das Hungergefühl gegen Ende verschwindet. Der schreckliche Schmerz löst sich auf und macht einer großen Euphorie Platz, einer tiefen inneren Ruhe, begleitet von einer geradezu übernatürlichen geistigen Klarheit. Ob McCandless eine ähnliche Verzückung gewährt war, wissen wir natürlich nicht. Wir können es nur hoffen.

Am 12. August schrieb er in sein Tagebuch: »Wunderschöne Blaubeeren.« Es war sein letzter Eintrag. Vom 13. bis 18. August wird in seinem Tagebuch nur noch eine Strichliste der einzelnen Tage geführt. In jener Woche riß er die letzte Seite aus Louis L'Amours Memoiren, »Education of a Wandering Man«, heraus. Es war eine Seite mit ein paar Versen, die L'Amour aus Robinson Jeffers' Gedicht »Wise Men in Their Bad Hours« zitiert hatte:

Der Tod ist ein grimmiger Wiesenstärling: aber zu sterben
Und den Jahrhunderten mehr gegeben zu haben
Als Knochen und Muskeln, heißt vor allem, eine Schwäche abstreifen.
Die Berge sind toter Stein, die Menschen
Bewundern oder verabscheuen ihre Größe, ihr unverschämtes Schweigen,
Die Berge sind weder besänftigt noch aufgewühlt
Und die Gedanken ein paar toter Männer sind vom gleichen Temperament.

Auf der leeren Rückseite schrieb McCandless ein kurzes Lebewohl: »Ich habe ein glückliches Leben gelebt und bin Gott von ganzem Herzen dankbar. Lebt wohl, und Gott segne euch alle!«

Dann kroch er in den Schlafsack, den seine Mutter ihm genäht hatte, und versank in Bewußtlosigkeit. Er starb wahrscheinlich am 18. August, einhundertzwölf Tage nachdem er in die Wildnis gekommen war, neunzehn Tage bevor sechs Alaskaner an dem Bus vorbeikamen und den Leichnam entdeckten.

Kurz vor dem Ende machte er noch ein Foto von sich. Er steht unter einem strahlenden alaskanischen Himmel neben dem Bus. Mit der einen Hand hält er seine letzte Botschaft in die Kamera, die andere ist zu einem tapferen, seligen Lebewohl gehoben. Sein Gesicht ist erschreckend abgemagert, einem Totenkopf ähnlich. Aber falls er sich in jenen letzten, schwierigen Stunden selbst bemitleidet haben sollte – weil er so jung war und so allein, weil sein Körper und seine Willenskraft ihn im Stich gelassen hatten –, so ist auf dem Foto jedenfalls nichts davon zu erkennen. Er lächelt, und der Blick in seinen Augen läßt keinen Zweifel zu: Chris McCandless war mit sich selbst in Frieden. Er strahlt die heitere Gelassenheit eines Mönchs aus, der zu seinem Herrn aufsteigt.

Epilog

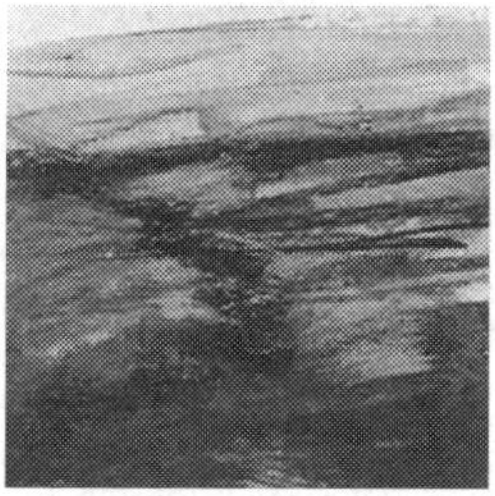

Und dennoch, die letzte, wehmütige Erinnerung streift umher und zieht bisweilen wie eine Nebelschwade vorüber. Die Sonne verschwindet, erkaltet ist die Erinnerung an glücklichere Zeiten. Es gab Glücksmomente, die zu schön waren, um sie zu beschreiben, und Leidensmomente, die ich tapfer erduldet habe. Und in diesem Sinne sage ich: Geht auf die Berge, wenn ihr wollt, aber bedenkt, daß euch Mut und Kraft ohne Klugheit nichts nützen werden und daß eine kleine Unaufmerksamkeit euch euer Lebensglück kosten kann. Nehmt euch Zeit für jeden Schritt und denkt von Anfang an ans Ende.

EDWARD WHYMPER,
»SCRAMBLES AMONGST THE ALPS«

Wir schlafen zu dem ewigen Leierspiel der Zeiten, wir wachen, wenn überhaupt, beim Schweigen Gottes. Und dann, wenn wir an den festen Pfeilern der ungeborenen Zeiten wachen und die erre-

gende Dunkelheit über die weiten Hügel der Zeit hereinbricht, dann wird es Zeit, die Dinge in Bewegung zu bringen, wie zum Beispiel unsere Vernunft und unseren Willen; dann wird es Zeit, uns davonzumachen, und zwar nach Hause.

Es gibt keine Ereignisse, nur Gedanken und das heftig klopfende Herz, das Herz, das so beschwerlich lernt, wo es lieben soll und wen. Der Rest ist nichts als Geschwätz und Geschichten für andere Zeiten.

ANNIE DILLARD,
»HOLY THE FIRM«

❖

Der Helikopter schraubt sich über den Felsvorsprung des Mount Healy in die Höhe, *Tschock-tschock-tschock*. Als der Höhenmesser fünfzehnhundert Meter streift, heben wir uns über einen schlammfarbenen Gipfelgrat hinaus. Die Erde unter uns verliert immer mehr an Kontur, und ein atemberaubendes Panorama der Taiga erfüllt die Plexiglas-Windschutzscheibe. In der Ferne entdecke ich den Stampede Trail, einen dünnen, gekrümmten Streifen, der sich von Osten nach Westen durch die Landschaft zieht.

Billie McCandless sitzt vorne, Walt und ich auf dem Rücksitz. Seit Sam McCandless an ihrer Haustür in Chesapeake Beach auftauchte, um ihnen mitzuteilen, daß Chris nicht mehr lebt, sind zehn schwere Monate vergangen. Walt und Billie wollten den Ort, an dem ihr Sohn sein Leben ließ, mit eigenen Augen sehen, und sie fanden, daß nun die Zeit reif war.

Walt hat die letzten zehn Tage in Fairbanks verbracht. Im Auftrag der NASA wird dort ein in Suchflugzeugen einzubauendes Radarsystem entwickelt, das es ermöglichen soll, ein abgestürztes Flugzeug inmitten eines dichtbewaldeten, Tausende von Hektar großen Gebietes zu finden.

Seit einigen Tagen wirkt er fahrig, nervös und gereizt. Billie, die vor zwei Tagen in Alaska ankam, erzählte mir im Vertrauen, daß Walt sich mit der Vorstellung, den Bus aufzusuchen, bis zum Schluß nicht anfreunden konnte. Zu meiner Überraschung sagt sie, daß sie sich gut fühlt und gelassener Stimmung ist, ja, daß sie sich schon seit geraumer Zeit auf diese Reise freue.

Daß wir im Hubschrauber zu dem Bus fliegen, hatte sich erst in letzter Minute ergeben. Billie wollte unbedingt auf dem Landweg dorthin kommen und dem Stampede Trail folgen, so wie Chris es getan hatte. Sie hatte sich zu diesem Zweck mit Butch Killian in Verbindung gesetzt, dem Bergarbeiter aus Healy, der dabeigewesen war, als man Chris' Leiche entdeckt hatte. Killian erklärte sich bereit, Walt und Billie in seinem Argo zu dem Bus zu fahren. Gestern jedoch rief er sie in ihrem Hotel an und sagte ihnen, daß der Teklanika immer noch sehr hoch stehe – zu hoch, wie er befürchtete, um ihn gefahrlos durchqueren zu können, nicht einmal in seinem achträdrigen Amphibienfahrzeug. Daher der Hubschrauber.

Siebenhundert Meter unterhalb der Kufen des Helikopters überzieht ein fleckig-grünes Tweedmuster aus Sümpfen und Fichtenwäldern die hügelige Landschaft. Der Teklanika wirkt wie ein langes braunes, achtlos hingeworfenes Band. In der Nähe des Zusammenflusses von zwei kleineren Bächen rückt ein unnatürlich grelles Objekt ins Blickfeld: Bus Nr. 142, Fairbanks. Fünfzehn Minuten für eine Strecke, die Chris vier Tage kostete.

Der Hubschrauber setzt geräuschvoll auf dem Boden auf. Der Pilot stellt den Rotor ab, und wir springen auf den sandigen Boden. Gleich darauf hebt die Maschine in einem orkanartigen Luftstrudel wieder ab. Eine majestätische Stille umgibt uns. Walt und Billie stehen zehn Meter vom Bus entfernt und fixieren stumm das absonderliche

Gefährt. In einer Zitterpappel zwitschert ein Eichelhähertrio.

»Er ist kleiner«, sagt Billie schließlich, »als ich ihn mir vorgestellt habe. Ich meine den Bus.« Und dann, während sie sich umsieht: »Wie schön es hier ist. Es erinnert mich so sehr an zu Hause, ich meine, wo ich aufgewachsen bin. O Walt, hier sieht es genauso aus wie auf der Upper Peninsula! Chris muß sich hier wirklich wohl gefühlt haben.«

»Ich habe wirklich keinen Grund, Alaska zu mögen, o. k.?« antwortet er finster. »Aber es stimmt – es ist auf eine seltsame Art und Weise schön hier. Ich kann mir gut vorstellen, warum es Chris hier gefiel.«

Die nächste halbe Stunde umkreisen Walt und Billie schweigend das klapprige, rostige Gefährt, schlendern ans Ufer des Sushana River und spazieren ein wenig im Wald umher.

Billie betritt als erste den Bus. Als Walt vom Fluß zurückkehrt, sitzt sie auf der Matratze, auf der Chris starb, und nimmt das schäbige Innere des Busses in Augenschein. Lange blickt sie stumm auf die Wanderstiefel ihres Sohnes unter dem Ofen, seine Schrift auf den Wänden und auf seine Zahnbürste. Sie weint nicht, heute nicht. Sie untersucht das Durcheinander auf dem Tisch und beugt sich schließlich vor, um sich einen Löffel mit einem eigenartigen Blumenmuster auf dem Stiel genauer anzusehen. »Walt, sieh nur«, sagt sie. »Das ist noch von dem Besteck, das wir in unserem Haus in Annandale hatten.«

Im Vorderteil des Busses hebt Billie eine von Chris' zerschlissenen, geflickten Jeans auf. Sie schließt die Augen und drückt sie sich ans Gesicht. »Riech nur«, drängt sie ihren Mann mit einem schmerzerfüllten Lächeln. »Sie riechen immer noch nach Chris.« Nach einem langen, bewegenden Moment sagt sie, mehr zu sich selbst: »Er muß am

Ende sehr tapfer und stark gewesen sein, daß er nicht selbst Schluß gemacht hat.«

Billie und Walt gehen die nächsten zwei Stunden in dem Bus ein und aus. Walt bringt an der Innentüre ein kleines Gedenkzeichen an, ein einfaches Messingschildchen mit ein paar eingravierten Worten. Darunter stellt Billie einen kunstvoll arrangierten Strauß aus Berufkraut, Eisenhut, Schafgarbe und Fichtenzweigen zusammen. Unter das Bett im hinteren Teil des Busses stellt sie einen Koffer mit einem Verbandskasten, Dosenkonserven und vielem mehr, das in einer Notsituation hilfreich sein könnte. Dazu legt sie einen Zettel, auf dem sie jeden, der ihn zufällig lesen sollte, bittet, »sobald wie möglich deine Eltern anzurufen«. In dem Koffer befindet sich ferner eine Bibel, die Chris als Kind gehörte. »Obwohl ich«, wie Billie zugibt, »nicht mehr gebetet habe, seit wir ihn verloren haben.«

Walt ist eher nachdenklicher Stimmung und hat die ganze Zeit kaum etwas gesagt. Er wirkt jedoch so entspannt wie schon lange nicht mehr. »Ich hatte keine Ahnung, wie ich auf all das reagieren würde«, gesteht er und zeigt auf den Bus. »Aber jetzt bin ich froh, daß wir hier waren.« Dieser kurze Abstecher, wie er sagt, hat ihm geholfen, besser zu begreifen, warum sein Sohn in dieses Land gekommen ist. Christ ist ihm in vielerlei Hinsicht noch immer unverständlich und wird es wohl immer bleiben. Aber nun ist er der Lösung des Rätsels ein wenig näher gekommen. Und für diesen kleinen Trost ist er dankbar.

»Es ist irgendwie beruhigend, zu wissen, daß Chris hier war«, erklärt Billie, »genau zu wissen, daß er an diesem Fluß war, daß er hier auf diesem Flecken Erde gestanden hat. Wenn wir in den letzten drei Jahren irgendwo verreist waren, haben wir uns immerzu gefragt, ob Chris vielleicht auch einmal dort war. Die Ungewißheit war schrecklich – gar nichts zu wissen.

Immer wieder höre ich von Leuten, daß sie Chris für das, was er zu tun versucht hat, bewundern. Wenn er es überlebt hätte, würde ich es auch so sehen. Aber er hat es nicht überlebt, und niemand kann ihn wieder lebendig machen. Da läßt sich nichts mehr ändern. Die meisten Dinge lassen sich irgendwie wieder richten, aber dies nicht. Ich weiß nicht, wie man über solch einen schlimmen Verlust hinwegkommen kann. Die Tatsache, daß Chris nicht mehr da ist, ist ein stechender Schmerz, den ich jeden einzelnen Tag spüre. Es ist wirklich schwer. An einigen Tagen ist es besser als an anderen, aber es wird für den Rest meines Lebens jeden Tag schwer sein.«

Plötzlich wird die Stille von den schlagenden Rotorblättern des Hubschraubers erschüttert. Er senkt sich in einer Spirale aus den Wolken hinab und landet auf einem mit Berufkraut bewachsenen Flecken. Wir klettern hinein. Der Hubschrauber hebt sich in die Lüfte, bleibt einen kurzen Moment lang im Schwebeflug stehen. Dann geht er in Schräglage und driftet steil nach Südosten ab. Ein paar Minuten lang ist zwischen den verkümmerten Bäumen das Dach des Busses noch zu sehen, ein winziger weißer Schimmer in einem wilden, grünen Meer. Der weiße Schimmer wird kleiner und kleiner, dann ist er weg.

Jon Krakauer

In eisige Höhen

Das Drama am Mount Everest. Aus dem Amerikanischen von Stephen Steeger. 390 Seiten und 33 Schwarzweißfotos. Serie Piper

Geplant war ein Bericht über die dramatischen Auswüchse des kommerziellen Bergsteigens, Jon Krakauer wurde jedoch Augenzeuge der schlimmsten Katastrophe, die sich je auf dem Dach der Welt ereignet hat: Zwölf Bergsteiger kamen ums Leben. Jon Krakauers spannendes und tief berührendes Buch ist ein einmaliges Dokument, das sich mit der Faszination und Irrationalität des Bergsteigens auseinandersetzt.

»Eines der besten Bergbücher, weil es hautnah und nachvollziehbar zeigt, warum Leute auf den Gipfeln ihr Leben riskieren, obwohl sie es gerade dort wiederfinden wollen.«
Tages-Anzeiger, Zürich

05/1659/01/L

Jon Krakauer

Auf den Gipfeln der Welt

Die Eiger-Nordwand und andere Träume. Aus dem Amerikanischen von Wolfgang Rhiel. 304 Seiten. Serie Piper

Der Autor des Weltbestsellers »In eisige Höhen« berichtet in zwölf brillanten Reportagen von seinen gefährlichen Leidenschaften: dem Everest und dem K2, dem Montblanc und der berüchtigten Eiger-Nordwand, vom Canyoning in wilden Schluchten und von seiner erfolgreichen Solobesteigung des Devils Thumb in Alaska. Er erzählt von berühmten Bergsteigern, die für ihre Passion ihr Leben aufs Spiel setzen, und macht verständlich, worin die Faszination der Berge besteht.

»Spannende und interessante Geschichten, oft mit ungewöhnlichen Perspektiven, Humor und jenem ironischen Unterton, der aus ›Helden‹ wieder Menschen macht und damit das ›Abenteuer‹ erst recht plausibel.«
Frankfurter Allgemeine Zeitung

05/1972/01/R